PU20

D0119442

Omertà

Bezoek ook onze website:
www.boekerij.nl

Van dezelfde auteur:
De peetvader
De Siciliaan
De laatste don

Mario Puzo

Omertà

dB

2000 – De Boekerij – Amsterdam

Oorspronkelijke titel: Omertà (Random House)
Vertaling: Peter Barnaart
Omslagontwerp: Hesseling Design, Ede

ISBN 90-225-2734-4

Voor
Evelyn Murphy

Omertà:

Siciliaanse erecode die verbiedt uit de
school te klappen over misdaden waarvan
men vindt dat die niemand anders aangaan
dan de betrokkenen.

World Book Dictionary

MET DANK AAN

Mijn zeer bijzondere dank gaat uit naar Carol Gino, mijn
literaire agenten Candida Donadio en Neil Olson, mijn raadslie-
den Bert Fields en Arthur Altman, mijn editor bij Random House
Jonathan Karp, mijn kinderen en kleinkinderen.

PROLOOG
1967

In Castellammare del Golfo, een dorpje als een steenwoestijn aan de donkere Siciliaanse Middellandse Zee, lag een machtige maffia-don op sterven. Vincenzo Zeno was een man van eer, die zijn hele leven geliefd was geweest vanwege zijn rechtvaardigheid en onpartijdigheid, zijn hulp aan wie hulp nodig had en zijn genadeloze straf voor wie die de moed had zijn wil te dwarsbomen.

Hij werd omringd door drie voormalige volgelingen van hem, die later ieder op eigen kracht macht en een positie hadden weten te verwerven: Raymonde Aprile uit New York in Amerika, Octavius Bianco uit Palermo en Benito Craxxi uit Chicago. Zij waren hem stuk voor stuk een laatste gunst schuldig.

Don Zeno was de laatste echte maffiabaas, omdat hij zijn leven lang de oude tradities in ere had gehouden. Hij had van alle zaken een percentage opgestreken, maar nooit van drugs of prostitutie. En nooit was een arme man, die bij hem om geld had aangeklopt, met lege handen weggegaan. Hij corrigeerde waar de wet onrechtvaardig was – de opperrechter in Sicilië mocht dan zíjn regels stellen, als jij het recht aan je kant had, dan zou don Zeno zijn veto over die uitspraak laten blijken, met zijn eigen wil – en wapens.

Nimmer had een jonge losbol de dochter van een arme boer in de steek kunnen laten zonder dat don Zeno hem tot een kerkelijk huwelijk had weten te bewegen. Geen enkele bank was het gelukt beslag te komen leggen bij een weerloze boer zonder dat door tussenkomst van don Zeno de zaak werd geregeld. Had een jongeman zijn zinnen gezet op een universitaire opleiding, nimmer was hem de toegang ontzegd wegens gebrek aan geld of kwalificaties. Zolang hij gelieerd was aan de *cosca*, zijn clan, werden zijn dromen bewaarheid. De wetten van Rome konden nooit de tradities van Si-

11

cilië vertegenwoordigen en golden daar ook niet; don Zeno zou ze koste wat kost bestrijden.

Maar de afgelopen jaren was zijn macht gaan tanen en in een vlaag van zwakte was hij met een beeldschone jongedame getrouwd, die een pracht van een zoon had gebaard. Ze was in het kraambed gestorven, en nu was de jongen twee jaar oud. De oude maffialeider, die wist dat zijn einde nabij was en dat zijn *cosca* door de machtiger *coscas* van Corleone en Clericuzio zou worden verpulverd, maakte zich zorgen over de toekomst van zijn zoon.

Hij had zijn drie vrienden aan zijn bed geroepen, omdat hij een belangrijk verzoek had. Maar eerst bedankte hij hun voor hun vriendschap en respect die ze hadden betoond door van zo ver te komen. Waarna hij hun vertelde dat het zijn wens was dat zijn jonge zoon Astorre naar een veilige plaats zou worden gebracht, waar hij onder andere omstandigheden zou worden opgevoed. Maar in dezelfde traditie zou worden opgevoed tot een man van eer, zoals hijzelf.

'Ik kan met een zuiver geweten sterven,' zei hij, alsof zijn vrienden niet wisten dat hij de dood van honderden mannen op zijn geweten had, 'als ik ervoor kan zorgen dat mijn zoon veilig is. Want ik zie dat dit twee jaar oude kind uit het hout is gesneden van de ware maffioso, een zeldzame en bijna uitgestorven eigenschap.'

Hij vertelde hun dat hij een van hen zou uitverkiezen om dit bijzondere kind te beschermen, en dat die verantwoordelijkheid groots beloond zou worden.

'Vreemd,' zei don Zeno, terwijl hij met een vertroebelde blik voor zich uit staarde. 'Volgens traditie is de eerste zoon de ware maffioso. Maar in mijn geval moest het tot mijn tachtigste jaar duren voordat ik mijn droom kon verwezenlijken. Bijgeloof is niets voor mij, maar toch zou ik bijna geloven dat dit kind is voortgekomen uit de aarde van Sicilië zelf. Zijn ogen zijn groen als de olijven die aan mijn beste bomen groeien. En hij heeft de gevoeligheid van een Siciliaan – hij is romantisch, muzikaal, opgewekt. Maar als iemand hem beledigt, vergeet hij niet, zo jong als hij is. Hij heeft echter leiding nodig.'

'En wat wilt u dan van ons, don Zeno?' vroeg Craxxi. 'Want ik wil dit kind van u met genoegen bij me nemen en opvoeden als mijn eigen kind.'

Bianco keek Craxxi bijna beledigd aan. 'Ik ken die jongen al vanaf zijn geboorte. Hij is vertrouwd met me. Ik zal hem beschouwen als mijn eigen kind.'

12

Raymonde Aprile keek don Zeno aan, maar hij zei niets.

'En jij, Raymonde?' vroeg don Zeno.

Aprile zei: 'Als u mij kiest, wordt uw zoon mijn eigen zoon.'

De don woog hen tegen elkaar af: ze waren alledrie even waardig. Volgens hem was Craxxi de intelligentste. Bianco was zonder twijfel het meest ambitieus en de sterkste. Aprile was eerder beheerst en integer, stond dichter bij zichzelf. Maar hij was meedogenloos.

Don Zeno begreep, ondanks dat hij stervende was, dat Raymonde Aprile degene was die het kind het meest nodig had. De liefde van het kind zou hem meer goeddoen dan de anderen en hij zou ervoor zorgen dat zijn zoon leerde overleven in hun wereld vol verraad.

Don Zeno zweeg geruime tijd. Ten slotte zei hij: 'Raymonde, jij zult zijn vader worden. En ik kan in vrede rusten.'

De begrafenis van de don was een keizer waardig. Alle *cosca*-leiders van Sicilië kwamen hun eer betuigen, tezamen met ministers uit Rome, de grootgrondbezitters en honderden onderdanen van zijn wijdvertakte *cosca*. Op de bok van de zwarte, door paarden getrokken lijkkoets zat Astorre Zeno, een peuter met felle ogen, in een lange zwarte jas en met op zijn hoofd een zwarte hoed zonder rand, waardig als een Romeinse keizer.

De kardinaal van Palermo in hoogst eigen persoon leidde de dienst en sprak de gedenkwaardige woorden: 'In ziekte en in gezondheid, bij ongeluk en rampspoed bleef don Zeno een trouwe vriend voor allen.' Waarna hij don Zeno's laatste woorden citeerde: 'Ik vertrouw mijn lichaam toe aan God,' zei hij. 'Hij zal mijn zonden vergeven, want ik heb elke dag getracht rechtvaardig te zijn.'

En zo kwam het dat Astorre Zeno door Raymonde Aprile werd meegenomen naar Amerika en in diens familie werd opgenomen.

1
(1995)

Toen Franky en Stace, de Sturzo-tweeling, Heskows tuinpad opreden, zagen ze op een geïmproviseerd speelveld bij het huis vier heel lange pubers basketballen. Terwijl Franky en Stace uit hun grote Buick stapten, kwam John Heskow hen tegemoet. Een grote man met kleine blauwe twinkelogen en een peervormige gestalte, wiens dunne haar een keurige krans om zijn kale schedel vormde. 'Stipt op tijd,' zei hij. 'Er is iemand aan wie ik jullie wil voorstellen.'

De basketbalwedstrijd werd gestaakt. Trots zei Heskow: 'Dit is mijn zoon Jocko.' De langste van de tieners stak zijn enorme hand naar Franky uit.

'Hallo,' zei Franky. 'Zullen we een partijtje spelen?'

Jocko bekeek de twee bezoekers. Ze waren zo'n één meter tachtig lang en zo te zien in goede conditie. Ze hadden allebei Ralph Lauren-polo's aan, de ene een rode en de ander een groene, met een kakibroek en schoenen met rubberzolen. Het waren sympathieke, knappe mannen met een innemende zelfverzekerdheid op hun tanige gezichten. Het waren duidelijk broers, maar Jocko kon niet weten dat het tweelingen waren. Volgens hem waren ze begin veertig.

'Natuurlijk,' zei Jocko met een jongensachtige spontaniteit.

Stace grijnsde. 'Geweldig! We hebben net duizenden kilometers gereden en we moeten ons even losschudden.'

Jocko wenkte zijn maten, allemaal groter dan één tachtig, en zei: 'Ik speel wel met hen tegen jullie drieën.' Aangezien hij een veel betere speler was, dacht hij dat de vrienden van zijn vader dan meer kans zouden maken.

'Doe kalm aan met ze,' waarschuwde John Heskow de jongens.

14

'Die ouwe knarren willen alleen maar wat dollen.'

Het was halverwege de middag in december, dus de kou bracht het bloed lekker op gang. Het kille, vaalgele licht van Long Island weerkaatste in de glazen daken en wanden van Heskows bloemkassen, zijn dekmantel.

Jocko's jonge maten pasten gedwee hun tempo aan zodat de oudere mannen hen konden bijhouden. Maar opeens scheerden Franky en Stace hen voorbij voor hun opslag. Jocko stond versteld van hun snelheid; vervolgens weigerden ze te schieten en gaven de bal aan hem door. Ze schoten nooit op afstand. Dat leek hun eer te na. Voor een gemakkelijke opslag moest je vrij kunnen opspringen.

Het vijandelijke team begon hun lengte uit te buiten om de oudere mannen te omzeilen, maar kreeg tot hun verbazing weinig weerwerk. Uiteindelijk verloor een van de jongens zijn geduld en gaf Franky hard een elleboogstoot in zijn gezicht. Opeens lag de jongen op de grond. Jocko, die het geheel overzag, wist niet zo goed was er was gebeurd. Maar op dat moment raakte Stace zijn broer met de bal op zijn hoofd en zei: 'Kom op, spelen, kuttenkop.' Franky hielp de jongen overeind, gaf hem een tik op zijn kont, en zei: 'Hé, sorry.' Ze speelden nog een minuut of vijf door, maar tegen die tijd waren de oudere mannen duidelijk afgemat en renden de jongeren in kringen om hen heen. Ten slotte kapten ze ermee.

Toen Heskow hun op de binnenplaats frisdranken kwam brengen, verdrongen de pubers zich om Franky heen, die niet alleen charisma had maar in het veld blijk had gegeven van profkwaliteiten. Franky drukte de jongen die hij tegen de grond had gewerkt aan zijn borst. Vervolgens gaf hij zijn man-van-de-wereldgrijns ten beste, die niet misstond op zijn hoekige gezicht.

'Laat deze ouwe vent jullie een raad geven,' zei hij. 'Nooit dribbelen als je kunt passeren. Nooit opgeven als je in de laatste partij twintig punten achterstaat. En neem nooit verkering met een vrouw die er meer dan één kat op na houdt.'

De jongens moesten allemaal lachen.

Franky en Stace gaven hun een hand en bedankten hen voor de wedstrijd, waarna ze samen met Heskow het fraaie huis met de groene klimop binnengingen. Jocko riep hun na: 'Hé, toffe gozers zijn jullie!'

John Heskow liep voor hen uit de trap op naar hun kamer. Die bevond zich achter een loodzware deur met een degelijk slot, merkten de broers toen Heskow hen er binnenliet en de deur achter hen op slot deed.

Het was een ruime kamer, een suite eigenlijk, waar een badkamer aan vastzat. Er stonden twee eenpersoonsbedden – Heskow wist dat de broers graag in één kamer sliepen. In een hoek stond een enorme kist met staalbeslag en een zwaar ijzeren hangslot. Met een sleutel maakte Heskow de kist open en tilde het deksel omhoog. Te voorschijn kwamen, als een reeks zwarte, geometrische vormen, diverse revolvers, automatische pistolen en dozen munitie.

'Kan dit ermee door?' vroeg Heskow.

Franky zei: 'Geen geluiddempers.'

'Voor deze klus hebben jullie geen geluiddempers nodig.'

'Fijn,' zei Stace. 'Ik heb een hekel aan geluiddempers. Ik raak nooit iets met een geluiddemper.'

'Oké,' zei Heskow. 'Nemen jullie maar een douche, doe of je thuis bent, dan zorg ik dat ik die jongens kwijtraak en ga koken. Wat vonden jullie van mijn zoon?'

'Een heel fijne knul,' zei Franky.

'En wat vind je van de manier waarop hij basketbalt?' vroeg Heskow met een blos van trots waardoor hij nog meer op een rijpe peer leek.

'Buitengewoon,' zei Franky.

'Stace, wat vind jij?' vroeg Heskow.

'Heel buitengewoon,' zei Stace.

'Hij heeft een beurs voor Villanova,' zei Heskow. 'Regelrecht bij de NBA, de National Basketball Association.'

Toen de tweeling even later beneden kwam, zat Heskow al in de huiskamer te wachten. Hij had stoofvlees met paddestoelen en een gigantische salade klaargemaakt. Er stond rode wijn op de tafel.

Ze gingen met z'n drieën zitten. Oude vrienden die elkaars verleden kenden. Heskow was dertien jaar geleden gescheiden. Zijn ex-vrouw en Jocko woonden een paar kilometer verderop in Babylon. Maar Jocko was hier erg vaak en Heskow stond altijd klaar en was een toegewijde vader.

'Jullie zouden pas morgen komen,' zei Heskow. 'Als ik had geweten dat jullie vandaag zouden komen, had ik gezorgd dat de jongen weg was. Toen je opbelde, kon ik hem en zijn vrienden er moeilijk uitgooien.'

'Dat geeft niet,' zei Franky. 'Laat nou maar.'

'Jullie waren goed met die jongens,' zei Heskow. 'Hebben jullie wel eens bedacht dat jullie echte profs hadden kunnen worden?'

'Welnee,' zei Stace. 'We zijn veel te klein, één tachtig maar. Die spaghettislierten waren veel te lang voor ons.'

'Zeg zulke dingen niet in het bijzijn van die jongen,' zei Heskow ontzet. 'Hij moet met ze spelen.'

'Welnee,' zei Stace. 'Dat zou ik nooit doen.'

Heskow kalmeerde en nam een slok wijn. Hij werkte graag met de Sturzo-broers samen. Ze waren allebei zo sympathiek – ze werden nooit zo hufterig als het schorem waar hij meestal mee te maken kreeg. Ze waren voor iedereen net zo gemakkelijk in de omgang als voor elkaar. Je kon op hen rekenen, en dat straalden ze uit.

De drie mannen aten langzaam, op hun gemak. Heskow schepte hun borden nog eens vol, zó uit de pan.

'Dat heb ik je altijd willen vragen,' zei Franky tegen Heskow. 'Waarom heb je je naam veranderd?'

'Dat was lang geleden,' zei Heskow. 'Niet dat ik me schaamde dat ik een Italiaan was. Maar ik zie er zo verrekte Duits uit, weet je. Met dat blonde haar en die blauwe ogen en die neus van mij. Het leek altijd verdacht dat ik een Italiaanse naam had.'

De tweeling moest lachen – een relaxte, begrijpende lach. Ze wisten dat hij iedereen in de maling nam, maar dat vonden ze niet erg.

Toen ze hun salade op hadden, kwam Heskow met voor ieder een dubbele espresso en een schaal met Italiaans gebak. Hij offreerde sigaren, maar die sloegen ze af. Ze hielden het bij hun Marlboro's, die bij hun ruige cowboygezichten pasten.

'Tijd om terzake te komen,' zei Stace. 'Dit wordt zeker een grote slag. Waarom moesten we anders duizenden kilometers komen rijden? We hadden ook kunnen vliegen.'

'Zo erg was het niet,' zei Franky. 'Ik vond het wel fijn. We hebben Amerika in het echt gezien. We hebben lol gehad. De mensen in de kleine steden waren grandioos.'

'Niet te geloven,' zei Stace. 'Maar toch, het was een lange rit.'

'Ik wilde geen sporen achterlaten op vliegvelden,' zei Heskow. 'Daar gaan ze het eerst controleren. En er komt een hoop heibel. Kunnen jullie tegen heibel?'

'Ik weet niet beter,' zei Stace. 'Kom op, wat is het?'

'Don Raymonde Aprile.' Heskow verslikte zich bijna in zijn espresso toen hij het zei.

Er volgde een lange stilte, en toen ving Heskow voor het eerst de kilte van de dood op die de tweeling kon uitstralen.

Kalm zei Frank: 'Je hebt ons vierenhalfduizend kilometer laten rijden om ons deze klus voor te stellen?'

Stace keek Heskow glimlachend aan en zei: 'John, het was fijn je te zien. Betaal ons je schraploon maar, dan stappen we weer op.'

De tweeling lachte om zijn geintje, maar Heskow snapte het niet.

Een vriend van Franky in L.A., een freelance schrijver, had hun ooit uitgelegd dat een tijdschrift voor een artikel misschien wel zijn onkosten wilde vergoeden, maar dat dat niet betekende dat ze het stuk ook zouden afnemen. Ze betaalden dan een klein percentage van de afgesproken gage om het te schrappen. De tweeling had die handelwijze overgenomen. Ze brachten een bedrag in rekening om een voorstel alleen maar aan te horen. In dit geval, vanwege de reistijd en omdat ze met z'n tweeën waren, was het schraploon twintigduizend dollar.

Maar het was Heskows taak hen over te halen de opdracht te aanvaarden. 'De don is drie jaar geleden in retraite gegaan,' zei hij. 'Al zijn vroegere connecties zitten in de bak. Hij is uitgerangeerd. De enige die lastig kan worden is Timmona Portella, maar die houdt zich gedeisd. Jullie krijgen een miljoen dollar, de helft als jullie klaar zijn, de andere helft over een jaar. Maar in dat jaar moeten jullie je gedeisd houden. Kijk, alles is voorbereid. Het enige wat jullie hoeven te doen is schieten.'

'Een miljoen,' zei Stace. 'Dat is een smak geld.'

'Mijn cliënt weet dat het een grote stap is om don Aprile te vermoorden,' zei Heskow. 'Hij wil de beste hulp. Koelbloedige schutters en stille partners die weten wat ze doen. En beter dan jullie is er gewoon niet.'

Franky zei: 'En er zijn niet zo veel lui die het risico zouden nemen.'

'Kom zeg,' zei Stace. 'Je moet er de rest van je leven mee leven. Je krijgt iedereen achter je aan: én de politie, én de FBI.'

'Ik zweer jullie,' zei Heskow, 'dat de NYPD, de *New York Police Department* zich niet zal uitsloven. De FBI zal geen vinger uitsteken.'

'En de ouwe gabbers van de don?' vroeg Stace.

'Doden hebben geen vrienden.' Heskow zweeg even. 'Toen de don in retraite ging, heeft hij alle banden verbroken. Jullie hebben niets te vrezen.'

'Is het niet lollig,' zei Franky tegen Stace, 'dat ze bij al onze deals altijd beweren dat we niets te vrezen hebben?'

Stace lachte. 'Omdat zíj niet hoeven te schieten. John, jij bent een ouwe gabber. We vertrouwen je. Maar als je je nou vergist? Dat kan iedereen gebeuren. Stel dat de don nog wél ouwe gabbers heeft? Je weet hoe hij te werk gaat. Geen genade. Als we gepakt worden, worden we niet zómaar omgelegd. Dan zijn we de eerste uren nog niet jarig. Bovendien zijn onze families ook niet veilig onder het regime van de don. Dus ook jouw zoon niet. In zijn graf kan hij niet voor het nationale basketbalteam spelen. Ik denk dat wij moeten weten wie hiervoor betaalt.'

Met een vuurrood gezicht, alsof hij bloosde, boog Heskow zich naar hen toe. 'Dat kan ik niet zeggen. Dat weet je. Ik ben alleen de bemiddelaar. En al dat andere had ik ook al bedacht. Jullie denken toch niet dat ik stom ben? Wie weet niet wie de don is? Maar hij is weerloos. Die verzekering heb ik van de top gekregen. De politie zal een schijnvertoning opvoeren. De FBI kan zich geen onderzoek veroorloven. En de grote maffialeiders zullen zich nergens mee bemoeien. Er kan niks misgaan.'

'Ik had nooit kunnen dromen dat don Aprile ooit mijn doelwit zou worden,' zei Franky. De opdracht streelde zijn ego. Een man doden die in zijn milieu zo werd gevreesd en voor wie iedereen zo'n ontzag had.

'Dit is geen basketbalwedstrijdje, Franky,' waarschuwde Stace. 'Als we verliezen, worden er geen handjes geschud en komen we het veld niet af.'

'Maar Stace, een miljoen dollar. En John heeft ons nog nooit belazerd. Laten we het doen.'

Stace voelde hun enthousiasme stijgen. Ach welja. Hij en Franky konden op zichzelf passen. Tenslotte ging het om een miljoen dollar. Als puntje bij paaltje kwam, was Stace een grotere geldwolf dan Franky, zakelijker, en dat miljoen kon hij niet laten lopen.

'Oké,' zei Stace. 'Maar God sta ons bij als je je vergist.' Hij was ooit misdienaar geweest.

'Maar wordt de don niet door de FBI in de gaten gehouden?' vroeg Franky. 'Moeten we daar geen rekening mee houden?'

'Nee,' zei Heskow. 'Toen al zijn oude gabbers de bak in draaiden, heeft de don zich keurig op de vlakte gehouden. Dat vond de FBI netjes. Ze laten hem met rust. Dat garandeer ik. Goed, laat ik het uitleggen.'

Het kostte hem een halfuur om het plan tot in de details duidelijk te maken.

Uiteindelijk vroeg Stace: 'Wanneer?'

'Zondagmorgen,' zei Heskow. 'Jullie blijven de eerste twee dagen hier. Daarna vertrekken jullie per privé-vliegtuig vanaf Newark.'

'We moeten een heel goede chauffeur hebben,' zei Stace. 'Een buitengewoon goeie.'

'Ik rijd,' zei Heskow, waarna hij er bijna verontschuldigend aan toevoegde: 'Het gaat om een heel grote afrekening.'

De rest van het weekend speelde Heskow voor babysit van de tweeling: hij kookte voor hen, deed hun boodschappen. Hij was niet snel onder de indruk, maar soms werd het hem koud om het hart van de Sturzo's. Het leken wel adders: constant waakzaam, al waren ze ook niet te min om hem een handje te helpen in zijn bloemkassen.

Toen de broers vlak voor het avondeten met z'n tweeën aan het basketballen waren, keek Heskow gefascineerd toe hoe hun lijven als slangen langs elkaar heen gleden. Franky was sneller en een dodelijke schutter. Stace was niet zo goed, maar gewiekster. Franky had best prof kunnen worden, dacht Heskow. Maar dit was geen spelletje basketbal. Als de nood echt aan de man kwam, was Stace de man. Stace zou dus schutter nummer één worden.

2

Slechts twee maffiabazen hadden de FBI-klopjachten op maffiafamilies van de jaren negentig in New York overleefd. Don Raymonde Aprile, de grootste en meest beduchte, werd ongemoeid gelaten. De andere, don Timmona Portella, die hem in macht naar de kroon stak maar qua mens ver onder hem stond, had geluk gehad – zo leek het althans – en had het vege lijf weten te redden.

Maar de toekomst was duidelijk. Nu de zwartgeldwetten uit 1970 zo ondemocratisch vastlagen, wist don Raymonde Aprile, vanwege de ijver van de FBI-opsporingsteams en de dood van het geloof in *omertà*, dat het tijd werd om eervol van het toneel te verdwijnen.

De don had dertig jaar over zijn familie geheerst en was nu een legende. Omdat hij in Sicilië was opgegroeid, was hij totaal gespeend van de kapsones of poenerige arrogantie van de maffiabazen van Amerikaanse bodem. Hij was eigenlijk een stap terug naar de oude Sicilianen van de negentiende eeuw, die steden en dorpen regeerden met hun persoonlijke charisma, gevoel voor humor en hun dodelijke laatste vonnis over eventuele vijanden. Hij bleek ook over de strategische capaciteiten van die oude helden te beschikken.

Nu, op zijn tweeënzestigste, had hij zijn leven op orde. Hij had zich ontdaan van zijn vijanden en zijn plichten als vriend en vader volbracht. Hij kon met een gerust geweten van zijn oude dag genieten, de geschillen in zijn wereld de rug toekeren en een passender rol van goudeerlijk bankier en pijler van de maatschappij gaan vervullen.

Zijn drie kinderen waren elk veilig onder de pannen met een

succesvolle, eerbiedwaardige carrière. Zijn oudste zoon Valerius was nu zevenendertig, getrouwd, had kinderen en was kolonel in het Amerikaanse leger en docent in West Point. Zijn carrière was bepaald door zijn verlegenheid als kind; de don had gezorgd dat hij als stagiair op West Point werd aangesteld om die karakterzwakte recht te trekken.

Zijn tweede zoon, Marcantonio, was op zijn vijfendertigste al, door een mysterieuze speling van zijn genen, staflid bij een landelijke tv-maatschappij. Als jongen was hij aan buien onderhevig en leefde hij in een droomwereld, waardoor de don had gedacht dat hij in elke serieuze onderneming zou mislukken. Maar nu werd hij dikwijls in de kranten beschreven als iemand die zijn tijd ver vooruit was, wat de don weliswaar deugd deed maar niet overtuigde. Uiteindelijk was hij de vader van de jongen. Wie kende hem beter?

Zijn dochter Nicole werd als kind liefkozend Nikki genoemd maar toen ze zes was, wilde ze met alle geweld dat men haar aansprak met haar eigen naam. Ze was zijn favoriete sparringpartner. Nu, op haar negenentwintigste, was ze bedrijfsjurist, feministe, en pro-Deo-advocaat voor arme en kansloze criminelen die zich anders geen adequate verdediging konden veroorloven. Moordenaars redden van de elektrische stoel, echtgenoten uit de gevangenis houden en ervoor zorgen dat serieverkrachters geen levenslang kregen, daar was ze bijzonder goed in. Ze was rabiaat tegen de doodstraf, geloofde in rehabilitatie van elke crimineel en stond zeer kritisch tegenover de economische structuur van de Verenigde Staten. Ze was van mening dat een zo rijk land als Amerika niet zo onverschillig tegenover de armen mocht staan, ongeacht hun fouten. Ondanks dat alles was ze een zeer gewiekste en taaie onderhandelaar in de bedrijfsjurisdictie, een schitterende en sterke vrouw. De don was het in niets met haar eens.

Wat Astorre betreft, hij hoorde bij de familie en stond, titulair als neef, het dichtst bij de don. Maar met zijn enorme energie en charme kon hij doorgaan voor een broer van de andere kinderen. Van zijn derde tot zijn zestiende was hij hun intimus geweest, het aanbeden jongste broertje – tot zijn verbanning naar Sicilië, elf jaar geleden. De don had hem bij zijn retraite teruggeroepen.

De don had zijn retraite zorgvuldig voorbereid. Hij had zijn rijk verdeeld om eventuele vijanden zoet te houden, maar hij had ook loyale vrienden niet vergeten, omdat hij wist dat dankbaarheid niet levenslang duurt en dat je altijd met gaven moest blijven strooien. Maar bovenal had hij ervoor gezorgd dat Portello tevreden werd gesteld. Portello was gevaarlijk vanwege zijn excentrieke gedrag en een moordlust die vaak zijn doel voorbijschoot.

Hoe Portello had weten te ontkomen aan de FBI-blitz van de jaren negentig was iedereen een raadsel. Want deze in Amerika geboren don was alle subtiliteit vreemd. Hij was roekeloos, wist geen maat te houden en had een onberekenbaar temperament. Hij had een kolossaal lichaam met een enorme buik en hij kleedde zich als een Palermitaanse *picciotto*, een jonge moordenaar in spe: een en al kleuren en zijde. Zijn macht stoelde op de distributie van drugs. Hij was nooit getrouwd en was op zijn vijftigste nog steeds een roekeloze rokkenjager. De enige om wie hij echt leek te geven was zijn jongere broer Bruno, die een wat achterlijke indruk maakte maar even gewelddadig was als zijn broer.

Don Aprile had Portello nooit vertrouwd en had zelden zaken met hem gedaan. Die man vormde vanwege zijn zwakheid een gevaar en zou eigenlijk uitgeschakeld moeten worden. Dus ontbood hij Timmona Portello voor een gesprek.

Portello verscheen met zijn broer Bruno. Aprile trad hen met zijn gebruikelijke hoffelijkheid tegemoet, maar kwam snel ter zake.

'Mijn beste Timmona,' zei hij. 'Ik trek me uit alle zaken terug, behalve uit mijn banken. Nu zul jij vaak in de belangstelling komen te staan en je moet voorzichtig zijn. Mocht je ooit behoefte hebben aan mijn advies, je bent welkom. Want ik zal na mijn retraite niet helemaal onthand zijn.'

Bruno, een kleiner evenbeeld van zijn broer die ontzag had voor de reputatie van de don, glimlachte van voldoening bij dit vooruitzicht voor zijn oudere broer. Maar Timmona begreep de don veel beter. Hij wist dat hij werd gewaarschuwd.

Hij knikte beleefd naar de don. 'Uw oordeel is altijd het beste gebleken van dat van ons allemaal,' zei hij. 'En ik respecteer wat u doet. U kunt mij onder uw vrienden rekenen.'

'Heel goed, heel goed,' zei de don. 'Maar als een geschenk van mij aan jou vraag ik je deze waarschuwing ter harte te nemen. Cilke, die FBI-man, is heel sluw. Vertrouw hem nooit. Hij zwelgt in zijn succes, en jij wordt zijn volgende doelwit.'

'Maar u en ik zijn al aan hem ontsnapt,' zei Timmona. 'Ook al heeft hij al onze vrienden ten val gebracht, ik ben niet bang voor hem. Maar ik dank u.'

23

Nadat ze op hun broederschap hadden gedronken, gingen de broers Portella weg. In de auto zei Bruno: 'Wat een geweldige man.'

'Ja,' zei Timmona. 'Hij was een geweldige man.'

Wat de don betreft, die was heel tevreden. Hij had de paniek in Timmona's ogen gezien en was er gerust op dat van hem niets meer te vrezen viel.

Don Aprile verzocht om een persoonlijk onderhoud met het hoofd van de FBI in New York City. Cilke was tot de dons eigen verbazing een man voor wie hij bewondering had. Door hem zaten de meeste maffiabazen van de Oostkust, aan wier macht hij bijna een eind had gemaakt, in de gevangenis.

Don Raymonde Aprile was aan hem ontkomen, omdat de don wist wie Cilkes geheime tipgever was, de man aan wie hij zijn succes te danken had. Maar de don bewonderde Cilke des te meer, omdat hij altijd eerlijk spel speelde, nooit had geprobeerd hem erin te luizen of zijn toevlucht had gezocht tot machtsspelletjes en nooit publiekelijk had uitgehaald naar de kinderen van de don. Dus vond de don het niet meer dan billijk om hem te waarschuwen.

Het gesprek vond plaats op het landgoed van de don in Montauk. Cilke zou alleen moeten komen, wat schending was van de regels van de Dienst. De FBI-chef had persoonlijk zijn fiat gegeven, maar stond erop dat Cilke een speciaal opnameapparaat zou gebruiken. Dit werd in zijn lichaam geïmplanteerd, achter zijn ribben, waardoor het niet afstak tegen de contouren van zijn romp. Het apparaatje was niet bekend bij het publiek en de fabricage ervan stond onder strenge controle. Cilke wist maar al te goed dat het eigenlijk diende om vast te leggen wat hij tegen de don zei.

Op een zonnige middag in oktober kwamen ze bij elkaar op de veranda van de don. Cilke was er nooit in geslaagd een afluistersysteem in dit huis aan te brengen en de rechter had de non-stop persoonlijke bewaking afgekeurd. Die dag werd hij helemaal niet door de mannen van de don gefouilleerd, wat hem verbaasde. Kennelijk was don Raymonde Aprile niet van plan hem een illegaal voorstel te doen.

Zoals altijd was Cilke verbijsterd, geïrriteerd zelfs, omdat de don hem zo intimideerde. Al wist hij dat de don op bestelling honderden moorden had laten uitvoeren en talloze wetten met voeten had getreden, Cilke kon geen hekel aan hem hebben. Toch beschouwde hij dit slag mannen als een kwaad, haatte hen om de manier waarop ze de maatschappijstructuur omverwierpen.

Don Aprile was gekleed in een donker pak met een wit overhemd en een donkere das. Zijn gezicht stond ernstig doch begripvol, met rimpels die hem het aanzien gaven van deugdzaamheid. Hoe was het mogelijk dat iemand die zo genadeloos was zo'n menselijk gezicht had, vroeg Cilke zich af.

De don maakte geen aanstalten om handen te schudden om Cilke niet in verlegenheid te brengen. Hij gebaarde dat zijn gast kon gaan zitten en boog ter begroeting zijn hoofd.

'Ik heb besloten mij en mijn familie onder uw protectie te stellen – althans, de protectie van de burgerij,' zei hij.

Cilke was verbluft. Wat bedoelde de oude man in godsnaam?

'De afgelopen twintig jaar hebt u zich tot mijn vijand gemaakt. U hebt mij vervolgd. Maar ik ben u altijd dankbaar geweest voor uw integriteit. U hebt nooit geprobeerd valse bewijzen of meineed tegen me te gebruiken. Door u zitten bijna al mijn vrienden in de gevangenis, en u hebt erg uw best gedaan hetzelfde met mij te doen.'

Cilke glimlachte. 'Dat doe ik nog steeds,' zei hij.

De don knikte goedkeurend. 'Ik heb mij van alle bedenkelijke zaken verlost, behalve van een paar banken, toch een respectabele business, nietwaar? Ik heb me onder de protectie van uw samenleving geplaatst. In ruil zal ik mijn plicht jegens die samenleving vervullen. U kunt dat een stuk gemakkelijker maken als u me niet vervolgt. Want dat hoeft niet langer.'

Cilke haalde zijn schouders op. 'De Dienst beslist. Ik zit al zo lang achter u aan, waarom zou ik er nu mee ophouden? Misschien zit het me ooit mee.'

Het gezicht van de don werd ernstiger en nog vermoeider. 'Omdat ik er iets tegenover kan stellen. Uw immense succes van de afgelopen jaren heeft mijn besluit beïnvloed. Maar weet u, ik ken uw voornaamste informant, ik weet wie hij is. En dat heb ik nooit aan iemand verteld.'

Cilke aarzelde slecht heel even voordat hij zei: 'Ik heb geen informant. En nogmaals: de Dienst beslist, niet ik. Dus u verdoet mijn tijd.'

'O nee,' zei de don. 'Ik ben niet op voordeel uit, alleen op een regeling. Ik mag u vanwege mijn leeftijd toch wel vertellen wat ik heb geleerd? Gebruik nooit je macht, louter omdat je macht kúnt gebruiken. En laat je niet verblinden door het idee dat je zult winnen als je verstand je ook maar even ingeeft dat er gevaar dreigt. Ik zal u zeggen: ik beschouw u als een vriend, niet als een vijand, dus bedenk wat u te winnen of te verliezen hebt als u dit aanbod afslaat.'

'Maar als u zich werkelijk hebt teruggetrokken, wat heeft uw vriendschap dan voor nut?' vroeg Cilke met een glimlach.

'Dat ik u welgezind ben,' zei de don. 'Dat is zelfs de kleinste man heel wat waard.'

Later speelde Cilke de tape af voor Bill Boxton, zijn meerdere, die vroeg: 'Waar ging dat in godsnaam over?'

'Dat zijn dingen die je moet leren,' zei Cilke. 'Hij maakte me duidelijk dat hij niet geheel weerloos is, dat hij me in de gaten houdt.'

'Wat een gelul,' zei Boxton. 'Ze kunnen een federale agent toch niets maken.'

'Dat klopt,' zei Cilke. 'Daarom bleef ik achter hem aan zitten, in retraite of niet. Maar ik blijf op mijn hoede. Je weet maar nooit...'

Doordat hij de geschiedenis van de meest prestigieuze families in Amerika had bestudeerd – rubberbaronnen die hun fortuin hadden opgebouwd door meedogenloos de wetten en moraal van de samenleving met voeten te treden – werd don Aprile net als zij: een weldoener voor ieder. Net als zij had hij zijn imperium – hij was eigenaar van tien banken in de grootste wereldsteden. Dus gaf hij met gulle hand voor de bouw van een ziekenhuis voor de armen. Hij ondersteunde de schone kunsten. Hij stichtte een leerstoel voor de studie van de Renaissance aan de universiteit van Columbia.

Het was waar dat Yale en Harvard zijn twintig miljoen dollar hadden geweigerd voor een studentenhuis dat zou worden vernoemd naar Christopher Columbus, die destijds in intellectuele kringen in disskrediet was geraakt. Yale stelde voor het geld te accepteren en het studentenhuis naar Sacco en Vanzetti te vernoemen, maar de don had geen belangstelling voor Sacco en Vanzetti. Hij verachtte martelaren.

Een zwakkere persoonlijkheid zou zich beledigd hebben gevoeld en wrok hebben gekoesterd, in tegenstelling tot Raymonde

Aprile. Hij schonk het geld simpelweg aan de katholieke Kerk voor dagelijkse missen die opgedragen moesten worden aan zijn vrouw, die nu al vijfentwintig jaar in de hemel was.

Hij doneerde een miljoen dollar aan het liefdadigheidsfonds van de New Yorkse politie en nog een miljoen aan een vereniging ter bescherming van illegale immigranten. Na zijn retraite had hij drie jaar lang zijn zegeningen over de wereld uitgestrooid. Zijn portemonnee stond open voor elk verzoek, met één uitzondering. Hij wees Nicoles smeekbeden af om bijdragen aan de campagne tegen de doodstraf – haar kruistocht.

Je staat er versteld van hoe drie jaar van goede daden en vrijgevigheid een reputatie van dertig jaar meedogenloosheid bijna kan uitwissen. Maar een groot man koopt ook zijn eigen *goodwill*, vergeving voor het verraad aan vrienden en het feit dat hij mensen ter dood heeft veroordeeld. En ook de don had dat zwakke punt.

Want don Raymonde Aprile was iemand die leefde volgens de strenge regels van zijn geheel eigen moraal. Zijn protocol had hem meer dan dertig jaar verzekerd van respect en de ongelooflijke angst verbreid die de basis vormde van zijn macht. Een grondbeginsel van dat protocol was dat van genade absoluut geen sprake was.

Dat kwam niet voort uit een ingeboren wreedheid, een of andere psychopathische drang om te kwetsen, maar zuiver uit overtuiging: dat de mensheid altijd weigerde te gehoorzamen. Zelfs de engel Lucifer had God getrotseerd en was uit de hemel verbannen.

Dus had een ambitieus man die met moeite macht aan het vergaren was geen andere keus. Uiteraard waren enkele mannen een andere mening toegedaan, had hij concessies moeten doen. Dat kon niet anders. Maar als dat allemaal niets uithaalde, restte slechts de doodstraf. Nooit dreigementen of andere vormen van straf die aanleiding zouden kunnen geven tot wraak. Simpelweg een verbanning van deze aardbol, opgeruimd staat netjes.

Verraad was het grootste onrecht. De familie van de verrader moest ervoor boeten, net als zijn vriendenkring; zijn hele wereld zou vernietigd worden. Want er zijn legio moedige, trotse mannen bereid ten behoeve van zichzelf hun leven op het spel te zetten, maar die zouden wel twee keer nadenken voor ze het leven van hun dierbaren in gevaar brachten. Dus langs die weg had don Aprile heel wat doodsangst verspreid. Hij vertrouwde erop dat hij door met wereldse goederen te strooien hun sympathie kon winnen, al had hij die eigenlijk niet nodig.

Maar het moet gezegd: hij was even genadeloos voor zichzelf. Ondanks zijn immense macht had hij de dood van zijn jonge vrouw niet kunnen voorkomen nadat ze hem drie kinderen had geschonken. Na een lang, afschuwelijk ziekbed stierf ze aan kanker, nadat hij een halfjaar over haar had gewaakt. In die periode kwam hij tot de overtuiging dat ze werd gestraft voor alle doodzonden die hij had begaan. Vandaar dat hij zijn eigen boetedoening bepaalde: hij zou nooit hertrouwen. Hij zou zijn kinderen wegsturen om op te groeien volgens de wetten van de maatschappij, zodat ze niet zouden opgroeien in zijn wereld die zo vol haat en gevaar was. Hij zou hen op weg helpen, maar zij zouden nooit betrokken raken in zijn activiteiten. Met grote droefheid besloot hij dat hij nimmer de ware essentie van het vaderschap zou kennen.

Dus regelde de don dat Nicole, Valerius en Marcantonio naar privé-kostscholen werden gestuurd. Hij liet hen nooit toe tot zijn persoonlijke leven. Ze kwamen naar huis in de vakanties, waarin hij de rol speelde van liefdevolle maar afstandelijke vader, maar ze werden nooit een deel van zijn wereld.

Ondanks alles, en al wisten ze van zijn reputatie, zijn kinderen hielden van hem. Onderling spraken ze daar nooit over. Een familiegeheim dat geen geheim was.

Niemand zou de don sentimenteel noemen. Hij had maar een paar intieme vrienden, geen huisdieren en hij meed feestdagen en sociale bijeenkomsten zo veel mogelijk. Alleen had hij ooit, vele jaren geleden, tot stomme verbazing van zijn collega's in Amerika iets uit compassie gedaan.

Toen don Aprile met baby Astorre uit Sicilië terugkeerde, ontdekte hij dat zijn vrouw aan kanker leed en trof hij zijn eigen drie kinderen in desolate staat aan. Omdat hij het ontvankelijke kind niet in zulke omstandigheden wilde laten leven, uit angst dat het er schade van zou kunnen ondervinden, had de don besloten hem aan de zorg toe te vertrouwen van een van zijn intiemste raadgevers, een man genaamd Frank Viola, en diens vrouw. Dat bleek een onverstandige keus. In die tijd had Frank Viola de ambitie de don op te volgen.

Maar kort na de dood van de vrouw van de don werd Astorre Viola op driejarige leeftijd ingelijfd bij het gezin Aprile toen zijn 'vader' zelfmoord pleegde in de achterbak van zijn auto, een merkwaardige situatie, en zijn moeder aan een hersenbloeding overleed. Vanaf die tijd had de don Astorre in zijn huis opgenomen en liet hij zich oom noemen.

Toen Astorre zo oud was dat hij vragen ging stellen over zijn ouders, vertelde don Raymonde hem dat hij wees was. Maar Astorre was een nieuwsgierig en vasthoudend jongmens, dus maakte de don, om een eind te maken aan die vragen, hem wijs dat zijn ouders boeren waren die niet in staat waren geweest om hem te eten te geven, en dat ze in stilte waren gestorven in een Siciliaans dorpje. De don wist dat de jongen niet geheel tevreden was met die verklaring en voelde zich enigszins schuldig omdat hij hem op een dwaalspoor had gebracht, maar hij wist dat het belangrijk was om, zolang het kind nog jong was, zijn maffiawortels geheim te houden – voor Astorres eigen veiligheid en voor de veiligheid van de kinderen Aprile.

Don Raymonde keek ver vooruit, en hij wist dat zijn succes niet eeuwig kon duren – de wereld zat vol valstrikken. Van begin af aan had hij zich voorgenomen ooit de andere kant te kiezen: zich aan te sluiten bij de veiligheid van de geordende samenleving. Niet dat hij zich werkelijk bewust was van zijn doel, maar een groot man heeft een instinct voor wat de toekomst vereist. En in dit geval handelde hij uit compassie. Want op zijn derde was aan Astorre Viola nog niet te zien, kon hij nog niet aangeven, wat hij later zou willen worden. Of hoe belangrijk zijn rol in de familie zou worden.

De don begreep dat Amerika haar bloei te danken had aan de opkomst van grote families, en dat de beste maatschappelijke klasse voortkwam uit mannen die voordien zware misdaden tegen die maatschappij hadden begaan. Die mannen hadden ook, op jacht naar fortuin, Amerika opgebouwd en hun wandaden tot vergeten stof doen verkruimelen. Hoe was het anders mogelijk geweest? De Grote Vlakten van Amerika overlaten aan die indianen die nog nooit een huis van drie verdiepingen hadden gezien? Californië aan de Mexicanen overlaten, die niets van techniek wisten, of van aquaducten waarmee water naar het land kon worden gevoerd zodat miljoenen mensen een welvarend bestaan konden leiden? Amerika had het geniale idee om van over de hele wereld miljoenen arme arbeiders aan te trekken, hen te lokken om hen het noodzakelijke harde werk te laten doen: spoorwegen en dammen aanleggen en wolkenkrabbers bouwen. Ja, het Vrijheidsbeeld was een geniaal stukje promotie. En was het er allemaal niet beter op geworden? Natuurlijk was dat niet zonder drama's verlopen, maar zo is het leven nu eenmaal. Was Amerika niet de grootste hoorn des overvloeds die de wereld ooit gekend had? Enige mate van onrecht moest men dan maar op de koop toe nemen. Het was nu eenmaal zo dat het individu zich offers moest getroosten voor de ontwikkeling van de beschaving en haar kieskeurige gemeenschap.

Maar er bestaat nog een definitie van een groot man. Allereerst pikt hij die last niet. Hij zal een weg vinden – crimineel, immoreel of uit pure doortraptheid – om op die hoge golf van welvaart mee te stromen zonder offers te brengen.

Don Raymonde Aprile was zo'n man. Hij ontwikkelde zijn eigen macht door zijn intelligentie en door absolute genadeloosheid. Hij wekte angst, hij werd een legende. Maar zijn kinderen hebben, toen ze groot waren, de vreselijkste verhalen nooit geloofd.

Er bestond een legende over het begin van zijn regime als familiehoofd. De don beheerde een aannemersbedrijf dat werd gerund door Tommy Liotti, een zetbaas die dankzij de don al jong kapitaal had vergaard door middel van contracten voor stedenbouw. De man was knap, geestig, een groot charmeur, en de don voelde zich altijd prettig in zijn gezelschap. Hij had één gebrek: hij dronk mateloos.

Tommy trouwde met de beste vriendin van de vrouw van de don: Liza, een ouderwets mooie vrouw met een scherpe tong, die het als haar taak zag de aperte zelfingenomenheid van haar man in te tomen. Dat leidde tot onverkwikkelijke incidenten. Hij liet haar stekeligheden over zich heen gaan als hij nuchter was, maar was hij dronken, dan sloeg hij haar zo hard in haar gezicht dat ze op haar tong beet.

Het trof eveneens ongelukkig dat haar man, doordat hij zijn hele jeugd hard had gewerkt in de bouw, enorm sterk was. Hij droeg dan ook altijd T-shirts met korte mouwen om met zijn machtige onderarmen en prachtige biceps te pronken.

Helaas escaleerden die incidenten in een tijdsbestek van twee jaar. Op een avond brak Tommy Liza's neus en sloeg hij haar een paar tanden uit de mond, waar kostbare medische hulp aan te pas moest komen. De vrouw had de moed niet don Apriles echtgenote om bescherming te vragen, aangezien een dergelijk verzoek haar waarschijnlijk tot weduwe zou maken, en ze nog altijd van haar man hield.

Don Aprile mengde zich liever niet in de huiselijke schermutselingen van zijn ondergeschikten. Die dingen vielen nooit op te lossen. Als de man zijn vrouw had vermoord, zou hij er niet bij betrokken zijn. Maar het slaan betekende een gevaar voor zijn zake-

lijke relatie. Een boze vrouw zou zekere verklaringen kunnen afleggen, schadelijke informatie verschaffen. Want de echtgenoot
bewaarde grote hoeveelheden contanten in huis voor die inciden-
tele doch zo noodzakelijke omkoopsommen voor het verkrijgen
van gemeentelijke contracten.

Dus riep don Aprile de echtgenoot bij zich. Met de grootste om-
zichtigheid zette hij uiteen dat hij zich bemoeide met diens privé-
leven omdat het ten koste ging van de zaken. Hij raadde de man
aan óf zijn vrouw om te brengen, van haar te scheiden óf op te houden haar te mishandelen. De man verzekerde hem dat het nooit
meer zou gebeuren. Maar de don vertrouwde het niet. Hij had een
bepaalde blik in 's mans ogen gezien, een eigengereide blik. Dat
vond hij nu een van de grote raadselen des levens: dat iemand altijd doet wat hij wil, zonder aan de gevolgen te denken. Grote mannen hebben een bondgenootschap met de engelen gesloten en
daar een verschrikkelijke prijs voor betaald. Een slecht mens geeft
toe aan zijn geringste verlangen waar hij weinig bevrediging uit
put, terwijl hij het lot tart om in de hel te branden.

En zo bleek het ook Tommy Liotti te vergaan. Het duurde bijna
een jaar, en mét haar mans verzetjes werd Liza's tong scherper. Ondanks de waarschuwing van de don, ondanks zijn liefde voor zijn
kinderen en zijn vrouw, sloeg Tommy haar hoogst gewelddadig.
Uiteindelijk belandde ze met gebroken ribben en een geperforeerde long in het ziekenhuis.

Met zijn rijkdom en politieke connecties kocht Tommy met een
enorm bedrag een van de dons corrupte rechters om. Vervolgens
haalde hij zijn vrouw over bij hem terug te komen.

Don Aprile zag dat met enige boosheid aan en nam noodge-
dwongen de zaak in eigen hand. Eerst werkte hij de praktische
kant van de kwestie af. Hij wist de hand te leggen op een kopie van
het testament van de man en zag dat hij, zoals een goede huisva-
der betaamt, al zijn bezittingen had nagelaten aan zijn vrouw en
kinderen. Ze zou een rijke weduwe worden. Toen stuurde hij er
een speciaal team met specifieke instructies op uit. Binnen een
week ontving de rechter een langwerpige doos met linten eromheen. Daarin lagen, als een paar dure, lange zijden handschoenen,
de twee machtige onderarmen van de echtgenoot, met om de pols
van de ene de dure Rolex die de don hem jaren daarvoor als blijk
van waardering had gegeven. De volgende dag zag men de rest van
het lijk in het water bij de Verrazano Bridge drijven.

Een andere legende was ijzingwekkend vanwege het dualistische karakter, als een kinderlijk spookverhaal. Toen de drie kinderen van de don op kostschool zaten, wist een ondernemend, talentvol journalist, befaamd om de geestige wijze waarop hij de zwaktes van beroemdheden belichtte, hen te traceren en tot een schijnbaar onschuldig praatje te verleiden. De auteur vermaakte zich om hun argeloosheid, hun keurige kleren, hun jeugdig idealisme om de wereld te verbeteren. De journalist zette dat af tegenover hun vaders reputatie, al moest hij toegeven dat don Aprile nog nooit wegens een misdaad was veroordeeld.

Het artikel werd beroemd, circuleerde nog vóór publicatie op redacties door het hele land. Een succes waar iedere schrijver van droomt. Iedereen smulde ervan.

De journalist was een natuurliefhebber, en elk jaar ging hij met zijn vrouw en twee kinderen naar een hut in het noorden van de staat New York om te jagen, te vissen en primitief te leven. Daar waren ze een lang weekend rond Thanksgiving. Zaterdag vatte de hut vlam, vijftien kilometer van de dichtstbijzijnde stad verwijderd. Bijna twee uur lang kwam er geen redding. Toen was er van het huis niet meer over dan smeulende houtblokken, en was er van de journalist en zijn gezin niet meer over dan geblakerde aanmaakhoutjes. Er ontstond een enorm misbaar en een grondig onderzoek volgde, maar er werd geen bewijs van kwade opzet gevonden. Men kwam tot de conclusie dat het gezin door de rook was overvallen voor het had kunnen ontkomen.

Toen gebeurde er iets curieus. Een paar maanden na het drama begonnen er geruchten de ronde te doen. Anonieme tips kwamen binnen bij de FBI, de politie en de pers. Die suggereerden alle dat de brand een wraakactie was van de beruchte don Aprile. De pers, altijd in voor een artikel, riep dat de zaak heropend moest worden. Dat gebeurde, maar wederom was er geen tenlastelegging. Maar ondanks gebrek aan bewijs werd dat de zoveelste legende over de gewelddadigheid van de don.

Maar dat was het publiek. De autoriteiten waren er in dit geval van overtuigd dat de don geen blaam trof. Iedereen wist dat journalisten geen repercussies te duchten hadden. Dan zou je er duizenden moeten vermoorden, dus wat had het voor zin? De don was te intelligent om zo'n risico te nemen. Toch leefde die legende voort. Er waren zelfs FBI-teams die dachten dat de don zelf het gerucht had laten verspreiden om zijn legende in stand te houden. Die werd alleen maar groter.

Maar de don had ook een andere kant: zijn gulheid. Als je hem trouw diende, werd je rijk en had je in roerige tijden een voorbeeldige beschermheer. De beloningen die de don uitdeelde waren gigantisch, maar de straffen dodelijk. Dat was zijn legende.

Na zijn gesprekken met Portella en Cilke moest de don een paar details uitwerken. Hij zette de machinerie in werking om Astorre Viola na elf jaar ballingschap weer naar huis te laten komen.

Hij had Astorre nodig, had hem helemaal klaargestoomd voor dat moment. Astorre was de dons favoriet, zelfs boven zijn eigen kinderen. Als kind al was Astorre altijd een leider geweest, voorlijk in zijn sociale vaardigheden. Hij hield van de don en hij was niet bang voor hem, zoals zijn eigen kinderen soms. En al waren Valerius en Marcantonio twintig en achttien jaar toen Astorre tien was, hij had zijn onafhankelijkheid aan hen te danken. Want als Valerius, toch een tiran, hem wilde straffen, vocht hij terug. Marcantonio behandelde hem veel meer met affectie en kocht zijn eerste banjo voor hem om zijn zingen te stimuleren. Astorre had dat geschenk aanvaard als een attentie van de ene volwassene aan de andere.

De enige van wie Astorre bevelen aannam was Nicole. En hoewel ze twee jaar ouder was, behandelde ze hem als een aanbidder, wat hij zelfs als jongetje wist af te dwingen. Ze liet hem allerlei boodschappen doen en luisterde verrukt naar de Italiaanse balladen die hij voor haar zong. En ze sloeg hem in het gezicht toen hij probeerde haar te kussen. Want als kleine jongen al kon Astorre in vervoering raken van vrouwelijk schoon.

En Nicole was mooi. Ze had grote donkere ogen en een sensuele glimlach. Haar gezicht verried elke emotie die ze voelde. Ze trotseerde een ieder die probeerde te insinueren dat ze als vrouw minder belangrijk was dan een willekeurige man. Ze vond het vreselijk dat ze fysiek niet zo sterk was als haar broers en Astorre, dat ze haar wil niet met geweld kon opleggen maar alleen met haar schoonheid. Daardoor kende ze absoluut geen vrees, en ze nam ze stuk voor stuk in de maling, zelfs haar vader, ondanks zijn reputatie.

Na de dood van zijn vrouw, toen de kinderen nog klein waren, placht don Aprile elke zomer een maand op Sicilië door te brengen. Hij hield van het bestaan in zijn geboortedorp, vlak bij de stad Montelepre, waar hij een landgoed bezat, het voormalige buiten van een graaf: Villa Grazia.

Na een paar jaar nam hij een huishoudster in dienst, een Sicili-aanse weduwe die Caterina heette. Het was een erg mooie vrouw, sterk en van een weelderige boerse schoonheid, met een fijne neus voor het runnen van een landgoed en hoe je respect afdwong van de dorpelingen. Ze werd zijn maîtresse. Dat hield hij allemaal ge-heim voor zijn familie en vrienden, al was hij een man van veertig en in zijn wereld een vorst.

Astorre Viola was pas tien toen hij voor het eerst met don Ray-monde Aprile meeging naar Sicilië. De don was verzocht te be-middelen in een groot conflict tussen de *coscas* van de Corleonesi en de Clericuzio-familie. En hij verheugde er zich ook op een rus-tige maand in Villa Grazia door te brengen.

Astorre was op zijn tiende innemend – een ander woord was er niet voor. Hij was altijd opgewekt en zijn knappe bolle toet met de olijfkleurige huid straalde liefde uit. Hij zong constant met een zoete tenorstem. En als hij niet zong, voerde hij levendige ge-sprekken. Toch had hij de felle eigenschappen van een geboren re-bel en terroriseerde zijn leeftijdgenoten.

De don had hem meegenomen naar Sicilië omdat hij voor een man van middelbare leeftijd het beste gezelschap was, wat over hen tweeën veel wilde zeggen, maar ook over de manier waarop de don zijn eigen drie kinderen had opgevoed.

Zodra de don zijn zaken had geregeld, bemiddelde hij in het ge-schil, waarin hij een tijdelijke vrede bewerkstelligde. Nu genoot hij van zijn vrije tijd, waarin hij zijn jeugd in zijn geboortedorp op-nieuw beleefde. Hij at citroenen, sinaasappels, olijven uit de vaten waarin ze werden gepekeld, en hij maakte lange wandelingen met Astorre onder het meedogenloze, dodelijke schijnsel van de Sicili-aanse zon die met een ongelooflijke hitte op alle stenen huisjes en talloze rotsblokken weerkaatste. Hij vertelde de jongen verhalen van lang geleden over de Robin Hoods van Sicilië, hun oorlogen met de Moren, Fransen, Spanjaarden, met de paus in hoogst eigen persoon. En verhalen over een plaatselijke held: de Grote Don Zeno.

's Avonds keken ze samen op het terras van Villa Grazia naar de azuurblauwe hemel van Sicilië, verlicht door duizenden vallende sterren en schichten van de bliksem die dichtbij door de bergen rommelde. Astorre had onmiddellijk het Siciliaanse dialect opge-pikt en at de zwarte olijven uit het vat alsof het snoepgoed was.

In een paar dagen tijd had Astorre zich ontpopt als de leider van een bende dorpsjongens. Het was de don een raadsel hoe dat mogelijk was, want Siciliaanse kinderen waren erg trots en voor niemand bang. Veel van die tienjarige cherubijntjes waren al vertrouwd met de *lupura*, het niet weg te denken Siciliaanse geweer.

Don Aprile, Astorre en Caterina zaten lange zomeravonden in de weelderige tuin te eten en te drinken, waarbij de geur van de citroen- en sinaasappelbomen zwoel in de lucht hing. Soms werden oude jeugdvrienden van de don uitgenodigd om te komen eten of te kaarten. Astorre hielp Caterina bij het serveren van drank.

Caterina en de don gaven in het openbaar nooit blijk van affectie, maar in het dorp wist men hoe het zat, had geen enkele man het lef Caterina in te palmen en behandelde een ieder haar met het respect waar het vrouwelijke hoofd van de huishouding recht op had. De don had in zijn leven geen prettiger tijd gehad.

Maar drie dagen voor het eind van het bezoek gebeurde het onvoorstelbare: de don werd gekidnapt toen hij in het dorp op straat liep.

In de aangrenzende provincie Cinesi, een van de meest afgelegen en onderontwikkelde streken van Sicilië, stond aan het hoofd van de *cosca*, de plaatselijke maffiosi, een fanatieke, onverschrokken bandiet die zich Fissolini noemde. Hij had plaatselijk de absolute macht en had eigenlijk geen contact met de rest van de maffia-*coscas* op het eiland. Hij wist niets van don Apriles enorme macht, en hij dacht ook niet dat die zijn eigen geïsoleerde, veilige wereld kon aantasten. Hij besloot de don te ontvoeren en een losprijs voor hem te vragen. De enige regel die hij, voorzover hij wist, overschreed was dat hij zich op het territorium van de naburige *cosca* begaf, maar de Amerikaan leek voldoende waard om het risico te nemen.

De *cosca* is het basiselement van wat de maffia wordt genoemd en bestaat meestal uit bloedverwanten. Gezagsgetrouwe burgers, zoals advocaten of artsen sluiten zich bij een *cosca* aan voor bescherming van hun belangen. Elke *cosca* is een op zichzelf staande organisatie, maar sluit zich soms aan bij een die sterker en machtiger is. Die onderlinge fusie wordt in het algemeen de maffia genoemd. Maar er is geen hoogste baas of bevelhebber.

Een *cosca* is gewoonlijk gespecialiseerd in bepaalde praktijken in een bepaald gebied. Zo heeft men de *cosca* die het watertarief bepaalt en voorkomt dat het centrale bestuur dammen voor een lagere prijs laat bouwen. Op die manier wordt een streep gehaald door het monopolie van de regering. Een andere *cosca* beheert de voedsel- en productiemarkt. In die periode waren de machtigste op Sicilië de Clericuzio-*cosca* van Palermo, die de herstructurering op heel Sicilië beheerste, en de Corleonesi-*cosca* van Corleone, die de politici in Rome in haar greep had en over de hele wereld het drugstransport reguleerde. Dan waren er nog de te verwaarlozen *coscas* die romantische jongeren opdracht gaven om als eerbetoon de balkons van hun geliefden toe te zingen. Alle *coscas* reguleerden de misdaad. Ze duldden geen luie nietsnutten die bij argeloze burgers inbraken die hun *cosca*-contributie betaalden. Wie iemand neerstak voor zijn portemonnee of een vrouw verkrachtte, werd zonder pardon met de dood bestraft. Ook echtbreuk binnen de *coscas* werd niet getolereerd. Zowel man als vrouw werden geëxecuteerd. Dat was bekend.

Fissolini's *cosca* kon amper het hoofd boven water houden. Die beheerde de verkoop van iconen, werd betaald om vee van de boeren te beschermen en organiseerde ontvoeringen van argeloze rijke mannen.

En zo gebeurde het dat don Aprile en de kleine Astorre, terwijl ze door de straten van hun dorp wandelden, door de onwetende Fissolini en zijn bendeleden in twee verouderde Amerikaanse legertrucks werden opgepakt.

De tien mannen in boerenkleren waren gewapend met geweren. Ze plukten don Aprile van de grond en gooiden hem in de eerste truck. Astorre sprong zonder te aarzelen in de open laadbak van de truck, zodat hij bij de don kon blijven. De bandieten probeerden hem eruit te gooien, maar hij klampte zich vast aan de houten palen. De trucks deden er een uur over naar de voet van de bergen rond Montelepre. Vervolgens verruilde iedereen de trucks voor paarden en ezels, en beklom de rotsige hellingen naar de horizon. De hele reis bekeek de jongen alles met zijn grote groene ogen, maar hij zei geen woord.

Toen de schemer viel bereikten ze een diep in de bergen gelegen grot. Ze kregen een avondmaal van gegrilld lam met zelfgebakken brood en wijn. In hun kampement lag een enorm beeld van de Maagd Maria in een donkere, met de hand bewerkte houten kist. Ondanks zijn wreedheid was Fissolini religieus. Hij had ook een aangeboren boertige hoffelijkheid en hij stelde zich voor aan de don en de jongen. Er was geen twijfel mogelijk dat hij de leider van de bende was. Hij was klein en krachtig gebouwd als een gorilla, hij had een geweer in zijn hand en er hingen twee pistolen aan zijn riem. Zijn gezicht was hard als de Siciliaanse rotsbodem, maar hij had een vrolijke twinkeling in zijn ogen. Hij hield van het leven en de grapjes die het uithaalde, vooral nu hij een rijke Amerikaan in zijn macht had die zijn gewicht in goud waard was. En toch stak er geen kwaad in hem.

'Excellentie,' zei hij tegen de don. 'Ik wil niet dat u zich zorgen maakt over deze jonge knul. Hij zal morgen de brief met de losprijs naar de stad brengen.'

Astorre at met smaak. Hij had nog nooit zoiets heerlijks gegeten als dat gegrillde lamsvlees. Maar uiteindelijk verhief hij manmoedig zijn stem. 'Ik blijf bij oom Raymonde,' zei hij.

Fissolini lachte. 'Goed eten schept moed. Als blijk voor mijn achting aan Zijne Excellentie heb ik dit maal zelf klaargemaakt. Met de speciale kruiden van mijn moeder.'

'Ik blijf bij mijn oom,' zei Astorre, en zijn stem klonk helder en tartend.

Don Aprile zei ernstig doch vriendelijk tegen Fissolini. 'Het was een prachtige avond – het eten, de berglucht, uw gezelschap. Ik verheug me op de verse dauw in de buitenlucht. Maar toch raad ik u aan mij terug te brengen naar mijn dorp.'

Fissolini boog respectvol. 'Ik weet dat u rijk bent. Maar bent u machtig? Ik zal niet meer dan honderdduizend dollar vragen in Amerikaans geld.'

'Dat is een belediging voor mij,' zei de don. 'U zult mijn reputatie schaden. Verdubbel het. En nog eens vijftig voor de jongen. Men zal het betalen. Maar uw leven zal een eeuwige ellende worden.' Hij zweeg even. 'Ik ben verbluft dat u zo ondoordacht hebt kunnen handelen.'

Fissolini zuchtte. 'U moet begrijpen, Excellentie, ik ben een arm man. Natuurlijk kan ik in mijn provincie nemen wat ik wil, maar Sicilië is zo'n verdoemd eiland dat zelfs de rijken te arm zijn om een man als mij te onderhouden. U moet begrijpen dat u mijn kans bent om kapitaal te vergaren.'

'Dan had u bij mij moeten komen om uw diensten aan te bieden,' zei de don. 'Ik kan altijd een man met talent gebruiken.'

'Dat zegt u nu omdat u zwak en weerloos bent,' zei Fissolini. 'Een zwak mens is altijd gul. Maar ik zal uw advies opvolgen en het dubbele vragen. Al voel ik me daar enigszins schuldig over. Geen mens is zo veel waard. En ik zal de jongen vrijlaten. Ik heb een zwak voor kinderen – zelf heb ik er vier die ik te eten moet geven.'

Don Aprile keek Astorre aan. 'Wil je weg?'

'Nee,' zei Astorre, en hij boog zijn hoofd. 'Ik wil bij u blijven.' Hij sloeg zijn ogen op en keek zijn oom aan.

'Laat hem blijven,' zei de don tegen de bandiet.

Fissolini schudde zijn hoofd. 'Hij gaat terug. Ik heb een reputatie hoog te houden. Ik wil niet bekendstaan als kinderontvoerder. Want, Excellentie, al respecteer ik u bijzonder, uiteindelijk moet ik u stukje voor stukje terugsturen als ze niet betalen. Maar doen ze dat wel, dan geef ik u het erewoord van Pietro Fissolini dat geen haar van uw snor gekrenkt zal worden.'

'Het geld zal worden betaald,' zei de don bedaard. 'En laten we er nu het beste van maken. Neef, zing eens een van je liedjes voor deze heren.'

Astorre zong voor de bandieten, die dolenthousiast waren en hem complimenteerden. Het was dan ook een magisch moment voor hen allen: de zoete kinderstem die liefdesliedjes over de bergen liet klinken.

Uit een grot in de buurt werden dekens en slaapzakken gebracht.

Fissolini zei: 'Excellentie, wat wenst u morgen voor het ontbijt? Vis misschien, vers gevangen? En dan spaghetti met kalfsvlees voor de lunch? U zegt het maar.'

'Dank u wel,' zei de don. 'Wat kaas en fruit zijn voldoende.'

'Welterusten,' zei Fissolini. Het ongelukkige gezicht van de jongen stemde hem milder, en hij klopte Astorre op zijn hoofd. 'Morgen slaap je in je eigen bed.'

Op de grond, naast de don, sloot Astorre zijn ogen om in slaap te vallen. 'Blijf bij me,' zei de don, terwijl hij zijn armen om de jongen heen sloeg.

Astorre sliep zo vast dat de zon rood als een sintel boven zijn hoofd stond toen hij wakker werd van lawaai. Toen hij opstond, zag hij dat vijftig gewapende mannen zich stonden te verdringen in de vallei. Don Aprile zat kalm en waardig op een brede steenrichel uit een beker koffie te drinken.

Don Aprile zag Astorre en wenkte hem. 'Astorre, wil je koffie?' Hij wees naar de man die voor hem stond. 'Dit is mijn goede vriend Bianco. Hij heeft ons gered.'

Astorre zag een reus van een man die, al zat hij goed in zijn vet, een pak met een das droeg en zo te zien geen wapen bij zich had, veel angstaanjagender was dan Fissolini. Hij had krullend grijs haar en grote, bloeddoorlopen ogen en straalde macht uit. Maar het leek wel of hij die macht smoorde toen hij met een zachte, hese stem begon te spreken.

Octavius Bianco zei: 'Don Aprile, ik moet me verontschuldigen dat ik zo laat ben en dat u als een boer op de grond hebt moeten slapen. Maar ik ben gekomen zodra ik het bericht ontving. Ik wist altijd wel dat Fissolini een ezel was, maar ik had nooit verwacht dat hij dit zou doen.'

Het geluid van gehamer steeg op en er liepen een paar mannen uit Astorres blikveld. Hij zag twee jonge jongens die een kruis in elkaar spijkerden. Vervolgens zag hij helemaal aan de andere kant van het dal Fissolini en zijn tien bandieten gekneveld op de grond liggen, vastgebonden aan bomen. Ze zaten met hun armen en benen aan elkaar vast door middel van een web van draad en touw. Ze hadden iets weg van een hoop vliegen op een stuk vlees.

Bianco vroeg: 'Don Aprile, wie van dit uitschot wilt u als eerste berechten?'

'Fissolini,' zei de Don. 'Hij is de leider.'

Bianco sleurde Fissolini voor de voeten van de don. Hij was nog stevig vastgebonden, als een mummie. Samen met een van zijn soldaten tilde Bianco hem op en dwong hem te blijven staan. Toen zei Bianco: 'Fissolini, hoe heb je zo stom kunnen zijn? Wist je niet dat de don onder mijn protectie viel of dat ik hem anders zelf zou hebben ontvoerd? Dacht je dat je een fles olie leende? Of azijn? Ben ik ooit jouw provincie binnengedrongen? Maar jij bent altijd koppig geweest en ik wist dat dat ooit je ondergang zou worden. Kom, aangezien je als Jezus aan het kruis moet hangen, bied don Aprile en zijn zoontje je excuses maar aan. En ik zal je genadig zijn en je doodschieten voordat we de spijkers in je slaan.'

'Zo,' zei de don tegen Fissolini. 'Verklaar je gebrek aan respect.'

Fissolini rechtte trots zijn rug. 'Maar het gebrek aan respect gold niet uw persoon, Excellentie. Ik wist niet hoe belangrijk en dierbaar u voor mijn vrienden was. Die dwaas van een Bianco had me volledig op de hoogte moeten houden. Ik heb een vergissing gemaakt, Excellentie, en ik moet ervoor boeten.' Hij zweeg even en schreeuwde toen kwaad en vol minachting naar Bianco: 'Laat die mannen ophouden met hun getimmer. Ik word er doof van. En je mag me geen doodschrik aanjagen voordat je me doodt!'

Weer zweeg Fissolini even voordat hij zei: 'Straf mij, maar spaar mijn mannen. Zij voerden mijn bevelen uit. Ze hebben allemaal een gezin. Je zult een heel dorp verwoesten als je hen doodt.'

'Die mannen wisten wat ze deden,' zei don Aprile sarcastisch. 'Ik zou hen beledigen als ze niet je lot deelden.'

Op dat moment besefte Astorre, zo jong als hij was, dat ze het over leven en dood hadden. Hij fluisterde: 'Oom, doe ze geen pijn.' De don gaf geen blijk dat hij het gehoord had.

'Ga door,' zei hij tegen Fissolini.

Fissolini keek hem vragend aan, trots en op zijn hoede tegelijk. 'Ik zal niet om mijn leven smeken. Maar die mannen die daar liggen zijn allemaal mijn vlees en bloed. Als u hen doodt, richt u hun vrouwen en kinderen te gronde. Drie van hen zijn mijn schoonzoons. Ze hebben het volste vertrouwen in mij. Ze vertrouwden op mijn oordeel. Als u hen vrijlaat, zou ik hen voor ik sterf eeuwige trouw aan u laten zweren. En ze zullen me gehoorzamen. Dat is iets: tien loyale vrienden te hebben. Dat is niet niks. Ik heb gehoord dat u een groot man bent, maar u bent niet werkelijk een groot man als u geen genade kunt tonen. Daar moet u uiteraard geen gewoonte van maken, maar alleen deze ene keer.' Hij glimlachte naar Astorre.

Voor don Aprile was dit een vertrouwd moment, en hij twijfelde geenszins aan zijn besluit. Hij had altijd zijn twijfels gehad aan de macht van dankbaarheid en hij geloofde dat niemand bij wie dan ook de vrije wil kon sturen, behalve door te doden. Hij keek Fissolini onbewogen aan en schudde zijn hoofd. Bianco liep naar voren.

Astorre rende naar zijn oom en keek hem recht in de ogen. Hij had alles begrepen. Hij stak zijn hand uit om Fissolini te beschermen.

'Hij heeft ons geen kwaad gedaan,' zei hij. 'Het enige wat hij wilde was ons geld.'

De don glimlachte en vroeg: 'En dat betekent niets?'

Astorre zei: 'Maar het was voor een goed doel. Hij wilde het geld om zijn familie eten te geven. En ik vind hem aardig. Alstublieft, oom.'

De don glimlachte naar hem en zei: 'Bravo.' Toen bleef hij lang stil, zonder op Astorre te letten, die aan zijn hand trok. En voor het eerst in vele jaren voelde de don de behoefte om genade te tonen.

Bianco's mannen hadden heel sterke sigaartjes opgestoken, waarvan de rook op de bergwind door de zuivere ochtend zweefde. Een van de mannen kwam naar voren, haalde een verse sigaar uit zijn jagersjack en bood die de don aan. Met de zuiverheid van een kind begreep Astorre dat dat niet louter uit hoffelijkheid gebeurde, maar dat het een blijk van respect was. De don nam de sigaar aan en de man sloot zijn handen eromheen om hem aan te steken.

De don pafte langzaam aan zijn sigaar, waarna hij zei: 'Ik wil je niet beledigen door genade te tonen. Maar ik zal je een zakelijk voorstel doen. Ik erken dat je geen kwaad in de zin had en dat je mij en de jongen met het hoogste respect hebt behandeld. Dus dit is de regeling. Jij blijft leven. Je kameraden blijven leven. Maar jullie hele verdere leven staan jullie onder mijn commando.'

Astorre voelde een enorme opluchting, en hij glimlachte naar Fissolini. Hij keek hoe de man op de grond neerknielde en de hand van de don kuste. Astorre zag hoe de gewapende mannen om hen heen koortsachtig aan hun sigaren paften en dat zelfs Bianco, zo reusachtig als hij was, trilde van blijdschap.

Fissolini mompelde: 'God zegene u, Excellentie.'

De don legde zijn sigaar naast zich op een steen. 'Ik aanvaard die zegen, maar ik wil dat je het begrijpt. Bianco is mij komen redden en van jou wordt dezelfde plichtsbetrachting verwacht. Ik betaal hem een geldbedrag, en dat zal ik elk jaar ook voor jou doen. Maar één blijk van ontrouw, en jij en je omgeving zullen vernietigd worden. Jij, je vrouw, je kinderen, je neven, je schoonzoons zullen niet langer bestaan.'

Fissolini stond op. Hij omarmde de don en barstte in tranen uit.

En zo kwam het dat de don en zijn neef heel ceremonieel een eenheid werden. De don hield van de jongen omdat hij hem zo ver had gekregen dat hij genade toonde, en Astorre hield van zijn oom omdat hij de levens van Fissolini en zijn tien mannen in zijn handen had gelegd. Dat verbond bleef hun verdere leven in stand.

De laatste avond in Villa Grazia dronk don Aprile espresso in de tuin en at Astorre olijven uit het vat. Astorre was in gedachten verzonken, niet zo spraakzaam als anders.

'Vind je het jammer om van Sicilië te vertrekken?' vroeg de don.

'Ik wou dat ik hier kon wonen,' zei Astorre. Hij stopte de pitten van zijn olijven in zijn zak.

'Nou, we zullen hier elke zomer met ons tweeën terugkomen,' zei de don.

Astorre keek hem aan als een wijze, oude vriend. Zijn jonge gezicht stond zorgelijk. 'Is Caterina uw vriendinnetje?' vroeg hij.

De don lachte. 'Ze is een goede vriendin,' zei hij.

Astorre dacht hierover na. 'Weten mijn neefjes en nicht over haar?'

'Nee, mijn kinderen weten nergens van.' Alweer moest de don om de jongen lachen, en hij was benieuwd wat er zou volgen.

Astorre was nu heel ernstig. 'Weten mijn neven en nicht dat u zulke machtige vrienden hebt als Bianco, die alles doen wat u hun opdraagt?'

'Nee,' zei de don.

'Ik zal niets tegen ze zeggen,' zei Astorre. 'Zelfs niet van de ontvoering.'

De don werd warm van trots. *Omertà* zat hem in zijn genen.

Die avond laat, toen hij alleen was, ging Astorre naar de verste uithoek van de tuin, waar hij met zijn blote handen een kuiltje groef. In dat kuiltje legde hij de olijfpitten die hij in zijn zak had verstopt. Hij keek omhoog in de vaalblauwe nachtelijke Siciliaanse hemel en zag zichzelf als een oude man, zoals zijn oom, die op een nacht als deze in zijn tuin zat te kijken hoe de olijfbomen groeiden.

Daarna geloofde de don dat alles door het lot bepaald werd. Samen met Astorre maakte hij de jaarlijkse trip naar Sicilië tot Astorre zestien was. In zijn achterhoofd vormde zich een beeld, waarin de bestemming van de jongen zich in vage lijnen aftekende.

Het was zijn dochter die de crisis veroorzaakte die Astorre een duw in de richting van die bestemming gaf. Op haar achttiende, twee jaar ouder dan Astorre, werd Nicole verliefd op hem en met haar heftige temperament viel dat feit nauwelijks te verbloemen. Ze overrompelde de ontvankelijke jongen volkomen. Met alle heetgebakerdheid van de jeugd werden ze intiem.

De don kon dat niet goedkeuren, maar hij was een generaal die zijn tactieken aanpaste aan het terrein. Hij liet nooit blijken dat hij van de affaire op de hoogte was.

Op een avond riep hij Astorre bij zich en deelde hem mede dat hij voor zijn opleiding naar Engeland werd gestuurd en een stageplaats op een bank zou krijgen bij een zekere Mr. Pryor in Londen. Hij gaf geen verdere redenen op, omdat hij wist dat de jongen dan zou beseffen dat hij werd weggestuurd om een eind te maken aan de verhouding. Maar hij had niet gerekend op zijn dochter, die aan de deur had staan luisteren. Ze kwam de kamer binnenstuiven en haar vurige uitbarsting maakte haar des te mooier.

'Stuur hem niet weg,' schreeuwde ze haar vader toe. 'Dan vluchten we samen.'

De don glimlachte haar toe en zei sussend: 'Jullie moeten allebei je school afmaken.'

Nicole keek Astorre aan, die bloosde van schaamte. 'Astorre, je gaat toch niet?' zei ze. 'Nee toch?'

42

Toen Astorre geen antwoord gaf, barstte Nicole in tranen uit.

Geen enkele vader zou niet ontroerd zijn door een dergelijk tafereel, maar de don bezag het geamuseerd. Zijn dochter was schitterend: honderd procent, ouderwets maffia, in elk opzicht goud waard. Desondanks weigerde ze nog weken nadien een woord met haar vader te wisselen en sloot ze zich op in haar kamer. Maar de don was niet bang dat haar hart voor eeuwig gebroken was.

Het amuseerde hem nog meer toen hij zag hoe Astorre in dezelfde val trapte als alle opgroeiende pubers. Natuurlijk, Astorre hield van Nicole. En natuurlijk kreeg hij door haar passie en toewijding het gevoel dat hij de belangrijkste mens op aarde was. Elke jongeman laat zich door zo'n mate van aandacht verleiden. Maar met even grote zekerheid begreep de don dat Astorre een excuus nodig had om zich in zijn opmars naar de hoogtepunten van het leven te bevrijden van bindingen. De don glimlachte. De jongen beschikte over de juiste instincten, en het was tijd voor zijn ware scholing.

Dus nu, drie jaar na zijn retraite, voelde don Raymonde Aprile de veiligheid en voldaanheid van een man die in het leven de juiste keuzen heeft gemaakt. De don voelde zich zelfs zo veilig dat hij een hechtere band met zijn kinderen aanging, waardoor hij eindelijk – tot op zekere hoogte – de vruchten van het vaderschap plukte.

Omdat Valerius de afgelopen twintig jaar voornamelijk op buitenlandse legerposten had doorgebracht had hij nooit echt een band met zijn vader kunnen opbouwen. Nu hij in Point West was gestationeerd, zagen de mannen elkaar vaker en begonnen ze wat vertrouwelijker met elkaar te praten. Toch was het moeilijk.

Met Marcantonio lag het anders. De don en zijn tweede zoon hadden een goede verstandhouding. Marcantonio vertelde over zijn werk bij de tv, zijn enthousiasme over dramaproducties, zijn plicht tegenover zijn kijkers, zijn verlangen om de wereld te verbeteren. Het leven van dat soort mensen was voor de don als een sprookje. Hij werd erdoor gefascineerd.

Bij familie-etentjes kon Marcantonio wel eens tot vermaak van de anderen met zijn vader bekvechten. 'Ik heb nog nooit meegemaakt dat mensen zo goed of zo slecht waren als jouw figuren in die toneelstukken.'

Marcantonio zei: 'Daar gelooft ons publiek nu eenmaal in. Dan moeten we het voorzetten.'

Op een zekere familiebijeenkomst had Valerius geprobeerd het principe uit te leggen van de oorlog in de Perzische Golf die, afgezien van de grote politieke belangen en mensenrechten die ermee gemoeid waren, ook een goudmijn was voor de kijkcijfers van Marcantonio's tv-omroep. Waarop de don slechts zijn schouders ophaalde. Dergelijke conflicten waren een aanscherping van de macht die hem niet interesseerde.

'Vertel eens,' had hij tegen Valerius gezegd. 'Hoe wint een natie nu eigenlijk een oorlog? Wat is de beslissende factor?'

Daar dacht Valerius even over na. 'Een getraind leger, geniale generaals. Grote gevechten, waarvan je de ene wint en een andere verliest. Toen ik bij de Inlichtingendienst werkte, waar we alles analyseerden, kwam het hierop neer: Het land dat het meeste staal produceert, wint de oorlog, punt uit.'

De don knikte, eindelijk tevreden.

Zijn warmste en meest intense relatie was die met Nicole. Hij was trots op haar prestaties, haar schoonheid, haar felle karakter en haar intelligentie. En ja, zo jong als ze was – net tweeëndertig – ze was een krachtige, veelbelovende advocate met goede politieke connecties, en ze was voor niemand bang die zich in een pak verschanste om macht uit te oefenen.

Hier had de don haar in het geheim geholpen; haar advocatenkantoor stond vet bij hem in het krijt. Maar haar broers maakten zich om twee redenen zorgen om haar: ze was niet getrouwd en ze deed heel veel pro Deo. Ondanks zijn bewondering voor haar kon de don haar nooit serieus nemen. Per slot van rekening was ze een vrouw. En ze had een vreemde smaak wat mannen betreft.

Bij familie-etentjes waren vader en dochter steevast aan het kibbelen, als twee grote katten die gevaarlijk aan het stoeien waren en af en toe bloed roken. Ze hadden één ernstig geschilpunt, het enige dat de dons eeuwige welwillendheid kon aantasten. Nicole geloofde dat een mensenleven heilig was, dat de doodstraf een schande was. Ze had de Lobby Tegen de Doodstraf georganiseerd en aangevoerd.

'Waarom?' had de don gevraagd.

En toen was Nicole opnieuw ziedend geworden. Omdat ze geloofde dat de doodstraf uiteindelijk de mensheid te gronde zou richten. Dat als doden onder bepaalde omstandigheden werd goedgepraat, het vervolgens gerechtvaardigd zou kunnen worden onder een andere reeks omstandigheden, een andere reeks filosofieën. Als puntje bij paaltje kwam, was het slecht voor de evolutie of beschaving. En die filosofie bracht haar constant in conflict met haar broer Valerius. Wat deed het leger tenslotte anders? De redenen vond ze niet belangrijk. Doden was doden en haalde ons allemaal terug naar het kannibalisme of erger. Nicole liet geen gelegenheid voorbijgaan om in het hele land voor de rechtbank ter dood veroordeelde misdadigers te redden. Al vond de don dat de grootst mogelijke waanzin, toch bracht hij tijdens een familie-etentje een toast op haar uit na haar overwinning in een beruchte pro-Deozaak. Ze had strafomzetting weten te bewerkstelligen in de terdoodveroordeling van een van de beruchtste misdadigers van de afgelopen tien jaar: een man die zijn beste vriend had vermoord en sodomie gepleegd met diens weduwe. Op zijn vlucht had hij twee bedienden van een benzinestation doodgeschoten toen hij hen beroofde. Daarna had hij een meisje van tien jaar verkracht en vermoord. Aan zijn loopbaan kwam een einde toen hij probeerde twee agenten in hun politieauto te vermoorden. Nicole had de zaak gewonnen op grond van krankzinnigheid en de verzekering dat hij zijn verdere leven zou doorbrengen in een instelling voor krankzinnige criminelen zonder uitzicht op vrijlating.

Het volgende familiediner was om te vieren dat Nicole wederom een zaak had gewonnen – dit keer helemaal zelf. Tijdens een recent proces had ze met groot persoonlijk risico een lastige juridische theorie verdedigd. En was ze wegens onethische praktijken voor het Juridisch Tuchtcollege gedaagd, maar vrijgesproken. Nu was ze dolgelukkig.

De don, die erg opgewekt was, toonde een bijzondere belangstelling voor deze zaak. Hij wenste zijn dochter geluk met de vrijspraak, maar was enigszins verward, althans deed alsof, door de omstandigheden. Nicole moest het hem uitleggen.

Ze had een man van dertig verdedigd die een meisje van twaalf vaginaal en anaal had verkracht en vermoord, waarna hij haar lijk had verborgen op een plek waar de politie het niet kon vinden. Indirect bewijs tegen hem was sterk, maar zonder een *corpus* zouden de jury en de rechter wel uitkijken hem de doodstraf te geven. De ouders van het slachtoffer leden zwaar onder hun onvervulde wens het lichaam te vinden.

De moordenaar had Nicole, als zijn advocaat, opgebiecht waar het lijk was begraven en had haar gemachtigd een deal te sluiten – hij zou bekendmaken waar het lijk zich bevond in ruil voor een veroordeling tot levenslang in plaats van de doodstraf. Toen Nicole echter onderhandelingen aanging met de aanklager kreeg ze zelf te maken met een bedreiging om vervolgd te worden als ze niet onmiddellijk de vindplaats van het lijk bekend zou maken. Zij achtte het in het belang van de samenleving om het vertrouwen tussen advocaat en cliënt te beschermen. Vandaar dat ze weigerde, en een vooraanstaand jurist oordeelde dat ze in haar recht stond.

De aanklager ging na overleg met de ouders van het slachtoffer akkoord met de deal.

De moordenaar vertelde dat hij het lichaam van de ledematen had ontdaan, in een doos met ijs had gelegd en in een moeras in New Jersey had gedeponeerd. En zo werd het lijk gevonden en de moordenaar veroordeeld tot levenslange opsluiting. Maar toen klaagde het Tuchtcollege haar aan wegens onethische onderhandelingen. En die dag had ze haar vrijspraak gekregen.

De don bracht een dronk uit op al zijn kinderen en vroeg Nicole toen: 'En jij hebt hier naar eer en geweten gehandeld?'

Nicoles uitbundigheid verdween. 'Het ging om het principe. De regering mag nooit de vertrouwelijkheid tussen jurist en cliënt schenden, hoe ernstig de situatie ook is, anders zou die niet meer onschendbaar zijn.'

'En je voelde niets voor de moeder en vader van het slachtoffer?' vroeg de don.

'Natuurlijk wel,' zei Nicole geïrriteerd. 'Maar dat mocht ik toch geen invloed laten hebben op een basisprincipe van de wet? Ik had het er te kwaad mee, echt waar. Denk je soms van niet? Maar helaas moet je offers brengen, wil je een precedent scheppen voor de toekomst van de rechtspraak.'

'Maar toch heeft de Tuchtraad je aangeklaagd,' zei de don.

'Om hun gezicht te redden,' zei Nicole. 'Dat was een politieke zet. Gewone mensen, die niet weten hoe complex het juridische systeem in elkaar zit, kunnen die wetstheorieën nu eenmaal niet bevatten, en er kwam heibel van. Dus mijn proces strooide ze zand in de ogen. Een zeer prominente rechter moest in het openbaar verklaren dat ik volgens de Grondwet het recht had te weigeren die informatie te verstrekken.'

'Bravo,' zei de don joviaal. 'De wet zit altijd vol verrassingen. Maar alleen voor advocaten natuurlijk.'

Nicole wist dat hij haar in de maling nam. Ze zei scherp: 'Civilisatie kan niet zonder rechtspraak.'

'Dat is waar,' zei de don alsof hij zijn dochter wilde sussen. 'Maar het lijkt oneerlijk dat een man die een vreselijke misdaad heeft begaan het er levend afbrengt.'

'Dat is waar,' zei Nicole. 'Maar ons rechtssysteem berust op het pleiten voor strafvermindering als de verdachte schuld bekent. Het is waar dat elke crimineel een lichtere straf krijgt dan hij verdient. Maar dat heeft ook zijn goede kant. Vergeving heelt. En uiteindelijk zal iemand die een misdaad tegen onze samenleving begaat, gemakkelijker gerehabiliteerd worden.'

Dus bracht de don met goedmoedig sarcasme zijn dronk uit. 'Maar zeg eens, Nicole. Heb je ooit gedacht dat die man vanwege zijn krankzinnigheid onschuldig was? Uiteindelijk heeft hij zijn vrije wil uitgevoerd.'

Valerius keek zijn zus met koele, taxerende ogen aan. Hij was nu veertig, een lange man met een borstelige korte snor en haar dat al staalgrijs aan het worden was. Als ambtenaar bij de Inlichtingendienst had hij zelf beslissingen genomen waarbij de menselijke moraal uit het oog werd verloren. Hij was geïnteresseerd in haar redenering.

Marcantonio begreep zijn zuster: dat ze deels voor een normaal leven koos uit schaamte voor het leven van haar vader. Hij was eerder bang dat ze iets ondoordachts zou zeggen, iets wat haar vader haar nooit zou kunnen vergeven.

En Astorre, die was verblind door Nicole – haar felle ogen, de ongelooflijke energie waarmee ze reageerde op de stekeligheden van haar vader. Hij dacht terug aan hun vrijages in hun tienerjaren en voelde haar nog altijd duidelijke tederheid voor hem. Maar nu was hij veranderd, niet meer dezelfde als toen ze minnaars waren. Dat was duidelijk. Hij vroeg zich af of haar broers wisten van die relatie van lang geleden. En hij was ook bezorgd dat een ruzie de familiebanden zou verbreken. Hij hield van die familie, zijn enige toevluchtsoord. Hij hoopte dat Nicole niet te ver zou gaan. Maar hij had sympathie voor haar meningen. Zijn jaren op Sicilië hadden hem anders naar de dingen leren kijken. Maar het verbaasde hem dat de twee mensen om wie hij het allermeeste gaf zo verschillend konden zijn. En hij bedacht dat, ook al zou ze gelijk hebben, hij nooit Nicoles partij tegenover haar vader zou kunnen kiezen.

Nicole keek haar vader brutaal in de ogen. 'Ik geloof niet dat hij over een eigen wil beschikte,' zei ze. 'Hij werd gedwongen door zijn leefomstandigheden – door zijn eigen gestoorde opvattingen, zijn genetische erfenis, zijn biochemie, zijn medische onwetendheid – hij was krankzinnig. Dus natuurlijk geloofde ik dat.'

De don overpeinsde dat een moment. 'Moet je horen,' zei hij.

'Als hij je had bekend dat al zijn excuses vals waren geweest, zou je dan nóg hebben geprobeerd zijn leven te sparen?'

'Ja,' zei Nicole. 'Elk individu is heilig. De staat heeft niet het recht dat leven te nemen.'

De don glimlachte spottend. 'Dat is je Italiaanse bloed. Weet je dat het tegenwoordige Italië nooit de doodstraf heeft gehad? Al die mensenlevens: gespaard.' Zijn zoons en Astorre krompen ineen bij zijn sarcasme, maar Nicole bleef onverstoorbaar. 'Het is barbaars dat de staat onder het mom van rechtspraak moord met voorbedachten rade pleegt. Ik zou verwachten dat juist u het daarmee eens was.' Dat was een uitdaging, een verwijzing naar zijn reputatie. Nicole lachte, maar zei toen ernstiger: 'Wij hebben een alternatief. De crimineel wordt levenslang opgesloten in een inrichting of een gevangenis zonder de hoop op vrijlating of gratie. Dan is hij niet langer een gevaar voor de samenleving.'

De don keek haar koel aan. 'Niet alles tegelijk,' zei hij. 'Ik keur het goed dat de staat iemands leven neemt. En wat betreft dat levenslang van jou, zonder gratie of vrijlating, dat is om je rot te lachen. Twintig jaar gaan voorbij en dan wordt er zogenaamd nieuw bewijsmateriaal gevonden, of overweegt men rehabilitatie omdat de crimineel een beter mens is geworden, dus loopt hij nu over van naastenliefde. De man gaat vrijuit. Maar niemand geeft om de doden. En dat is van weinig belang...'

Nicole fronste haar voorhoofd. 'Pap, ik bedoelde niet dat het slachtoffer niet belangrijk is. Maar door een leven te nemen, krijgen we niet het leven van het slachtoffer terug. En hoe langer we goedpraten dat er wordt gedood, ongeacht de omstandigheden, hoe langer het zal doorgaan.'

Hier zweeg de don en hij nam een slok wijn, waarna hij de tafel rondkeek naar zijn twee zoons en Astorre. 'Laat mij je de waarheid vertellen,' zei hij, en hij wendde zich tot zijn dochter. Hij sprak met een felheid die ongewoon voor hem was. 'Jij beweert dat een mensenleven heilig is? Welk bewijs heb je daarvoor? Waar in de geschiedenis? De oorlogen waarin miljoenen zijn omgebracht worden door alle regeringen en religies gesteund. Slachtingen van duizenden vijanden in een politiek geschil, over economische belangen, zijn door de eeuwen heen opgetekend. Hoe vaak heeft men niet geldelijke winst boven het heilige menselijke leven gesteld? En zelf keur je ook goed dat een mensenleven wordt genomen als je je cliënt vrijspreekt.'

Nicoles ogen schoten vuur. 'Ik heb het niet goedgekeurd,' zei ze.

48

'Ik heb het niet goedgepraat. Ik vind het barbaars. Ik heb het vertikt de weg te effenen voor meer van hetzelfde!'

Nu sprak de don kalmer maar oprechter. 'Toch staat buiten kijf dat het slachtoffer, je dierbare, onder de grond ligt. Hij is voor altijd uit deze wereld gebannen. We zullen nooit zijn gezicht zien, zijn stem horen, nooit zijn huid voelen. Hij ligt in het duister, verloren voor ons en onze wereld.'

Ze luisterden allen zwijgend terwijl de don nog een slok wijn nam. 'Luister nu eens, Nicole. Jouw cliënt, jouw moordenaar, is veroordeeld tot levenslange opsluiting. De rest van zijn leven zal hij achter tralies of in een inrichting zitten. Volgens jou. Maar elke morgen ziet hij de zon opkomen, krijgt hij warm eten, hoort hij muziek, stroomt het bloed door zijn aderen en blijft hij geïnteresseerd in de wereld. Zijn dierbaren kunnen hem nog altijd omhelzen. Ik heb begrepen dat hij zelfs boeken kan bestuderen, leren timmeren om een tafel en stoelen te maken. Kortom: hij leeft. En dat is onrechtvaardig.'

Nicole wist niet van wijken. Ze gaf geen haarbreed toe. 'Pap, als je dieren wilt temmen, geef je ze geen rauw vlees te eten. Als je ze maar even laat proeven, willen ze meer. Hoe vaker wij doden, hoe gemakkelijker het wordt om te doden. Snapt u dat dan niet?' Toen hij geen antwoord gaf, vroeg ze: 'En hoe kunt u beoordelen wat wel of niet rechtvaardig is? Waar trekt u de grens?' Het was bedoeld als een uitdaging, maar was eerder een smeekbede voor begrip voor al die jaren die ze aan hem had getwijfeld.

Ze hadden allemaal een woede-uitbarsting van de don verwacht om haar aanmatigende houding, maar ineens had hij zijn humor terug. 'Ik heb mijn momenten van zwakte,' zei hij, 'maar ik sta een kind nooit toe dat hij over zijn of haar ouders oordeelt. Een kind heeft geen nut en leeft per gratie van ons lijden. En ik vind dat me als vader niets te verwijten valt. Ik heb drie kinderen opgevoed die pijlers van de maatschappij zijn – getalenteerd, geslaagd en succesvol. En niet geheel machteloos ten opzichte van het lot. Wie van jullie heeft mij iets te verwijten?'

Op dat moment was Nicole haar boosheid kwijt. 'Nee,' zei ze. 'Als vader heeft niemand u iets te verwijten. Maar u vergeet iets. De onderdrukten zijn degenen die hangen. De rijken ontlopen uiteindelijk hun straf.'

De don keek Nicole heel ernstig aan. 'Waarom vecht je dan niet tegen de wet zodat de rijken naast de armen komen te hangen? Dat is pas intelligent.'

Astorre mompelde met een opgewekte glimlach: 'Dan zouden er niet veel van ons overblijven.' En die opmerking prikte de spanning door.

'De grootste deugd van de mensheid is genade,' zei Nicole. 'Een verlichte samenleving stelt menselijke wezens niet terecht, en straft als de rede en het recht dat toestaan.'

Toen raakte de don zijn gewoonlijke goede humeur kwijt. 'Waar haal je die ideeën vandaan?' vroeg hij. 'Ze zijn arrogant en laf – sterker nog: dat is je reinste blasfemie. Wie is genadelozer dan God? Hij vergeeft niet, Hij wijst straffen niet af. Hij heeft bepaald dat er een hemel en een hel bestaan. Hij verlost Zijn wereld niet van verdriet en leed. Het is Zijn Almachtige plicht niet meer dan de noodzakelijke genade aan de dag te leggen. Wie ben jij dan wel om zo'n prachtige gratie te verlenen? Wat een arrogantie. Denk je dat jíj zo heilig bent, dat jíj een betere wereld kunt scheppen? Denk erom: een heilige mag God slechts gebeden in het oor fluisteren, en dan nog alleen als hij daartoe het recht verdiend heeft door martelaarschap. Nee. Het is onze plicht onze medemens te vervolgen. Anders zou hij tot grote zonden in staat zijn. Dan zouden we onze wereld aan de duivel uitleveren.'

Dat maakte Nicole sprakeloos van woede, maar ontlokte een glimlach aan Valerius en Marcantonio. Astorre boog het hoofd alsof hij in gebed was.

Uiteindelijk zei Nicole: 'Pap, u overdrijft vreselijk als moralist. En u bent zeker geen lichtend voorbeeld.'

Er viel een lange stilte aan tafel, waarin ze allemaal hun eigen herinneringen hadden aan hun eigenaardige relatie met de don. Nicole, die de verhalen die ze over haar vader had gehoord nooit had willen geloven en desondanks vreesde dat ze waar waren. Marcantonio, die zich herinnerde dat een collega bij de omroep geniepig vroeg: 'Hoe behandelt je vader jou en de andere kinderen?'

En Marcantonio had doodernstig geantwoord, nadat hij goed over de vraag had nagedacht omdat hij wist dat die man op zijn vaders reputatie doelde: 'Mijn vader is heel hartelijk tegen ons.'

Valerius bedacht hoeveel zijn vader leek op de generaals onder wie hij had gediend. Mannen die zonder morele scrupules het werk uitvoerden zonder ooit aan hun plicht te twijfelen. Pijlen die met een dodelijke snelheid en precisie op hun doel af schoten.

Voor Astorre lag het anders. De don had hem altijd met affectie en vertrouwen behandeld. Maar ook was hij de enige aan tafel die wist dat de reputatie van de don waar was. Hij dacht terug aan drie jaar eerder, toen hij terugkwam van zijn jaren in ballingschap. De don had hem bepaalde instructies gegeven.

De don had tegen hem gezegd: 'Een man van mijn leeftijd kan doodgaan als hij zijn teen tegen een deur stoot, of aan een zwarte moedervlek op zijn rug, of aan een storing in zijn hartritme. Het is vreemd dat een man dat niet elke seconde van zijn leven beseft. Wat er ook gebeurt. Hij hoeft geen vijanden te hebben. Maar toch moet hij vooruitzien. Ik heb jou tot de belangrijkste erfgenaam van mijn banken gemaakt, jij krijgt er de leiding over en zult de winst met mijn kinderen delen. En wel hierom: bepaalde partijen willen mijn banken kopen, waarvan één wordt aangevoerd door de consul-generaal van Peru. De federale regering zal onder de zwartgeldwet niet ophouden mijn gangen na te gaan, dus kunnen ze mijn banken verbeurd verklaren. Dan hebben ze fijn hun handen vol. Ze zullen niets vinden. Welnu, mijn instructies aan jou luiden: verkoop de banken nooit. Ze zullen met de jaren winstgevender en machtiger worden. Ooit zal het verleden vergeten zijn.

Mocht er iets onverwachts gebeuren, bel dan Mr. Pryor om je als penningmeester te assisteren. Je kent hem goed. Hij is uiterst bekwaam, en hij deelt ook in de winst van de banken. Hij is mij zijn loyaliteit schuldig. Ook zal ik je voorstellen aan Benito Craxxi in Chicago. Hij beschikt over onuitputtelijke reserves en deelt ook in de winst van de banken. Ook hij is te vertrouwen. Intussen zal ik je een macaronihandel laten runnen waar je goed van kunt leven. In ruil voor dat alles stel ik jou verantwoordelijk voor de veiligheid en welvaart van mijn kinderen. De wereld is wreed en ik heb ze als onschuldige mensen opgevoed.'

Na drie jaar overdacht Astorre die woorden. De tijd was verstreken en het zag er nu naar uit dat zijn diensten niet nodig zouden zijn. De wereld van de don kon niet in duigen vallen.

Maar Nicole was nog niet klaar met haar argumenten. 'Wat vindt u van de deugd van genade?' vroeg ze aan haar vader. 'U weet wel, zoals christenen preken.'

'Genade is een vloek, de pretentie van krachten waar we niet over beschikken. Degenen die genade schenken, plegen een onvergeeflijke misdaad jegens het slachtoffer. En dat is niet onze taak op aarde.'

'Dus u zou geen genade willen?' vroeg Nicole.

'Nooit. Ik heb er geen enkele behoefte aan. Zo nodig zal ik de straf voor al mijn zonden aanvaarden.'

Tijdens dit diner nodigde kolonel Valerius Aprile zijn familie uit voor het vormsel van zijn twaalfjarige zoon, over twee maanden in New York. Zijn vrouw wilde er met alle geweld een groot feest van maken in de oude kerk van haar familie. Het paste bij de nieuwe rol van de don om de uitnodiging te aanvaarden.

En zo geschiedde dat op een koude, citrusgeel beschenen zondagmiddag in december de familie Aprile naar Saint Patrick's Cathedral op Park Avenue toog, waar de felle zon het beeld van die prachtige kathedraal scherp aftekende tegen de straten eromheen. Don Raymonde Aprile, Valerius en zijn vrouw, Marcantonio, die zo snel mogelijk weg wilde, en Nicole, prachtig in het zwart, zagen hoe de kardinaal in hoogst eigen persoon met een rode mijter op wijn dronk, de communie gaf en de hemelse waarschuwende, symbolische tik op de wang uitdeelde.

Het was een zoet, mysterieus genoegen de jongens op de drempel van de puberteit en de meisjes, al bijna rijp voor het huwelijk, in hun witte pijen waarover rode sjerpen waren gedrapeerd, over de looppaden van de kathedraal te zien lopen, terwijl uit steen gehouwen engelen en heiligen over hen waakten. Ze beleden dat ze hun verdere leven God zouden dienen. Nicole had tranen in haar ogen, al geloofde ze geen woord van wat de kardinaal zei. Ze lachte in zichzelf.

Buiten, op de trappen van de kathedraal, wierpen de kinderen hun pijen af en pronkten met hun verborgen schatten. De meisjes in tere jurkjes van ragfijne witte kant, de jongens in hun donkere pakken, spierwitte overhemden met traditionele rode dassen om de duivel te bezweren.

Don Aprile kwam de kerk uit met aan zijn ene zij Astorre en Marcantonio aan zijn andere. De kinderen liepen in een kring rond, waarbij Valerius en zijn vrouw trots de sleep van hun zoon vasthielden, terwijl een fotograaf hun foto nam. Don Aprile ging alleen de trappen af. Hij ademde de lucht in. Het was een stralende dag; hij voelde zich zo energiek en alert. En toen zijn kleinzoon, die zojuist zijn vormsel had ontvangen, naar hem toe kwam om hem te omarmen, klopte hij hem liefdevol op zijn hoofd en legde de jongen een reusachtige gouden munt in de hand – het traditionele geschenk voor een dag als deze. Vervolgens graaide hij met een gulle hand in zijn zak en haalde er een handvol kleinere gouden munten uit die hij aan de andere jongens en meisjes gaf. Hij was dankbaar voor hun vreugdekreten en ook dat hij midden in de stad was, waar de hoge, grijze stenen gebouwen zich als bomen zo fraai verhieven. Hij was helemaal alleen met slechts Astorre een paar passen achter zich. Hij keek langs de trappen voor hem uit naar beneden, waarna hij even bleef wachten toen een enorme zwarte auto voor hem stilhield, als om hem te ontvangen.

In Brightwaters stond Heskow die zondagmorgen vroeg op en ging de deur uit op om brood en de kranten te halen. Hij zette de gestolen auto in de garage, een grote zwarte sedan met de pistolen, maskers en ammunitie. Hij controleerde de banden, de benzine en olie en de remlichten. Perfect. Hij ging het huis weer in om Franky en Stace wakker te maken, maar die waren natuurlijk al op en Stace had de koffie klaar.

Ze ontbeten zwijgend en lazen de zondagskranten. Franky liep de basketbaluitslagen van de universiteiten na.

Om tien uur zei Stace tegen Heskow: 'Is de auto klaar?' en Heskow zei: 'Alles is geregeld.'

Ze stapten in de auto en vertrokken. Franky zat voorin naast Heskow, Stace achterin. De reis naar de stad zou een uur duren, dus hadden ze nog een uur over. Het was zaak dat ze op tijd waren.

In de auto controleerde Franky de pistolen. Stace paste een van de maskers, waaraan aan weerskanten koorden zaten met witte schelpjes, zodat ze ze om hun nek konden hangen voordat ze ze op het laatste moment moesten opzetten.

Toen ze de stad in reden, luisterden ze naar opera op de radio. Heskow was een uitstekende chauffeur, voorzichtig, en hij hield een constant tempo aan zonder plotseling hinderlijk vaart te meerderen of te minderen. Hij liet zowel aan de voor- als achterkant altijd voldoende tussenruimte. Stace gromde goedkeurend, wat de spanning even verbrak; ze waren gespannen maar niet schichtig. Ze wisten dat alles perfect moest verlopen. Ze moesten heel alert blijven.

Heskow manoeuvreerde langzaam de stad door; het leek wel of hij elk rood licht tegen had. Toen sloeg hij Fifth Avenue in en bleef een half blok voor de hoge deuren van de kathedraal wachten. De kerkklokken gingen luiden, het geluid weerklonk tegen de aanpalende staalgrijze wolkenkrabbers. Heskow startte de motor. De drie mannen keken naar de kinderen die over de straat uitwaaierden. Ze waren bezorgd.

Stace mompelde: 'Franky, het hoofddoel.' Toen zagen ze de don naar buiten komen, voor de mannen uit die hem flankeerden, waarna hij de trappen afdaalde.

'Maskers,' zei Heskow. Hij meerderde langzaam vaart en Franky legde zijn hand om de deurhendel. In zijn linkerhand hield hij losjes de uzi, klaar om het trottoir op te gaan.

De auto trok op en stopte toen de don de laatste trede bereikte. Stace sprong van de achterbank de straat op, met de auto tussen hem en zijn doelwit in. Met één snelle beweging legde hij het geweer op het dak van de auto. Hij schoot met twee handen. Hij vuurde maar twee keer.

De eerste kogel raakte de don midden in het voorhoofd. De tweede rukte zijn strottenhoofd eruit. Zijn bloed spoot over het trottoir en besprenkelde het gele zonlicht met rode druppels.

Op hetzelfde moment schoot Franky een spervuur over de hoofden van de menigte.

Toen beide mannen weer terug waren in de auto scheurde Heskow de straat over. Een paar minuten later reden ze door de tunnel op weg naar het kleine vliegveld, waar een privé-vliegtuig hen aan boord nam.

Bij het geluid van het eerste schot trok Valerius zijn vrouw en zoon op de grond en bedekte hen met zijn lichaam. Hij zag niets van wat er gebeurde. Nicole evenmin, al staarde ze vol ontzetting naar haar vader. Marcantonio keek vol ongeloof naar beneden. De werkelijkheid was zo anders dan de in scène gezette fictie van zijn tv-stukken. Het schot in de don zijn voorhoofd had het als een meloen in tweeën gesplitst zodat je daarbinnen een moes van hersens en bloed kon zien. Het schot in de hals had een gekarteld stuk vlees weggeslagen zodat hij eruitzag alsof er met een slagersmes op hem was ingehakt. En er lag een enorme hoeveelheid bloed op het trottoir om hem heen. Meer bloed dan je je in een mensenlijf kon voorstellen. Marcantonio zag de twee mannen met glanzend witte maskers voor hun gezichten. Hij zag ook de geweren in hun handen, maar die leken onwerkelijk. Hij had geen details over hun kleding of hun haar kunnen geven. Hij was verlamd van schrik. Hij zou niet eens kunnen zeggen of ze blank of gekleurd waren, naakt of gekleed. Ze hadden evengoed drie meter lang kunnen zijn geweest.

Maar Astorre was op zijn hoede geweest zodra de zwarte sedan was gestopt. Hij zag hoe Stace vuurde en dacht dat de linkerhand de trekker had overgehaald. Hij zag Franky de uzi afvuren, en dat gebeurde absoluut linkshandig. Hij ving een vluchtig beeld op van de bestuurder, een man met een ronde kop, kennelijk fors. De twee schutters bewogen zich met de gratie van goedgetrainde atleten. Toen Astorre zich op het trottoir wierp, stak hij zijn hand uit om de don met zich mee te sleuren, maar was een fractie van een seconde te laat. En nu zat hij onder het bloed van de don.

Toen zag hij hoe de kinderen in een wervelwind van angst rondliepen, met daar middenin een gigantische rode stip. Ze schreeuwden. Hij zag de don languit op de treden liggen alsof de dood zijn hele geraamte uit elkaar had getrokken. En hij voelde een enorme angst om wat dit allemaal voor gevolgen zou hebben, voor zíjn leven en de levens van de mensen die hem het dierbaarst waren.

Nicole boog zich over het lichaam van de don. Zonder dat ze het wilde, bogen haar knieën zich en knielde ze naast hem neer. Zwijgend stak ze haar hand uit om haar vaders bebloede hals aan te raken. En toen huilde ze alsof ze nooit zou ophouden met huilen.

3

DE MOORD OP DON RAYMONDE APRILE WAS EEN VERBLUFFENDE
gebeurtenis voor de leden van zijn voormalige milieu. Wie durfde
het risico te nemen zo'n man te doden, en met welk doel? Hij had
zijn rijk weggegeven; er viel geen domein te stelen. Nu hij dood
was, zou hij niet langer met zijn goede daden kunnen strooien of
zijn invloed kunnen aanwenden om iemand te helpen die over-
hoop lag met de wet of het lot.

Zou het een lang uitgestelde wraak kunnen zijn? Viel er soms
iets geheims bij te winnen wat later aan het licht zou komen? Natuurlijk kon er een vrouw in het spel zijn, maar hij was bijna dertig jaar weduwnaar geweest en nog nooit met een vrouw gesigna-
leerd; hij stond niet bekend als bewonderaar van vrouwelijk
schoon. Zijn kinderen stonden boven elke verdenking. Bovendien
was dit een professionele schutter geweest, en zíj beschikten niet
over de contacten.

Dus was de moord niet slechts een mysterie maar ook heilig-
schennis. Een man die zoveel angst had gezaaid, die zowel voor de
wet als voor hyena's onbereikbaar was geweest, terwijl hij meer
dan dertig jaar een weids crimineel imperium regeerde – hoe kon
hij zo ter dood zijn gebracht? En wat een ironie, nu hij eindelijk
het rechte pad had gevonden en zich onder de protectie van de samenleving had geplaatst, dat hij nog maar drie korte jaren had
mogen leven.

Wat nog eigenaardiger was, was het uitblijven van een aanhou-
dende verontwaardiging na de dood van de don. De media hielden
het verhaal algauw voor gezien, de politie liet niets los en de FBI
deed het af als een plaatselijke kwestie. Het leek alsof alle faam en
macht van don Aprile in de ampele drie jaar van zijn retraite was
weggespoeld.

De onderwereld toonde geen belangstelling. Er volgden geen moorden uit represailles – al zijn vrienden en eens zo loyale vazallen schenen hem vergeten te zijn. Zelfs de kinderen van de don schenen de hele zaak naast zich neergelegd te hebben en het lot van hun vader te accepteren.

Niemand scheen het iets te kunnen schelen – met uitzondering van Kurt Cilke.

Kurt Cilke, dienstdoende agent in New York, besloot zich met de zaak te bemoeien, al was het voor de New Yorkse politie niet meer dan een plaatselijke moord. Hij besloot de familie Aprile te ondervragen.

Een maand na de begrafenis van de don nam Cilke zijn assistent Bill Boxton mee voor een bezoek aan Marcantonio Aprile. Die was hoofd Programmering van een belangrijke tv-omroep en genoot veel invloed in Washington. Een beleefd telefoontje regelde via zijn secretaresse een afspraak.

Marcantonio ontving hen in zijn chique kantoor in het hoofdkwartier van de omroep in het hart van de stad. Hij begroette hen beleefd en bood hun koffie aan, wat ze afsloegen. Hij was een grote, knappe man met een gave, olijfkleurige huid, uitstekend gekleed in een donker pak met een opvallende roze-met-rode das van een ontwerper wiens dassen populair waren bij tv-presentatoren en gastheren van talkshows.

Cilke zei: 'We assisteren bij het onderzoek naar de dood van uw vader. Is u iemand bekend die hem een kwaad hart toedroeg?'

'Ik zou het echt niet weten,' zei Marcantonio glimlachend. 'Mijn vader hield ons allemaal op een afstand, zelfs zijn kleinkinderen. We zijn geheel buiten zijn zakenkringen opgevoed.' Hij wuifde hierbij verontschuldigend met zijn hand.

Cilke vond dat gebaar onaangenaam. 'Wat was daar de reden voor, denkt u?' vroeg hij.

'U kent zijn verleden,' zei Marcantonio ernstig. 'Hij wilde zijn kinderen niet in zijn activiteiten betrekken. Wij werden naar school en naar de universiteit gestuurd om onze eigen plaats in de wereld te verwerven. Hij kwam nooit bij ons thuis eten. Hij kwam als we afstudeerden, en dat was dat. En natuurlijk, toen we het begrepen, waren we hem dankbaar.'

Cilke zei: 'U bent vreselijk snel opgeklommen. Heeft hij u misschien een beetje geholpen?'

Voor het eerst was Marcantonio minder toeschietelijk.

'Nooit. Het is in mijn beroep niet ongebruikelijk dat een jonge man snel opklimt. Mijn vader heeft me naar de beste scholen gestuurd en me een ruime toelage gegeven. Ik heb het geld gebruikt om dramaproducties van de grond te krijgen, en ik heb de juiste keuzes gemaakt.'

'En uw vader was daar blij mee?' vroeg Cilke. Hij keek de man oplettend aan om geen uitdrukking op diens gezicht te missen.

'Ik denk niet dat hij precies begreep wat ik deed, maar ja,' zei Marcantonio bitter.

'Weet u,' zei Cilke, 'ik heb twintig jaar jacht op uw vader gemaakt en heb hem nooit kunnen pakken. Hij was zeer intelligent.'

'Tja, wij evenmin,' zei Marcantonio. 'Noch mijn broer, noch mijn zus, noch ik.'

Cilke lachte alsof het een mop was. 'En u koestert niet de Siciliaanse wraakgevoelens?' vroeg hij. 'Zou u iets dergelijks in gang zetten?'

'Absoluut niet,' zei Marcantonio. 'Mijn vader heeft ons niet zo opgevoed. Maar ik hoop dat u de moordenaar te pakken krijgt.'

'En zijn testament?' vroeg Cilke. 'Hij stierf als een rijk man.'

'Dat zult u mijn zuster moeten vragen,' zei Marcantonio. 'Zij is de executeur.'

'Maar u weet niet wat erin staat?'

'Natuurlijk wel,' zei Marcantonio. Zijn toon was hard als staal.

Boxton onderbrak hen. 'En u kunt helemaal niemand bedenken die hem iets wilde aandoen?'

'Nee,' zei Marcantonio. 'Als ik een naam wist, zou ik het u vertellen.'

'Oké,' zei Cilke. 'Ik zal mijn kaartje achterlaten. Je weet maar nooit.'

Voor Cilke met de andere twee kinderen van de don ging praten besloot hij een bezoek te brengen aan het hoofd Recherche van de stad. Omdat hij niet wilde dat dat officieel werd geregistreerd, nodigde hij Paul Di Benedetto uit in een van de chicste Italiaanse restaurants van East Side. Di Benedetto genoot van de extraatjes van het goede leven, zolang zijn portemonnee er niet van sleet.

Ze hadden over de jaren vaak zaken met elkaar gedaan, en Cilke vond hem altijd aangenaam gezelschap. Nu keek hij hoe Paul van alles proefde.

'Zo,' zei Di Benedetto, 'de FBI laat meestal niet zo'n overdadige maaltijd aanrukken. Wat wil je precies?'

Cilke zei: 'Was dat niet een *fantastische* maaltijd?'

Di Benedetto haalde zijn zware schouders op, als een aanrollende golf. Toen glimlachte hij enigszins baldadig. Voor iemand met zo'n ruig voorkomen, had hij een prachtige glimlach. Daardoor kreeg hij het gezicht van een Disney-figuur.

'Kurt,' zei hij, 'deze tent stinkt behoorlijk. Hij wordt gerund door buitenaardse wezens. Oké, ze zorgen dat het eten Italiaans oogt, dat het Italiaans ruikt, maar het smaakt als slijm van Mars. Die lui zijn ruimtewezens, geloof me.'

Cilke lachte. 'Kom, maar de wijn is goed!'

'Het smaakt voor mij allemaal naar medicijn, tenzij het dat rode spaghettidrankje met tonic is.'

'Je bent niet gauw tevreden,' zei Cilke.

'Niet waar,' zei Di Benedetto. 'Ik ben heel gauw tevreden. Dat is nou juist het probleem.'

Cilke zuchtte. 'Tweehonderd dollar regeringsgeld door de plee.'

'Welnee,' antwoordde Di Benedetto. 'Ik waardeer het gebaar. Maar wat is er aan de hand?'

Cilke bestelde voor hen allebei espresso. Toen zei hij: 'Ik ben de moord op don Aprile aan het onderzoeken. Een van jouw zaken, Paul. We hebben hem jarenlang in de gaten gehouden, maar niks. Hij trekt zich terug, leeft netjes. Hij heeft niets wat een ander wil. Dus vanwaar de moord? Een verdomd gevaarlijk karwei.'

'Heel professioneel,' zei Di Benedetto. 'Een prachtig stukje werk.'

Cilke zei: 'En?'

'Het klopt van geen kanten,' zei Di Benedetto. 'Jij hebt de meeste maffiabonzen onschadelijk gemaakt, een geniale klus. Mijn petje af. Misschien heb jij de don gedwongen om zich terug te trekken. Dus de wijsneuzen die er over zijn, hebben geen reden hem een kopje kleiner te maken.'

'En de keten van banken waarvan hij de eigenaar is?' vroeg Cilke.

Di Benedetto zwaaide met zijn sigaar. 'Dat is júllie werk. Wij gaan alleen maar achter het uitschot aan.'

'En zijn familie?' vroeg Cilke. 'Drugs, achter de vrouwen aan zitten, ik noem maar wat?'

'Absoluut niet,' zei Di Benedetto. 'Hoogstaande burgers met grote carrières. Zoals de don het heeft uitgestippeld. Hij wilde dat ze absoluut op het rechte pad bleven.' Nu zweeg hij even, en hij was bloedserieus. 'Het is geen wraak. Hij heeft alles met iedereen afgerekend. Het is niet willekeurig. Er moet een reden voor zijn. Iemand wint erbij. Daar zijn we naar op zoek.'

'En zijn testament?' vroeg Cilke.

'Zijn dochter opent het morgen. Ik heb ernaar gevraagd. Ze zei dat ik moest wachten.'

'En jij hebt je zolang koest gehouden?' vroeg Cilke.

'Natuurlijk,' zei Di Benedetto. 'Ze is een eersteklas advocaat, en haar firma heeft politieke macht. Waarom zou ik haar in godsnaam hard aanpakken? Ik at gewoon uit haar hand.'

'Misschien kan ik het beter,' zei Cilke.

'Vast wel.'

Kurt Cilke kende de assistent van het hoofd Recherche, Aspinella Washington, al meer dan tien jaar. Ze was een één meter tachtig lange Afro-Amerikaanse met kort haar en fijne trekken. Ze was de schrik van de agenten die onder haar werkten en de criminelen die ze arresteerde. Expres deed ze zo agressief mogelijk en ze was al helemaal niet dol op Cilke of de FBI.

Ze begroette Cilke in haar kantoor met de woorden: 'Kurt, ben je gekomen om weer een van mijn zwarte broeders rijk te maken?'

Cilke lachte. 'Nee, Aspinella,' zei hij. 'Ik ben op zoek naar informatie.'

'Werkelijk?' zei ze. 'Gratis? Nadat je de stad vijf miljoen dollar hebt gekost?'

Ze had een safari-jasje aan en een lichtbruine lange broek. Onder haar jasje zag hij de geholsterde revolver. Aan haar rechterhand droeg ze een diamanten ring die eruitzag of hij als een scheermes door het vel van je gezicht kon snijden.

Ze koesterde nog steeds wrok tegen Cilke omdat de FBI een zaak wegens geweld tegen haar rechercheurs had bewezen en het slachtoffer op grond van burgerrechten een enorme vordering had gewonnen – waardoor ook twee van haar rechercheurs in de bak waren beland. Het slachtoffer, dat rijk was geworden, was een pooier en een drugs*pusher* die door Aspinella eigenhandig een keer in elkaar was geslagen. Hoewel ze bij wijze van politiek trucje voor zwarte stemmen was aangesteld als subchef, ging ze veel ruwer om met zwarte criminelen dan met blanke.

'Als jij ophoudt onschuldige mensen te slaan,' zei Cilke, 'houd ik ook op.'

'Ik heb er nooit iemand ingeluisd die niet schuldig was,' zei ze grinnikend.

'Ik ben net begonnen aan het onderzoek naar de moord op don Aprile,' zei Cilke.

'Wat gaat jou dat aan? Het is een aanslag van een plaatselijke *gang*. Of ben je soms weer bezig met zo'n verdomde zaak over mensenrechten?'

'Nou, het zou wel eens te maken kunnen hebben met valuta of drugs,' zei Cilke.

'En hoe weet jij dat?' vroeg Aspinella.

'Wij hebben onze tipgevers.'

Opeens kreeg Aspinella een van haar driftbuien. 'Jullie klootzakken van de FBI komen hier voor info zonder mij iets te vertellen? Jullie zijn niet eens echte agenten. Jullie arresteren alleen maar deftige lullen. Nooit maken jullie je handen vuil. Jullie weten niet eens wat dat is. Sodemieter op uit mijn kantoor.'

Cilke was tevreden over de gesprekken. Hun patroon was hem duidelijk. Zowel Di Benedetto als Aspinella zou zich om het hardst op de don Aprile-moord werpen. Ze zouden niet samenwerken met de FBI. Ze zouden volstaan met een schijnonderzoek. Kort gezegd: ze waren omgekocht.

Er waren redenen voor zijn veronderstelling. Hij wist dat drugshandel alleen doorgang kon vinden als de politiefunctionarissen werden afgekocht en hij had gehoord, zonder dat te kunnen bewijzen, dat Di Benedetto en Aspinella op de loonlijst stonden van de drugsbaronnen.

Voordat Cilke met de dochter van de don ging praten, besloot hij een kans te wagen bij de oudste zoon, Valerius Aprile. Daartoe moesten hij en Boxton naar West Point rijden, waar Valerius kolonel was in het Amerikaanse leger en lesgaf in militaire strategieën – wat dat ook mocht wezen, dacht Cilke.

Valerius ontving hen in een ruim kantoor dat uitkeek over het exercitieterrein, waar kadetten gedrild werden in het marcheren. Hij was minder toeschietelijk dan zijn broer, al was hij niet onhoffelijk. Cilke vroeg hem of hij zijn vaders vijanden kende.

'Nee,' zei hij. 'Ik heb de afgelopen twintig jaar voornamelijk in het buitenland gediend. Als ik kon, kwam ik over voor familiefeesten. Mijn vaders enige zorg was dat ik zou worden bevorderd tot generaal. Hij wilde me die ster zien dragen. Zelfs met brigadier zou hij blij geweest zijn.'

'Was hij dan een patriot?' vroeg Cilke.

'Hij hield van zijn land,' zei Valerius kortaf.

'Heeft hij ervoor gezorgd dat u werd aangenomen als kadet?' drong Cilke aan.

'Dat neem ik aan,' zei Valerius. 'Maar hij heeft er nooit voor kunnen zorgen dat ik generaal werd. Volgens mij had hij geen invloed binnen het Pentagon, of ik was gewoon niet goed genoeg. Maar het bevalt me uitstekend. Ik heb mijn plek.'

'Weet u zeker dat u ons niet op weg kunt helpen naar een van uw vaders vijanden?'

'Nee, hij had er geen,' zei Valerius. 'Mijn vader zou een groot generaal geweest zijn. Toen hij in retraite ging, had hij alles onder controle. Als hij zijn macht gebruikte, was dat altijd preventieve macht. Hij beschikte over de aantallen en het materieel.'

'U schijnt zich niet zo aan te trekken dat iemand uw vader heeft vermoord. Geen verlangen naar wraak?'

'Niet meer dan voor een mede-officier die in de strijd sneuvelt,' zei Valerius. 'Natuurlijk houdt het me bezig. Niemand vindt het aangenaam om te zien hoe zijn vader wordt vermoord.'

'Weet u iets over zijn testament?'

'Dat zult u aan mijn zuster moeten vragen,' zei Valerius.

Later die middag waren Cilke en Boxton in het kantoor van Nicole Aprile, en daar stond hun een heel andere ontvangst te wachten. Toegang tot haar kantoor was alleen mogelijk via een barrière van drie secretaresses en nadat ze iemand waren gepasseerd waarin Cilke een persoonlijke lijfwacht herkende, die de indruk maakte dat ze hem en Boxton in twee seconden uit elkaar zou kunnen scheuren. Aan de manier waarop ze zich bewoog, zag hij dat ze haar lichaam had getraind tot ze over de kracht van een man beschikte. Haar spieren waren door haar kleren heen zichtbaar. Haar borsten waren afgebonden en ze droeg een linnen colbert over haar trui en zwarte pantalon.

Nicoles begroeting was niet hartelijk, al zag ze er zeer aantrekkelijk uit in een diep paars haute-couturepak. Ze droeg enorme gouden oorringen en haar zwarte lange haar glansde. Ze had een fijn gezicht dat ernstig leek, maar werd verzacht door grote, zachte, bruine ogen.

'Heren, ik heb twintig minuten voor u,' zei ze.

Onder het paarse jasje droeg ze een blouse met stroken, waarvan de manchetten bijna geheel over haar handen vielen toen ze haar ene hand uitstak om Cilkes badge te bekijken. Ze keek er aandachtig naar en zei: 'Hoofdagent geheime dienst? Dat is nogal hoog voor een routineonderzoek.'

Ze sprak op een toon die Cilke maar al te goed kende, die hem altijd tegen de haren in streek. De wat berispende toon van landsadvocaten als die te maken kregen met de onderzoeksbranche waarover zij de leiding hadden.

'Uw vader was een belangrijk man,' zei Cilke.

'Ja, tot hij in retraite ging en zich onder de protectie van de wet plaatste,' zei Nicole bitter.

'Wat zijn moord er des te raadselachtiger op maakt,' zei Cilke. 'We hoopten dat u ons een idee zou kunnen geven van de mensen die misschien een wrok tegen hem koesteren.'

'Zo raadselachtig is het niet,' zei Nicole. 'U weet veel meer van zijn leven dan ik. Hij had legio vijanden. U inbegrepen.'

'Zelfs onze ergste tegenstanders zouden nooit de FBI beschuldigen van een aanslag op de trappen van een kathedraal,' zei Cilke droogjes. 'En ik was geen vijand van hem. Ik vertegenwoordigde de wet. Nadat hij zich terugtrok, had hij geen vijanden. Die had hij afgekocht.' Hij zweeg even. 'Ik vind het curieus dat u noch uw broers schijnen te willen weten wie de man is die uw vader heeft vermoord.'

'Omdat wij niet hypocriet zijn,' zei Nicole. 'Mijn vader was geen heilige. Hij speelde het spel en betaalde de prijs.' Ze zweeg even. 'En u hebt het mis dat ik niet wil weten wie het heeft gedaan. Ik ben zelfs bezig mijn vaders FBI-dossier te petitioneren onder de wet Vrije Toegang tot Informatie. En ik hoop dat u dat niet dwarsboomt, want dan worden wíj vijanden.'

'Dat is uw volste recht,' zei Cilke. 'Maar misschien kunt u me helpen door me te vertellen wat uw vader in zijn testament heeft bepaald.'

'We gaan het morgen openen. Het zal openbaar worden gemaakt.'

'Kunt u me nu iets vertellen wat van nut zou kunnen zijn?' vroeg Cilke.

'Alleen dat ik niet met vervroegd pensioen zal gaan.'

'Waarom vertelt u me vandaag dan niets?'

'Omdat ik dat niet verplicht ben,' zei Nicole koel.

'Ik heb uw vader erg goed gekend,' zei Cilke. 'Hij zou wel hebben meegewerkt.'

Voor het eerst keek Nicole hem met respect aan. 'Dat is waar,' zei ze. 'Goed. Mijn vader heeft vóór zijn dood erg veel geld weggegeven. Het enige wat hij ons heeft nagelaten zijn zijn banken. Mijn broers en ik krijgen negenenveertig procent, en de overige eenenvijftig procent gaan naar onze neef Astorre Viola.'

'Kunt u me iets over hem vertellen?'

'Astorre is jonger dan ik. Hij is nooit betrokken geweest bij mijn vaders zaken, en wij zijn allemaal dol op hem omdat het zo'n lieve sukkel is. Natuurlijk ben ik nu niet zo dol op hem.'

Cilke tastte zijn geheugen af. Hij kon zich geen dossier over Astorre Viola herinneren. Toch moest het bestaan.

'Zou u zijn adres en telefoonnummer kunnen geven?' vroeg Cilke.

'Natuurlijk,' zei Nicole. 'Maar u verdoet uw tijd. Geloof me.'

'Ik moet alle details nagaan,' zei Cilke verontschuldigend.

'En welk belang heeft de FBI hierbij?' vroeg Nicole. 'Dit is een plaatselijke moord.'

Cilke zei koel: 'De tien banken die eigendom van uw vader waren, zijn internationale banken. Misschien was er sprake van valutacomplicaties.'

'O, nee,' zei Nicole. 'Dan moet ik meteen zijn dossier opvragen. Uiteindelijk ben ik nu mede-eigenaar van die banken.' Ze keek hem even wantrouwend aan. Hij wist dat hij haar in de gaten moest houden.

De volgende dag reden Cilke en Boxton naar Westchester County om met Astorre Viola te praten. Op het bosrijke landgoed stond onder andere een gigantisch huis met drie schuren. Er stonden zes paarden in de wei, die werd omgeven door een tot het middel reikende omheining van dubbele buizen met smeedijzeren hekken. Op de parkeerplaats voor het huis stonden vier auto's en een bestelbus. Cilke noteerde in gedachten twee van de nummerplaten.

Een vrouw van rond de zeventig liet hen binnen en ging hen voor naar een weelderige huiskamer die vol stond met opnameapparatuur. Vier jongemannen stonden achter lessenaars bladmuziek te lezen en een ander zat aan de piano – een professionele combo van saxofoon, bas, gitaar en drums.

Astorre stond bij de microfoon naast hen en zong met een hese stem. Zelfs Cilke wist dat dit het soort muziek was waar geen publiek op af zou komen.

Astorre hield op en zei tegen zijn bezoekers: 'Kunt u vijf minuten wachten tot we klaar zijn met opnemen? Dan kunnen mijn vrienden inpakken en krijgt u alle tijd die u nodig hebt.'

'Natuurlijk,' zei Cilke.

'Breng hun koffie,' zei hij tegen de dienstbode. Dat deed Cilke deugd. Astorre bood iets niet beleefd aan; hij beval.

Maar Cilke en Boxton moesten langer wachten dan vijf minuten. Astorre was een Italiaans volksliedje aan het opnemen – terwijl hij op een banjo tokkelde – en hij zong in een rauw dialect dat Cilke niet verstond. Het lag prettig in het gehoor, zoals je je eigen stem onder de douche hoorde.

Toen ze eindelijk alleen waren, veegde Astorre over zijn gezicht. 'Dat was lang niet slecht,' zei hij lachend. 'Toch?'

Cilke merkte dat hij de man onmiddellijk mocht. Hij was ongeveer dertig, had iets jongensachtigs en nam zichzelf zo te zien niet al te serieus. Hij was groot, goedgebouwd en hij had de lenigheid van een bokser. Hij was mooi, met zijn donkere teint en de onregelmatige maar scherpe trekken die je in vijftiende-eeuwse portretten aantreft. Hij maakte geen ijdele indruk, maar om zijn hals droeg hij een gouden band die zes centimeter breed was en waaraan een camee hing met de Maagd Maria.

'Het was prachtig,' zei Cilke. 'Zijn jullie een commerciële opname aan het maken?'

Astorre glimlachte: een brede, goedmoedige grijns. 'Als dat zou kunnen. Maar ik ben gek op die liedjes, en ik geef ze cadeau aan mijn vrienden.'

Cilke besloot aan het werk te gaan. 'Dit is maar routine,' zei hij. 'Is er bij uw weten iemand die uw oom een kwaad hart toedroeg?'

'Absoluut niemand,' zei Astorre met een ernstig gezicht. Cilke had dat al te vaak gehoord. Iedereen had vijanden, vooral Raymonde Aprile.

'U erft bestuurlijke belangen bij de banken,' zei Cilke. 'Stond u hem zó na?'

'Ik begrijp er echt niets van,' zei Astorre. 'Ik was als kind een van zijn favorieten. Hij hielp me mijn zaak op te zetten en leek vervolgens min of meer te vergeten dat ik bestond.'

'Wat voor zaak?' vroeg Cilke.

'Ik importeer de allerfijnste macaroni uit Italië.'

Cilke keek hem sceptisch aan. 'Macaroni?'

Astorre glimlachte; hij was die reactie gewend. Het was geen trendy zaak. 'U weet toch dat Lee Iacocca het nooit heeft over *automobielen* maar altijd *auto's* zegt? Zo zeggen wij nooit *pasta* of *spaghetti*, wij zeggen *macaroni*.'

'En u wordt nu bankier?' vroeg Cilke.

'Ik zal het proberen,' zei Astorre.

Toen ze weg waren, vroeg Boxton: 'Wat vind jij?' Hij was enorm op Boxton gesteld. Die man geloofde in de Dienst, net als hij – dat men daar rechtvaardig was, vrij van corruptie en in efficiëntie hoog boven andere gerechtelijke instellingen stond. Deze gesprekken hadden ook nut voor hém.

'Zo te horen zijn ze allemaal goudeerlijk,' zei Boxton. 'Maar is dat ooit anders?'

Ja, Zo leek het altijd, dacht Cilke. Maar toen schoot hem iets te binnen. De camee aan Astorres gouden ketting had geen enkele keer bewogen.

Het laatste gesprek was voor Cilke het belangrijkste. Dat was met Timmona Portella, op dat moment de maffiabaas van New York, de enige die behalve de don na Cilkes onderzoeken had weten te ontkomen aan vervolging.

Portella runde zijn ondernemingen vanuit het enorme penthouse in een gebouw aan de West Side waarvan hij de eigenaar was. In het gebouw zaten verder nevenbedrijven waar hij de leiding over had. De bewaking was waterdicht als Fort Knoxx, en Portella zelf reisde per helikopter – het dak was uitgerust met een landingsstrook – naar zijn buiten in New Jersey. Zijn voeten raakten zelden het trottoir van New York.

Portello begroette Cilke en Boxton in zijn kantoor met diepe fauteuils en wanden van kogelvrij glas die een prachtig uitzicht boden op de skyline van de stad. Hij was een reus van een vent, onberispelijk gekleed in een donker pak met een glanzend wit overhemd.

Cilke schudde Portella de vlezige hand en bewonderde de donkere das die om zijn dikke nek hing.

'Kurt, hoe kan ik je helpen?' vroeg Portello met een hoge tenorstem die door het vertrek schalde. Hij negeerde Bill Boxton.

'Ik doe onderzoek in de zaak Aprile,' zei Cilke. 'Ik dacht dat jij misschien informatie had die me zou kunnen helpen.'

'Wat zonde, zijn dood,' zei Portella. 'Iedereen hield van Raymonde Aprile. Het is me een raadsel wie dat gedaan kan hebben. De laatste jaren van zijn leven was Aprile zo'n goed mens. Hij werd een heilige, een echte heilige. Hij smeet met zijn geld als een Rockefeller. Toen God hem tot Zich nam, was hij rein.'

'God heeft hem niet tot Zich genomen,' zei Cilke droog. 'Het was een uiterst professionele aanslag. Er moet een motief zijn.' Portella's oog vertoonde een tic maar toen hij niets zei, ging Cilke verder. 'Je bent vele jaren zijn collega geweest. Je moet iets weten. Bijvoorbeeld van zijn neef die de banken erft?'

'Don Aprile en ik hebben jaren geleden samen een zaakje gehad,' zei Portella. 'Maar toen Aprile zich terugtrok, had hij me net zo goed kunnen doodmaken. Het feit dat ik nog leef, bewijst dat we geen vijanden waren. Over zijn neef weet ik niets, behalve dat hij artiest is. Hij zingt op bruiloften en partijen, zelfs in kleine nachtclubs. Zo'n jongen waar ouwe lui als ik dol op zijn. En hij verkoopt goede macaroni uit Italië. Al mijn restaurants gebruiken het.' Hij zweeg en zuchtte. 'Het is altijd een raadsel wanneer een goede man wordt vermoord.'

'Je weet dat je hulp op prijs gesteld zal worden,' zei Cilke.

'Natuurlijk,' zei Portella. 'De FBI speelt altijd eerlijk. Ik weet dat mijn hulp op prijs gesteld zal worden.'

Hij trakteerde Cilke en Boxton op een hartelijke grijns waarbij vierkante, bijna perfecte tanden zichtbaar werden.

Op de terugweg naar het bureau zei Boxton tegen Cilke: 'Ik heb het dossier van die vent gelezen. Hij is groot in porno en drugs, en het is een moordenaar. Waarom hebben we hem nooit kunnen pakken?'

'Hij is minder erg dan de anderen,' zei Cilke. 'Maar op een dag krijgen we hem wel.'

Kurt Cilke vroeg om een elektronische beveiliging op de huizen van Nicole Aprile en Astorre Viola. Een gedweeë federale rechter vaardigde het benodigde bevel uit. Niet dat Cilke echt verdenkingen koesterde – hij wilde alleen maar het zekere voor het onzekere nemen. Nicole was een geboren oproerkraaier en Astorre was bijna te mooi om waar te zijn. Het was uitgesloten dat Valerius' huis werd afgeluisterd, aangezien dat op het terrein van West Point stond.

Cilke had gehoord dat de paarden in Astorres wei zijn passie waren. Dat hij elke morgen één hengst borstelde en verzorgde voordat hij ermee naar buiten ging. Wat op zich niet erg was, behalve dat hij geheel uitgedost in Engels tenue reed, met rode blazer en al, tot een zwart suède *cap* aan toe.

Hij kon nauwelijks geloven dat Astorre zo'n weerloos doelwit was dat drie kerels in Central Park geprobeerd hadden hem te overvallen. Hij scheen óntkomen te zijn – maar het politierapport was vaag over wat er met de overvallers was gebeurd.

Na twee weken konden Cilke en Boxton de tapes afluisteren die in het huis van Astorre Viola waren verborgen. De stemmen behoorden toe aan Nicole, Marcantonio, Valerius en Astorre. Op tape werden ze voor Cilke tot mens; ze hadden hun maskers afgezet.

'Waarom moesten ze hem vermoorden?' vroeg Nicole met een stem die brak van verdriet. Er was niets over van de kilte die ze tegenover Cilke aan de dag had gelegd.

'Daar moet een reden voor zijn,' zei Valerius kalm. Zijn stem was veel vriendelijker nu hij met zijn familie praatte. 'Ik heb nooit iets te maken gehad met de zaken van die ouwe, dus wat mezelf betreft, maak ik me geen zorgen. Maar hoe zit het met jullie?'

Marcantonio sprak snerend. Hij was kennelijk niet op zijn broer gesteld. 'Val, die ouwe heeft je een aanstelling in West Point bezorgd omdat je een watje was. Hij wilde een kerel van je maken. Daarna hielp hij je bij je werk bij de Inlichtingendienst overzee. Pleit jezelf dus maar niet vrij. Hij kwam klaar bij het idee dat je commandant zou worden. Generaal Aprile – dát vond hij lekker klinken. Wie weet aan welke touwtjes hij heeft getrokken.' Zijn stem klonk op de band veel levendiger, veel feller dan in levenden lijve.

Er viel een lange stilte, waarna Marcantonio zei: 'En natuurlijk heeft hij mij in het zadel geholpen. Hij heeft mijn productiekantoor gefinancierd. De grote castingbureaus gaven mij hun grote sterren. Luister, wij figureerden niet in zijn leven, maar hij altijd wél in het onze. Nicole, de ouwe heer heeft jou tien jaar aan schulden aflossen bespaard door je die baan op het advocatenkantoor te bezorgen. En Astorre, wie denk je dat jóú de plek in de schappen bij de supermarkt heeft bezorgd voor je macaroni?'

Opeens werd Nicole ziedend. 'Pa heeft me misschien de binnenkomer bezorgd, maar de enige die verantwoordelijk is voor het succes in mijn carrière ben ik. Ik heb voor alles wat ik hebt bereikt tegen die haaien bij de firma moeten knokken. Ik ben degene die weken van tachtig uur maakte om de kleine lettertjes te lezen.' Ze zweeg even, waarna haar stem wel kil klonk. Waarschijnlijk had ze het nu tegen Astorre. 'En wat ik wil weten is waarom pa jou de leiding over de banken heeft gegeven. Wat heb jij überhaupt met de hele boel te maken?'

Astorre klonk hulpeloos van spijt. 'Nicole, ik heb geen idee. Ik heb hier niet om gevraagd. Ik heb een zaak en ik ben dik tevreden met zingen en paardrijden. Bovendien: voor jullie heeft het zijn voordeel. Ik moet al het werk doen en de winst wordt evenredig tussen ons vieren verdeeld.'

'Maar jij hebt de leiding, en je bent maar een neef,' zei Nicole. Ze voegde er sarcastisch aan toe: 'Hij moet wel genoten hebben van je gezang.'

Valerius zei: 'Ga je proberen zelf de banken te runnen?'

Astorres stem was een en al quasi-afgrijzen. 'O nee, nee, daarvoor krijg ik van Nicole vast wel een lijst met namen en een hoofdaccountant.'

Nicole klonk alsof ze in tranen was van teleurstelling. 'Ik begrijp het nog steeds niet. Waarom pa míj niet heeft aangesteld. Waarom?'

'Omdat hij niet wilde dat een van zijn kinderen macht had over de anderen,' zei Marcantonio.

Astorre zei rustig: 'Misschien was het om jullie buiten schot te houden.'

'Wat vonden jullie van die vent van de FBI, die tegen ons deed alsof hij onze beste vriend is?' vroeg Nicole. 'Hij heeft jarenlang achter pa aan gezeten. En nu denkt hij dat we hem alle familiegeheimen gaan toevertrouwen. Wat een engerd.'

Cilke voelde een blos naar zijn wangen stijgen. Dat had hij niet verdiend.

'Hij doet zijn plicht,' zei Valerius. 'En dat is niet gemakkelijk. Hij is vast heel intelligent. Hij heeft heel wat vrienden van die ouwe naar de gevangenis gestuurd. En niet voor even.'

'Verraders, tipgevers,' zei Nicole snerend. 'En met die zwartgeldwetten gaan ze wel erg selectief te werk. Onder die wetten zouden ze de helft van onze politieke leiders naar de gevangenis kunnen sturen, en het grootste deel van de *happy few*.'

'Nicole, je bent bedrijfsjuriste,' zei Marcantonio. 'Hou op met die onzin.'

Astorre zei peinzend: 'Waar halen die FBI-mensen die blitse pakken vandaan? Bestaat er een speciale FBI-kleermaker?'

'Het zit 'm in de manier waarop ze ze dragen,' zei Marcantonio. 'Dat is het geheim. Maar voor de tv kunnen we nooit een vent als Cilke goed laten overkomen. In- en inbetrouwbaar, goudeerlijk, door en door integer. En toch vertrouw je hem nooit.'

'Vergeet die flut tv-programma's van je, Marc,' zei Valerius. 'We zitten midden in een dilemma, en er zijn twee duidelijke rationele aspecten. Het waarom, en dan het wie. Waarom werd pa vermoord? Vervolgens: wie kan dat in godsnaam geweest zijn? Iedereen beweert dat hij geen vijanden had, of iets wat iemand anders hebben wou.'

'Ik heb een petitie om pa's dossier op het bureau in te zien,' zei Nicole. 'Misschien geeft dat ons een aanwijzing.'

'Waarvoor?' vroeg Marcantonio. 'Wíj kunnen er niets aan doen. Pa zou het liefst willen dat we het vergaten. Dit moeten we aan de autoriteiten overlaten.'

Nicole klonk neerbuigend. 'Dus het kan ons geen reet schelen wie onze vader heeft vermoord? En jij, Astorre? Denk jij er ook zo over?'

Astorres stem klonk mild, redelijk. 'Wat kunnen we doen? Ik hield van jullie vader. Ik ben hem dankbaar dat hij me in zijn testament zo gul heeft bedacht. Maar laten we afwachten wat er gaat gebeuren. Eerlijk gezegd mag ik Cilke wel. Als er iets te vinden is, zal hij het vinden. We hebben het allemaal goed, dus waarom zouden we dat allemaal vergooien?' Hij zweeg even en zei toen: 'Luister, ik moet mijn leveranciers bellen, dus ik moet weg. Maar jullie kunnen gerust hier blijven om de boel uit te praten.'

Er volgde een lange stilte op de band. Cilke voelde onwillekeurig sympathie voor Astorre en afkeer voor de anderen. Toch was hij tevreden. Het waren geen gevaarlijke lui, ze zouden het hem niet lastig maken.

'Ik hou van Astorre,' klonk Nicoles stem nu. 'Hij stond dichter bij onze vader dan een van ons. Maar hij is zo'n watje. Marc, denk jij dat hij iets bereiken kan met dat zingen?'

Marcantonio schoot in de lach. 'We zien in ons beroep duizenden zoals hij. Hij is net een voetbalvedette op een kleine *high school*. Hij doet het leuk, maar hij heeft niet echt het talent in huis. Maar hij is goed in zaken en dat bevalt hem best, dus wat kan het schelen?'

'Hij heeft de leiding over banken waar miljarden omgaan – alles wat we hebben, en het enige wat hem interesseert is zingen en paardrijden,' zei Nicole.

Valerius zei half spijtig, half voor de grap: 'Schoenmakertje, hou je bij je leest.'

'Hij heeft iets heel goeds opgebouwd met die macaronihandel,' zei Valerius.

'We moeten Astorre beschermen,' zei Nicole. 'Hij is te aardig om banken te runnen en te goed van vertrouwen om Cilke aan te pakken.'

Toen de tape was afgelopen wendde Cilke zich tot Boxton. 'Wat vind je ervan?' vroeg hij.

'Och, net als Astorre vind ik je een geweldige vent,' zei Boxton.

Cilke lachte. 'Nee, ik bedoel: zijn die lui mogelijke verdachten van de moord?'

'Nee,' zei Boxton. 'Ten eerste zijn het zijn kinderen en ten tweede missen ze de behendigheid.'

'Ze zijn anders slim genoeg,' zei Cilke. 'Ze stellen de juiste vraag. Waarom?'

'Nou, dat is niet ónze vraag,' zei Boxton. 'Dit is een plaatselijke kwestie, niet een landelijke. Of zie jij een verband?'

'Internationale banken,' zei Cilke. 'Maar het heeft geen nut nog meer geld van het bureau te vergooien: laat alle afluisterapparatuur van de telefoons weghalen.'

Kurt Cilke hield van honden omdat die niet konden samenzweren. Ze konden niet verbergen dat ze je niet mochten en ze waren niet uitgekookt. Ze lagen 's nachts niet wakker om te bedenken hoe ze andere honden konden beroven of vermoorden. Verraad lag niet in hun lijn. Hij had twee Duitse herders om zijn huis te bewaken en 's avonds liet hij ze in alle harmonie en vertrouwen uit in de bossen in de buurt.

Toen hij die avond naar huis ging, was hij niet content. Er was geen sprake van gevaar in de situatie, althans niet van de kant van de dons familie. Een bloedige vendetta zat er niet in.

Cilke woonde in New Jersey met een vrouw van wie hij zielsveel hield en een dochter van tien die hij op handen droeg. Zijn huis was voorzien van een stevig alarmsysteem plus de twee honden. De regering betaalde. Zijn vrouw had het vertikt met een revolver te leren omgaan en hij vertrouwde erop dat ze anoniem bleven. Zijn buren dachten dat hij advocaat was (wat hij ook was), net zoals zijn dochter. Cilke borg als hij thuis was zijn pistool en kogels altijd op achter slot en grendel, bij zijn badge.

Hij ging nooit per auto naar het station om naar de stad te pendelen. Kruimeldieven zouden zijn autoradio kunnen stelen. Als hij terugkwam in New Jersey, belde hij zijn vrouw op zijn GSM en dan kwam ze hem halen. De rit naar huis duurde vijf minuten.

Die avond gaf Georgette hem vrolijk een kus op de mond, waarbij hij haar warme lippen voelde. Zijn dochter Vanessa stortte zich met haar ongelooflijk enthousiasme op hem voor een knuffel. De twee honden dartelden om hem heen, maar ze zaten vast. Ze pasten met z'n allen met gemak in de grote Buick.

Dit deel van zijn bestaan koesterde Cilke. Bij zijn gezin voelde hij zich veilig, relaxed. Zijn vrouw hield van hem, dat wist hij. Ze had bewondering voor zijn karakter, dat hij zijn werk deed zonder kwade opzet of trucs, met rechtvaardigheidsgevoel voor zijn medemens, al was die nog zo corrupt. Hij waardeerde haar intelligentie en vertrouwde haar voldoende om met haar over zijn werk te praten. Maar uiteraard kon hij haar niet alles vertellen. En zij had het druk met haar eigen werk. Ze schreef over bekende vrouwen uit de geschiedenis, doceerde ethiek op een plaatselijk *college* en streed voor haar sociale doelen.

Nu keek Cilke hoe zijn vrouw het eten klaarmaakte. Hij werd altijd betoverd door haar schoonheid. Hij keek hoe Vanessa de tafel dekte, waarbij ze haar moeder nadeed, zelfs probeerde met die balletachtige elegantie te lopen. Georgette vond huishoudelijke hulp helemaal niet nodig en voedde haar dochter heel zelfstandig op. Toen ze zes was, maakte Vanessa al haar eigen bed op, ruimde haar kamer op en hielp ze haar moeder bij het koken. Zoals altijd vroeg Cilke zich af waarom zijn vrouw van hem hield, voelde hij zich bevoorrecht door dat feit.

Later, toen ze Vanessa naar bed hadden gebracht (Cilke controleerde de bel die ze kon laten rinkelen als ze hen nodig had), gingen ze naar hun eigen slaapkamer. En zoals altijd voelde Cilke de opwinding van bijna religieuze hartstocht toen zijn vrouw zich uitkleedde. Vervolgens werden haar grote, grijze ogen wazig van liefde. En naderhand, terwijl ze in slaap vielen, hield ze zijn hand vast om hen door haar dromen te voeren.

Cilke had haar ontmoet toen hij onderzoek deed naar radicale studentenorganisaties die verdacht werden van terroristische akkevietjes. Ze was toen een politieke activiste die geschiedenis gaf op een klein *college* in New Jersey. Uit zijn onderzoek bleek dat ze gewoon tot de liberalen behoorde en niet in contact stond met een radicale groep extremisten. Wat Cilke ook in zijn rapport schreef.

Maar toen hij haar als onderdeel van het onderzoek onder-vroeg, trof hem dat ze tegen hem als FBI-MAN totaal geen vooroordeel of vijandigheid koesterde. Ze leek zelfs nieuwsgierig naar zijn werk, wat hij ervan vond, en vreemd genoeg had hij haar eerlijk antwoord gegeven: dat hij nu eenmaal een hoeder van de samenleving was die niet zonder reglementen kon. Hij had er half spottend aan toegevoegd dat hij het schild vormde tussen iemand als zij en de mensen die haar anders vanwege haar mening zouden lynchen.

De verkering had kort geduurd. Ze trouwden al snel, eigenlijk voordat hun gezond verstand een stokje kon steken voor hun liefde, want ze wisten dat ze in bijna elk opzicht tegenpolen waren. Hij was het in niets met haar gedachtegoed eens. Tegenover zijn wereld was zij de onschuld zelve. Zij deelde zijn ontzag voor de FBI absoluut niet. Maar ze hoorde zijn klaagzangen aan, hoe hij tegen de karaktermoord op de FBI-heilige J. Edgar Hoover was. 'Ze schilderen hem af als stiekeme homoseksueel en fanatiek reactionair. Maar in feite was hij een plichtsgetrouw man die simpelweg niet toegaf aan zijn liberale imborst. Er wordt over de FBI net zo negatief geschreven als over de Gestapo of de KGB. Maar wij hebben nooit onze toevlucht genomen tot martelingen en we hebben nooit iemand erin geluisd, zoals de NYPD bijvoorbeeld. We hebben ons nooit bediend van vals bewijsmateriaal. Die studenten zouden hun vrijheid kwijt zijn als wij er niet waren. De rechtse partijen zouden de vloer met hen aanvegen, ze zijn politiek zo onnozel.'

Ze had geglimlacht om zijn elan, ontroerd.

'Verwacht niet van me dat ik verander,' had ze gezegd. 'Als het waar is wat je zegt, kunnen we niet kibbelen.'

'Ik verwacht niet van je dat je verandert,' had Cilke geantwoord. 'En als de FBI onze relatie beïnvloedt, ga ik gewoon ander werk zoeken.' Hij hoefde haar niet te vertellen wat een offer dat voor hem zou zijn.

Maar hoeveel mensen kunnen zeggen dat ze volmaakt gelukkig zijn, één menselijk wezen hebben dat ze absoluut kunnen vertrouwen? Hij putte zo veel troost uit zijn taak van beschermer en uit zijn trouw aan haar lichaam en geest. Elke seconde van de dag voelde ze hoe hij over haar veiligheid en leven waakte.

Cilke miste haar vreselijk als hij van huis weg was om te trainen. Hij liet zich nooit verleiden door andere vrouwen omdat hij nooit iets achter haar rug wilde doen. Hij wilde niets liever dan bij haar terugkomen, naar haar glimlach vol vertrouwen, haar lichaam dat hem verwelkomde als ze in de slaapkamer op hem wachtte: naakt, kwetsbaar, zonder verwijten over zijn werk, een van de zegeningen van zijn leven.

Maar zijn geluk werd bedreigd door alles wat hij voor haar geheim moest houden, de ernstige complicaties van zijn werk, wat hij wist over een wereld die zweerde van het pus van verdorven mannen en vrouwen, de smetten van de samenleving die in zijn eigen hersens lekten. Zonder haar was het leven gewoon niets waard.

Op een keer, vroeg in hun samenzijn, nog narillend van de angst om gelukkig te zijn, had hij iets gedaan: het enige waar hij zich diep voor schaamde. Hij had zijn eigen huis laten afluisteren om ieder woord van zijn vrouw vast te leggen, waarna hij in de kelder de tapes had afgeluisterd. Hij had elke stembuiging beluisterd. En ze was voor haar examen geslaagd. Nergens was ze kwaadaardig, nergens liefdeloos of vals. Dat had hij een jaar lang gedaan.

Dat ze van hem hield, ondanks zijn gebreken, zijn dierlijke listen, zijn drift om jacht te maken op zijn medemens, dat had Cilke altijd een wonder geleken. Maar hij was altijd bang dat ze, als ze achter zijn ware aard zou komen, van hem zou walgen. En dus werd hij ook in zijn werk zo kritisch mogelijk, waardoor hij de faam verwierf dat hij integer was.

Georgette twijfelde nooit aan hem. Dat had ze die ene avond bewezen toen ze, met nog twintig andere gasten, te eten waren gevraagd bij de directeur. Een semi-officiële gelegenheid en een hele eer.

Op een gegeven moment had de directeur er die avond voor kunnen zorgen dat hij even met Cilke en zijn vrouw alleen was. Hij had tegen Georgette gezegd: 'Ik heb begrepen dat de liberale zaak je zeer ter harte gaat. Natuurlijk erken ik je recht daartoe. Maar misschien besef je niet ten volle dat jouw activiteiten ten koste kunnen gaan van Kurts carrière bij de FBI?'

Georgette had naar de directeur geglimlacht en ernstig gezegd: 'Dat weet ik maar al te goed. Maar dat zou de fout en de pech zijn van de FBI. Uiteraard, mocht dat een te groot probleem worden, zou mijn man ontslag nemen.'

De directeur had zich met een verbaasd gezicht tot Cilke gewend. 'Klopt dat?' vroeg hij. 'Zou je ontslag nemen?'

Cilke had niet geaarzeld. 'Ja, dat klopt. Ik lever de papieren morgen in als u wilt.'

De directeur had gelachen. 'O nee,' zei hij. 'Een man als jij komen we niet elke dag tegen.' Waarop hij Georgette met zijn stalen, aristocratische blik had aangekeken. 'Wellicht is liefde voor zijn vrouw het laatste houvast van een integer man,' zei hij.

Om zijn goede wil te tonen had iedereen om die geforceerde geestigheid gelachen.

4

Na de dood van don Aprile had Astorre vijf maanden lang overlegd met een paar vakbroeders van de don – die eveneens in retraite waren – over maatregelen die ervoor moesten zorgen dat de kinderen Aprile buiten schot zouden blijven, en onderzoek dat gedaan zou worden naar de omstandigheden waaronder hij werd vermoord. Vóór alles moest Astorre een reden zien te vinden voor zo'n riskante, roekeloze daad. Wie zou er ooit opdracht geven om de machtige don Aprile uit de weg te ruimen? Hij wist dat hij heel voorzichtig moet zijn.

Astorre had zijn eerste gesprek met Benito Craxxi in Chicago.

Craxxi had zich tien jaar eerder dan de don uit alle illegale operaties teruggetrokken. Hij was ooit de grote adviseur van de Nationale Maffiacommissie die uit de eerste hand wist hoe alle maffia-clans in de Verenigde Staten waren samengesteld. Hij had als eerste de machtsafname van de clans onderkend omdat hij die teruggang had zien aankomen. En dus was hij zo verstandig geweest zich terug te trekken om zich op de aandelenbeurs te werpen, waar hij tot zijn verbazing net zo veel geld kon verduisteren zonder wettelijke sancties te riskeren. De don had Craxxi's naam aan Astorre doorgegeven als een van de mannen die hij, zo nodig, moest raadplegen.

Craxxi, zeventig nu, woonde met twee lijfwachten, een chauffeur en een jonge Italiaanse, die doorging voor zijn kokkin en huishoudster maar volgens zeggen zijn bijslaap was. Hij verkeerde in uitstekende gezondheid, want hij had zich zijn leven lang gematigd. Hij lette op wat hij at en dronk sporadisch. Als ontbijt een kom fruit met kaas; bij de lunch een omelet of groentesoep – meestal met bonen en andijvie; voor het avondeten een simpele runder- of lamskotelet met een salade van ui, tomaat en sla. Hij rookte slechts één sigaar per dag, vlak na het avondeten, bij zijn koffie met anisette. Hij sprong gul en verstandig met zijn geld om. Hij lette bovendien goed op wie hij adviseerde. Want een man die het verkeerde consult geeft, wordt gehaat als een vijand.

Maar voor Astorre was hij royaal, want Craxxi stond zoals menig ander dik in het krijt bij don Aprile. De don was degene geweest die Craxxi had beschermd toen hij zich terugtrok, in hun milieu altijd een gevaarlijke zet.

Het was een ontbijtconferentie. Er stonden schalen met fruit – glanzend gele peren, blozende appels, een bokaal met aardbeien die bijna zo groot waren als citroenen, witte druiven en donkerrode kersen. Op een houten plank was, als een smalle, uit gouden stenen opgetrokken toren, een enorme verscheidenheid aan kazen opgestapeld. De huishoudster serveerde hun koffie met anisette en verdween toen.

'Zo, jongeman,' zei Craxxi. 'Jij bent dus de door don Aprile uitverkoren beschermengel.'

'Ja,' zei Astorre.

'Ik weet dat hij je op deze taak heeft voorbereid,' zei Craxxi. 'Mijn oude vriend keek altijd vooruit. Daarover hebben we overlegd. Ik weet dat je er de capaciteiten voor hebt. Maar de vraag blijft: heb je de wil?'

Astorres glimlach was innemend, zijn gezicht open. 'De don heeft mijn leven gered en me alles gegeven wat ik bezit,' zei hij. 'Ik ben wat hij van me heeft gemaakt. En ik heb gezworen dat ik de familie zou beschermen. Als Nicole geen partner van het advocatenkantoor wordt, als Marcantonio's tv-maatschappij mislukt, als Valerius iets overkomt, dan hebben ze altijd nog de banken. Ik heb een gelukkig leven gehad. Ik betreur de reden van mijn taak. Maar ik heb de don mijn woord gegeven en ik moet mijn woord houden. Zo niet, dan heb ik mijn verdere leven toch niets om in te geloven?'

Momenten uit zijn jeugd flitsten door zijn hoofd, momenten van grote vreugde die hem met dankbaarheid vervulden. Scènes van zichzelf als jongetje, samen met zijn oom op Sicilië, waar ze door het uitgestrekte berglandschap wandelden, terwijl hij naar de verhalen van zijn oom luisterde. Die toen droomde van andere tijden waarin het recht zegevierde, loyaliteit een deugd was en vriendelijke, machtige mannen grootse daden verrichtten. En op dat moment miste hij zowel de don als Sicilië.

'Juist,' zei Craxxi, waarmee hij Astorres dagdromen onderbrak en hem terugbracht naar het heden. 'Je was op de plaats van de misdaad. Beschrijf het me helemaal.'

Dat deed Astorre.

'En je weet zeker dat de schutters allebei linkshandig waren?' vroeg Craxxi.

'Eén in elk geval, en die andere waarschijnlijk ook.'

Craxxi knikte langzaam, kennelijk in gedachten verzonken. Na wat een eeuwigheid leek, keek hij Astorre recht aan en zei: 'Ik denk dat ik weet wie de schutters waren. Maar laten we niets overhaasten. Het is belangrijker te weten wie hen heeft ingehuurd en waarom. Je moet erg voorzichtig zijn. Tja, ik heb veel over de zaak nagedacht. De meest voor de hand liggende verdachte is Timmona Portella. Maar wat had hij voor redenen en wie dacht hij daarmee een plezier te doen? Nu was Timmona altijd al een heethoofd. Maar de moord op don Aprile was toch wel een heel riskante onderneming. Zelfs Timmone was bang voor don Aprile, in retraite of niet.

Weet je wat ik over die schutters denk? Het zijn broers die in Los Angeles wonen, en ze staan het hoogst aangeschreven in het hele land. Ze kletsen nooit. Er zijn zelfs maar weinig mensen die weten dat ze een tweeling zijn. En ze zijn allebei linkshandig. Ze hebben lef en het zijn geboren knokkers. Het gevaar moet hen hebben gelokt en het loon is ongetwijfeld hoog geweest. Bovendien hebben ze vast ook een paar garanties gekregen – dat de autoriteiten de zaak niet voor het gerecht zouden slepen. Ik vind het vreemd dat er geen officiële politie of bewaking in burger bij het vormsel in de kathedraal was.

Begrijp me goed: alles wat ik heb gezegd is theorie. Je zult zelf op onderzoek uit moeten om met bewijzen te komen. En dan nog, als ik het bij het rechte eind heb, zul je alle zeilen moeten bijzetten.'

'Eén ding nog,' zei Astorre. 'Lopen de kinderen van de don gevaar?'

Craxxi haalde zijn schouders op. Hij was omzichtig een goudkleurige peer van zijn schil aan het ontdoen. 'Ik weet het niet,' zei hij. 'Maar wees niet te trots hun hulp in te roepen. Jijzelf bent zonder twijfel niet veilig. Ziehier, ik heb nog één suggestie voor je. Haal Mr. Pryor uit Londen om je banken te runnen. Hij is in alle opzichten een uitermate bekwaam man.'

'En Bianco op Sicilië?'

'Laat hem waar hij is,' zei Craxxi. 'Als je wat verder bent gekomen, zullen we nog eens praten.'

Craxxi schonk anisette in Astorres koffie. Astorre zuchtte. 'Het lijkt vreemd,' zei hij. 'Ik heb nooit durven dromen dat ik namens de don zou moeten handelen, de grote don Aprile.'

'Ach ja,' zei Craxxi. 'Het leven is wreed en zwaar voor wie jong is.'

Twintig jaar lang had Valerius in de wereld van de militaire inlichtingendienst geleefd, die haaks stond op de droomwereld van zijn broer. Niets wat Astorre zei, scheen hem van zijn stuk te brengen en hij reageerde zonder verbazing.

'Ik heb je hulp nodig,' zei Astorre. 'Misschien moet je je strenge principes doorbreken.'

Valerius zei droogjes: 'Eindelijk laat je je ware gezicht zien. Ik vroeg me al af hoe lang dat zou duren.'

'Ik weet niet wat dat betekent,' zei Astorre enigszins verbaasd. 'Volgens mij is de dood van je vader een complot waarbij de NYPD en de FBI zijn betrokken. Misschien denk je dat ik fantaseer, maar dat is wat ik heb gehoord.'

'Dat is niet onmogelijk,' zei Valerius. 'Maar hier heb ik via mijn werk geen toegang tot geheime documenten.'

'Je hebt toch wel vrienden?' vroeg Astorre. 'Bij de Inlichtingendiensten? Je zou ze daar bepaalde vragen kunnen stellen.'

'Ik hoef geen vragen te stellen,' zei Valerius glimlachend. 'Ze roddelen als theetantes. Onder het mom dat ze alles moeten weten. Heb je enig idee waar je achteraan zit?'

'Alle informatie over de moordenaars van je vader,' zei Astorre.

Valerius leunde achterover in zijn stoel, terwijl hij aan zijn sigaar pafte, zijn enige zwakheid. 'Je moet geen spelletjes met me spelen, Astorre,' zei hij. 'Ik zal je eens iets vertellen. Ik heb een analyse gemaakt. Het zou een vergeldingsactie of wraak van de onderwereld geweest kunnen zijn. En ik heb ook nagedacht over het feit dat jij de leiding over de banken krijgt. Die ouwe heeft altijd een plan in zijn hoofd gehad. Ik heb het volgende bedacht. De don heeft jou aangesteld als voorman van de familie. Wat volgt daaruit? Dat je getraind bent, dat jij zijn plaatsvervanger was die pas op een cruciaal moment in actie zou worden geroepen. Er zit een hiaat van elf jaar in je leven, en dat weet je op een onwaarschijnlijk goede manier te overbruggen – als amateurzanger, een wedstrijdjockey? En de gouden ketting die je altijd omhebt, is verdacht.' Hij zweeg even, haalde diep adem en zei: 'Wat vind je van die analyse?'

'Heel goed,' zei Astorre. 'Ik hoop dat je hem niet hebt verder verteld.'

'Natuurlijk niet,' zei Valerius. 'Want daaruit volgt dat je een gevaarlijk man bent. En dus dat je van plan bent buitengewone stappen te gaan ondernemen. Maar één raad: je masker is te dun; voor je het weet, prikken ze erdoorheen. Wat mijn hulp betreft: ik heb een heel goed leven en ik sta lijnrecht tegenover wat ik van je zie. Dus voor het moment is mijn antwoord nee. Ik zal je niet helpen. Als de dingen veranderen, neem ik contact op.'

Er verscheen een vrouw om Astorre naar Nicoles kantoor te brengen. Nicole omhelsde en kuste hem. Ze was nog altijd dol op hem. Hun tienerromance had geen bittere littekens achtergelaten.

'Ik moet je onder vier ogen spreken,' zei Astorre.

Nicole wendde zich tot haar *bodyguard*. 'Helène, wil je ons alleen laten? Bij hem ben ik veilig.'

Helène keek Astorre doordringend aan. Ze wilde indruk op hem maken, en daar slaagde ze in. Net als Cilke viel hem op hoe uitermate zeker ze van zichzelf was – de zelfverzekerdheid van iemand die bij het kaarten alle azen in de hand heeft of van iemand die verdekt een wapen bij zich draagt. Hij keek om te zien waar dat verborgen zou kunnen zijn. De lange broek en het jasje zaten strak om haar imposante gestalte – daar zat geen pistool. Toen merkte hij de split in haar broekspijp op. Ze droeg een enkelholster, wat niet erg handig was. Hij glimlachte naar haar toen ze wegging, om zijn charme te testen. Ze keek met een effen gezicht terug.

'Wie heeft haar aangenomen?' vroeg Astorre.

'Mijn vader,' zei Nicole. 'Dat bleek een heel goede zet. Het is ongelooflijk hoe ze met belagers en versierders omgaat.'

'Dat wil ik geloven,' zei Astorre. 'Is het gelukt je vaders dossier bij de FBI los te krijgen?'

'Ja,' zei Nicole. 'En het is de meest afschuwelijke lijst van aantijgingen die ik ooit heb gelezen. Het is werkelijk niet te geloven, en ze hebben er nooit iets van kunnen bewijzen.'

Astorre wist dat de don zou hebben gewild dat hij de waarheid zou ontkennen. 'Mag ik het dossier een paar dagen lenen?' vroeg hij.

Nicole gaf haar uitgestreken advocatengezicht ten beste. 'Ik denk niet dat je het nu meteen moet zien. Ik wil er een analyse van schrijven, de belangrijkste dingen onderstrepen, voordat ik het aan jou geef. Eigenlijk staat er niets in dat je op weg kan helpen. Misschien zouden jij en mijn broers het niet te zien moeten krijgen.'

Astorre keek haar peinzend aan, waarna hij glimlachte. 'Is het zó erg?'

'Laat mij het bestuderen,' zei Nicole. 'Die lui van de FBI zijn zulke etters.'

'Ik vind alles goed wat je zegt. Bedenk wel dat dit een gevaarlijke bedoening is. Pas op jezelf.'

'Dat zal ik doen,' zei Nicole. 'Ik heb Helène.'

'En mocht je mij nodig hebben, ben ik er ook.' Astorre legde zijn hand op Nicoles arm om haar gerust te stellen, en even keek ze hem zó hunkerend aan dat hij zich onbehaaglijk voelde. 'Je hoeft maar te bellen.'

Nicole glimlachte. 'Reken maar. Maar ik red me wel. Echt.' In werkelijkheid verheugde ze zich mateloos op haar avond met een ongelooflijk charmante en aantrekkelijke diplomaat.

In zijn ruime kantoor met zes televisieschermen was Marcantonio Aprile in vergadering met het hoofd van het machtigste reclamebureau van New York. Richard Harrison was een grote, aristocratische man, die perfect gekleed ging en eruitzag als een ex-model maar zo dynamisch was als een paratroeper.

Op Harrisons schoot lag een kleine doos met videobanden. Uitermate zelfverzekerd en zonder toestemming te vragen liep hij naar de tv en schoof er een van zijn banden in.

'Moet je kijken,' zei hij. 'Dit is geen klant van mij, maar ik vind het ronduit verbluffend.'

De videoband speelde een commercial af voor American Pizza, en de spil was Michail Gorbatsjov, de ex-president van de Sovjetunie. Gorbatsjov verkocht het product met kalme waardigheid, zonder één woord te zeggen, maar door simpelweg zijn kleinkinderen pizza voor te zetten, terwijl die hun goedkeuring verwoordden.

Marcantonio glimlachte naar Harrison. 'Een overwinning voor de vrije wereld,' zei hij. 'Is dat alles?'

'De voormalige leider van de Sovjetunie. En nu speelt hij de clown voor een Amerikaans pizzaconcern. Is dat niet verbluffend? En ik heb gehoord dat ze hem maar een half miljoen hebben betaald.'

'Oké,' zei Marcantonio. 'Maar waarom?'

'Waarom doet iemand zoiets vernederends?' vroeg Harrison. 'Omdat hij het geld hard nodig heeft.'

En ineens dacht Marcantonio aan zijn vader. Wat zou de don een minachting gehad hebben voor een man die een immens land had geleid zonder dat hij zijn gezin financiële zekerheid had kunnen bieden. Don Aprile zou hem de grootste stomkop gevonden hebben.

'Een mooie les in geschiedenis en menselijke psychologie,' zei Marcantonio. 'Maar nogmaals: wat dan nog?'

Harrison klopte op zijn doos met video's. 'Ik heb nog meer, en ik verwacht de nodige weerstand. Deze zijn wat ontroerender. Jij en ik doen al heel lang zaken. Ik wil ervoor zorgen dat jij deze commercials bij je omroep vertoont. De rest komt vanzelf.'

'Ik kan het me niet voorstellen,' zei Marcantonio.

Harrison schoof er een andere tape in en legde het uit. 'We hebben de rechten verworven om overleden beroemdheden in onze commercials te gebruiken. Het is zo'n verspilling dat beroemde doden hun functie in onze maatschappij kwijtraken. We willen dat veranderen en hen in hun voormalige eer herstellen.'

De tape begon te spelen. Er kwam een opeenvolging van scènes van Moeder Teresa die in Calcutta hulp verleende aan de armen en de zieken, en haar habijt over de stervenden heen legde. Een andere scène waar ze de Nobelprijs voor de Vrede in ontvangst nam, waarbij haar volkse gezicht straalde en haar bijna heilige bescheidenheid ontroerde. Vervolgens een shot waar ze soep uit een enorme pan schepte voor de armen op straat.

Opeens spatten de kleuren van het beeld af. Een chic geklede man komt met een lege kom op een pan af. Hij zegt tegen een mooie jonge vrouw: 'Mag ik wat soep? Ik heb gehoord dat die verrukkelijk is.' De jonge vrouw glimlacht hem stralend toe en schept wat soep in zijn kom. Hij neemt een slok met een blik alsof hij in extase is.

Dan verschuift het beeld naar een supermarkt met een heel schap vol soepblikken met het etiket 'Calcutta'. Een *voice-over* verkondigt: 'Calcutta-soep schenkt leven aan zowel arm als rijk. Twintig variaties verrukkelijke soep voor elke portemonnee. Originele recepten van Moeder Teresa.'

'Ik vind het heel smaakvol gedaan,' zei Harrison.

Marcantonio trok zijn wenkbrauwen op.

Harrison schoof nog een video in het apparaat. Een schitterend shot van prinses Diana in haar trouwjurk vulde het scherm, gevolgd door shots van haar in Buckingham Palace. Vervolgens danst ze te midden van haar koninklijke entourage met prins Charles, en dat alles in razend tempo.

Een *voice-over* vertelt: 'Elke prinses verdient een prins. Maar de prinses heeft een geheim.' Een jong model houdt een sierlijk kristallen flesje parfum omhoog waarvan het etiket goed zichtbaar is. De stem gaat verder: 'Met één vleugje Princess-parfum kun jíj je prins vangen – en hoef je nooit bang te zijn voor vaginale geurtjes.'

Marcantonio drukte op een knop op zijn bureau en het scherm ging op zwart.

Harrison zei: 'Wacht, ik heb nog meer.'

Marcantonio schudde zijn hoofd. 'Richard, je bent ongelooflijk inventief – en grof. Die commercials zullen nooit gedraaid worden bij mijn omroep.'

Harrison protesteerde: 'Maar een deel van de opbrengst gaat naar liefdadigheid – en ze zijn smaakvol. Ik had gehoopt dat jij de weg zou effenen. We zijn tenslotte goede vrienden.'

'Dat zijn we ook,' zei Marcantonio. 'Maar toch is het antwoord nee.'

Harrison schudde zijn hoofd en schoof langzaam zijn video's terug in de doos.

Marcantonio vroeg glimlachend: 'Trouwens, hoe heeft het Gorbatsjov-spotje het gedaan?'

Harrison haalde zijn schouders op. 'Rot. Die arme kloothommel kon nog niet eens pizza's verkopen.'

Marcantonio werkte nog wat zaken af en bereidde zich voor op zijn taken voor die avond. Die avond moest hij aanwezig zijn bij de Emmy Awards. Zijn omroep had drie grote tafels voor de directeuren, sterren en enkele genomineerden. Zijn *date* was Matilda Johnson, een bekende nieuwslezeres.

Aan zijn kantoor zat een slaapkamer vast, met badkamer en douche en een kast vol kleren. Hij bracht er dikwijls de nacht door als hij tot laat moest werken.

Bij de uitreiking werd hij door enkelen van zijn winnaars geroemd vanwege zijn belangrijke bijdrage aan hun succes. Dat was altijd fijn. Maar terwijl hij applaudisseerde en wangen kuste dacht hij aan alle prijsuitreikingen en diners die hij dat jaar had moeten bijwonen: de Oscars, de People's Choice Awards, de onderscheidingen van het American Film Institute en andere bijzondere hommages aan oude sterren, producenten en regisseurs. Hij voelde zich als een onderwijzer die kinderen van de lagere school beloonde met stempeltjes voor hun huiswerk en waarna ze naar huis renden om ze aan hun moeder te laten zien. Om zich vervolgens even schuldig te voelen over zijn valse gedachten – die mensen verdienden hun prijzen, hadden de bijval even hard nodig als het geld.

Na de uitreiking vermaakte hij zich kostelijk toen hij zag hoe acteurs met een geringe staat van dienst zich probeerden op te dringen aan lieden die evenveel invloed hadden als hijzelf, en hoe een redactrice van een goedlopend tijdschrift werd belaagd door een stel freelance journalisten – hij zag de gelatenheid op haar gezicht, de afgemeten en kille hartelijkheid, als een Penelope die op een beroemdere aanbidder wachtte.

Vervolgens had je de presentatoren, de zwaargewichten, mannen en vrouwen die over intelligentie, charisma en talent beschikten en voor de subtiele taak stonden sterren die ze graag voor interviews zouden willen hebben in de luren te leggen en tegelijkertijd degenen die niet belangrijk genoeg waren af te remmen.

De steracteurs straalden hoopvol en stonden te popelen. Zij hadden al zoveel succes dat ze de sprong van tv naar het filmdoek konden maken, om nooit meer terug te vallen – dat dachten ze althans.

Op het laatst was Marcantonio uitgeput. Het constante gegrijns van enthousiasme, de opbeurende stem die hij tegen de verliezers moest opzetten, de opgetogen toon tegen zijn winnaars, het maakte hem al met al doodmoe. Matilda fluisterde hem toe: 'Kom je vanavond naar mijn huis, wat later?'

'Ik ben moe,' zei Marcantonio. 'Een drukke dag, een drukke avond.'

'Dat geeft niet,' zei ze meelevend. Ze hadden allebei een volle agenda. 'Ik ben de hele week in de stad.'

Ze waren goede vrienden omdat ze elkaar niet hoefden te gebruiken. Matilda zat gebeiteld. Zij had geen mentor of beschermer nodig. En Marcantonio nam nooit deel aan onderhandelingen met talent voor actualiteitenrubrieken; dat was het werk van het hoofd Boekhouding. Met hun levenswijze zat een huwelijk er absoluut niet in. Matilda reisde ontzettend veel; hij werkte vijftien uur per dag. Maar ze waren maatjes die soms de nacht met elkaar doorbrachten. Ze vreeën, roddelden over het werk en verschenen samen bij bepaalde gelegenheden. En beiden wisten dat hun relatie op de tweede plaats kwam. De paar keren dat Matilda verliefd was geworden op een nieuwe man, hadden hun nachten moeten wijken. Marcantonio werd nooit verliefd, dus was dat voor hem geen probleem.

Die avond leed hij aan een bepaalde moeheid van de wereld waarin hij leefde. Dus was hij bijna opgetogen toen hij ontdekte dat Astorre in de lobby van zijn appartementengebouw op hem zat te wachten.

'Hallo, fijn je te zien,' zei Marcantonio. 'Waar heb jíj gezeten?'

'Ik had het druk,' zei Astorre. 'Mag ik boven komen voor een borrel?'

'Natuurlijk,' zei Marcantonio. 'Maar waarom kom je zo onverwacht? Waarom heb je niet opgebeld? Je had hier wel uren in de hal kunnen wachten. Ik moest naar een feest.'

'Het is niet erg,' zei Astorre. Hij had zijn neef de hele avond laten schaduwen.

In zijn flat schonk Marcantonio hun allebei een borrel in.

Astorre leek een beetje in verlegenheid. 'Jij kunt bij je omroep projecten in gang zetten, hè?'

'Ik doe niet anders,' zei Marcantonio.

'Ik heb er een voor je,' zei Astorre. 'Het heeft te maken met de moord op je vader.'

'Nee,' zei Marcantonio. Zijn in de showwereld befaamde 'nee' waarmee elke discussie gesloten was. Maar Astorre scheen het niet te intimideren.

'Zeg niet zomaar nee tegen me,' zei Astorre. 'Ik ben je niets aan het verkopen. Dit is van belang voor de veiligheid van je broer en zus. En van jou.' Toen grijnsde hij breeduit. 'En van mij.'

'Vertel,' zei Marcantonio. Hij zag zijn neef in een verbijsterend nieuw licht. Was het mogelijk dat die flierefluiter tóch iets in zich had?

'Ik wil dat je een documentaire over de FBI maakt,' zei Astorre. 'Om precies te zijn: hoe het Kurt Cilke is gelukt de meeste maffiafamilies te gronde te richten. Daar zou toch vast een enorm publiek voor zijn?'

Marcantonio knikte. 'Wat had je gedacht?'

'Het wil me maar niet lukken om gegevens over Cilke te pakken te krijgen,' zei Astorre. 'Het zou te gevaarlijk zijn om het te proberen. Maar als je een documentaire maakt, zal geen enkel ministerie je een strobreed in de weg durven leggen. Je kunt te weten komen waar hij woont, zijn verleden, hoe hij te werk gaat en wat zijn plaats is binnen de pikorde van de Dienst. Al die info heb ik nodig.'

'De FBI en Cilke zullen nooit meewerken,' zei Marcantonio. Hij zweeg even. 'Het is niet zoals vroeger, toen Hoover de baas was. Die nieuwe kerels laten zich niet in de kaart kijken.'

'Jou zal het lukken,' zei Astorre. 'Ik wil dat je het doet. Je hebt een heel leger producenten en onderzoeksjournalisten. Ik moet alles over hem weten. Alles. Want ik denk dat hij in een complot zit tegen je vader en onze familie.'

'Dat is echt een idiote theorie,' zei Marcantonio.

'Natuurlijk,' zei Astorre. 'Misschien is het niet waar. Maar ik weet dat het niet zomaar een onderwereldmoord is geweest. En dat Cilke een rare manier van onderzoeken heeft. Bijna alsof hij sporen uitwist in plaats van ze bloot te leggen.'

'Dus ik help jou aan de informatie. Wat kan jij dan verder doen?'

Astorre spreidde zijn handen en glimlachte. 'Wat kan ik doen, Marc? Ik wil het alleen maar weten. Misschien kan ik een of andere deal maken. En ik hoef alleen maar naar de documentaire te kijken. Ik zal er geen kopie van maken. Je zult er geen last mee krijgen.'

Marcantonio keek hem vorsend aan. Hij vroeg zich af wat er achter dat vriendelijke, innemende gezicht van Astorre omging. Peinzend zei hij: 'Astorre, ik ben nieuwsgierig naar je. Papa heeft de macht aan jou doorgegeven. Waarom? Je importeert macaroni. Ik heb je altijd gezien als een aardige excentriekeling, met je rode rijjasje en je muziekgroepje. Maar die ouwe zou nooit vertrouwen hebben gehad in iemand die is wat jij lijkt te zijn.'

'Ik zing niet meer,' zei Astorre met een glimlach. 'Ik rij ook niet vaak meer. De don had zijn ogen niet in zijn zak; hij had vertrouwen in me. Dat zou jij ook moeten doen.' Hij zweeg even en zei toen uit de grond van zijn hart: 'Hij heeft mij uitgekozen zodat zijn kinderen niet te dicht bij het vuur zouden komen. Hij heeft mij uitgekozen en opgeleid. Hij hield van me, maar ik was vervangbaar. Zo simpel ligt dat.'

'Heb je het in je om terug te vechten?' vroeg Marcantonio.

'Reken maar,' zei Astorre, en hij leunde achterover en glimlachte naar zijn neef. Het was een met opzet louche glimlach waarmee een tv-acteur zou aangeven dat hij de slechterik was, maar hij deed het met zo'n goedmoedige spot dat Marcantonio moest lachen.

Hij zei: 'Dat is alles wat ik moet doen? Ik word verder nergens bij betrokken?'

'Je krijgt geen toestemming om verder te gaan,' zei Astorre.

'Mag ik er een paar dagen over nadenken?'

'Nee,' zei Astorre. 'Als je nee zegt, is het ik tegen hen.'

Marcantonio knikte. 'Ik mag je, Astorre, maar ik kan het niet doen. Het risico is te groot.'

Bij het gesprek met Kurt Cilke in Nicoles kantoor wachtte Astorre een verrassing. Cilke had Bill Broxton meegenomen en stond erop dat Nicole erbij zou zijn. Ook was hij heel direct.

'Ik beschik over informatie dat Timmona Portella een miljardenfonds bij jullie banken probeert onder te brengen. Klopt dat?' vroeg Cilke.

'Dat is privé-informatie,' zei Nicole. 'Waarom zouden we dat aan u vertellen?'

'Ik weet dat hij uw vader hetzelfde voorstel heeft gedaan,' zei Cilke. 'En uw vader heeft het geweigerd.'

'Waarom is de FBI daarin geïnteresseerd?' vroeg Nicole op haar 'je kunt de pest krijgen'-toon.

Cilke vertikte het om zich te ergeren. 'Wij denken dat hij drugsgeld wil witwassen,' zei hij tegen Astorre. 'We willen dat u met hem meewerkt zodat wij zijn operatie kunnen registreren. We willen dat u een paar van onze accountants in uw banken aanstelt.' Hij deed zijn aktetas open. 'Ik heb hier wat papieren die u moet tekenen, ter bescherming van zowel u als ons.'

Nicole pakte de papieren uit zijn hand en las razendsnel de eerste twee bladzijden door.

'Niet tekenen,' waarschuwde ze Astorre. 'De cliënten van de banken hebben recht op privacy. Als ze Portella willen natrekken, moeten ze voor een volmacht zorgen.'

Astorre pakte de papieren en las ze door. Hij glimlachte naar Cilke. 'Ik vertrouw u,' zei hij. Hij ondertekende de papieren en gaf ze aan Cilke.

'Wat staat er tegenover?' vroeg Nicole. 'Wat krijgen wij voor de medewerking?'

'Dat u als goede burgers uw plicht doet,' zei Cilke. 'Een aanbevelingsbrief van de president en dat de controle van de boekhouding van al uw banken wordt tegengehouden, wat u een hoop last had kunnen opleveren als u niet brandschoon bent.'

'Kan ik ook wat informatie krijgen over de moord op mijn oom?' vroeg Astorre.

'Natuurlijk,' zei Cilke. 'Vraag maar.'

'Waarom was er geen politiesurveillance bij het vormsel?' vroeg Astorre.

'Dat was de beslissing van het hoofd Recherche, Paul Di Benedetto,' zei Cilke. 'En van zijn rechterhand, een vrouw, Aspinella Washington.'

'En hoe komt het dat de FBI geen oogje in het zeil hield?' vroeg Astorre.

'Ik ben bang dat dat mijn beslissing was,' zei Cilke. 'Ik zag de noodzaak er niet van in.'

Astorre schudde zijn hoofd. 'Ik geloof niet dat ik op uw voorstel kan ingaan. Ik moet er een paar weken over nadenken.'

'U hebt de papieren al getekend,' zei Cilke. 'Deze informatie is bij deze vertrouwelijk. U kunt vervolgd worden als u dit gesprek bekendmaakt.'

'Waarom zou ik?' vroeg Astorre. 'Ik wil alleen geen bankzaken doen met de FBI of met Portella.'

'Denk er nog eens over,' zei Cilke.

Toen de FBI-mannen weg waren, richtte Nicole haar woede op Astorre. 'Hoe durf je tegen mijn besluit in te gaan en die papieren te tekenen! Dat was ontzettend stom.'

Astorre keek haar dreigend aan. Het was voor het eerst dat ze een spoor van kwaadheid in hem ontwaarde. 'Hij voelt zich ingedekt met dat stuk papier dat ik heb getekend,' zei Astorre. 'En dat is precies wat ik wil.'

5

Marriano Rubio was een man die in wel tien pappotten een vinger had, en in elke pap zat bij wijze van krenten puur goud. Hij bezette de post van consul-generaal in Peru, al bracht hij een groot deel van zijn tijd in New York door. Ook behartigde hij grote internationale zakenbelangen in Zuid-Amerika en communistisch China. Hij was een intieme vriend van Inzio Tulippa, de leider van het voornaamste drugskartel in Colombia.

Rubio was in zijn privé-leven even gelukkig als in zaken. Als vrijgezel van vijfenveertig was hij een aanzienlijke vrouwenversierder. Hij hield er slechts één maîtresse tegelijk op na, die keurig en genereus onder dak werd gebracht als ze werd ingeruild voor een jongere schoonheid. Hij was knap, een interessante gesprekspartner en een fantastische danser. Hij beschikte over een uitgelezen wijnkelder en een uitstekende drie-sterrenkok.

Maar als zo veel geslaagde mannen vond Rubio dat je het lot moest tarten. Hij bond graag de strijd aan met gevaarlijke mannen. Hij had behoefte aan gevaar om de exotische schotel van zijn leven te kruiden. Hij was betrokken bij de illegale export van technologie naar China, had een uiterst verfijnd communicatienet opgebouwd voor de drugsbaronnen en was de man met de geldbuidel die Amerikaanse geleerden omkocht om naar Zuid-Amerika te emigreren. Hij deed zelfs zaken met Timmona Portella, die even grillig en gevaarlijk was als Inzio Tulippa.

Zoals alle grove gokkers ging Rubio er prat op dat hij het had gemaakt. Juridische perikelen werden hem bespaard vanwege zijn diplomatieke onschendbaarheid, maar hij wist dat er andere gevaren loerden en wat dat aanging, was hij voorzichtig.

Zijn inkomen was immens en hij had een gulle hand van uitgeven. Het gaf hem zo'n gevoel van macht om te kunnen kopen wat hij wilde, de liefde van vrouwen incluis. Hij onderhield met plezier zijn ex-maîtresses, die dierbare vriendinnen bleven. Hij was een royale werkgever en wél zo slim om de *goodwill* van wie afhankelijk van hem was te koesteren.

Nu, in zijn New Yorkse appartement dat gelukkigerwijze eigendom was van het Peruviaanse consulaat, was Rubio zich aan het kleden voor zijn dinerafspraak met Nicole Aprile. Die gelegenheid was als gewoonlijk deels zakelijk en deels plezier. Hij had Nicole ontmoet op een diner in Washington, dat werd gegeven door een van haar prestigieuze zakencliënten. Op het moment dat hij haar zag, was hij onmiddellijk geïntrigeerd geweest door haar buitengewone schoonheid: het scherpgesneden, wilskrachtige gezicht met de intelligente ogen en mond, haar frêle, goedgeproportioneerde lichaam, maar ook omdat ze de dochter was van de grote maffiabaas don Raymonde Aprile.

Rubio had haar weliswaar weten in te palmen, maar zonder dat ze zich liet verblinden, en dat maakte hem trots op haar. Hij had bewondering voor romantische intelligentie in een vrouw. Hij moest haar respect zien te winnen met daden en niet met woorden. Waarmee hij ogenblikkelijk aan de slag ging door haar te vragen een cliënt van hem te vertegenwoordigen in een bijzonder kostbare deal. Hij had ontdekt dat ze veel pro-Deo-werk deed om de doodstraf afgeschaft te krijgen en zelfs een aantal beruchte, ter dood veroordeelde moordenaars had verdedigd om hun executies ongedaan te maken. In zijn ogen was zij de ideale moderne vrouw – mooi, met een succesvolle carrière, en ook nog barmhartig. Tenzij ze op een of ander manier seksueel niet zou functioneren, leek ze hem hoogst aangenaam gezelschap voor een jaar of wat.

Dat was allemaal vóór de dood van don Aprile.

Nu was de voornaamste reden van zijn hofmakerij uit zien te vinden of Nicole en haar twee broers hun banken voor het karretje zouden laten spannen van Portella en Tulippa. Anders zou het geen zin hebben Astorre Viola te doden.

Inzio Tulippa had lang genoeg gewacht. Ruim negen maanden na de moord op Raymonde Aprile had hij nóg geen regeling kunnen treffen met de erfgenamen van de banken van de don. Er was heel wat geld opgegaan; hij had miljoenen aan Timmona Portella gegeven om de FBI en de politie van New York om te kopen en de dien-

sten te verwerven van de Sturzo-broers, en nóg was hij niet opge-
schoten met zijn plannen.

Tulippa was niet de ordinaire karikatuur van een machtige
drugsdealer. Hij stamde van aanzienlijke, rijke familie en had in
zijn geboorteland Argentinië zelfs polo gespeeld. Nu woonde hij in
Costa Rica en had een Costaricaans paspoort, waardoor hij overal
in het buitenland juridisch onschendbaar was. Hij onderhield de
connecties met de drugskartels in Colombia, met de telers in Turkije en raffinaderijen in Italië. Hij regelde het transport en zo nodig het omkopen van de hoogste tot de laagste ambtenaren. Hij bereidde de smokkel voor van gigantische ladingen naar de
Verenigde Staten. Hij was ook de man die Amerikaanse nucleaire
deskundigen naar Zuid-Amerikaanse landen lokte en geld bijeen-
bracht voor hun onderzoek. In elk opzicht was hij een voorzichtige, kundige regelaar en hij had een enorm fortuin vergaard.

Maar hij was een rebel. En een fanatiek voorstander van de handel in drugs. Drugs waren een zegen voor de menselijke geest, de
uitweg voor wie uitzichtloos tot armoede en krankzinnigheid verdoemd was. De redding voor wie een gebroken hart had, voor de
dolende zielen in onze geestelijk afgestompte wereld. Want wat
moest je beginnen als je niet langer geloofde in God, de maatschappij, eigenwaarde? Zelfmoord plegen? Drugs hielden mensen
op de been in een wereld van droom en hoop. Je moest alleen je
grenzen kennen. Tenslotte gingen er toch minder mensen dood
aan drugs dan aan alcohol en sigaretten, armoede en wanhoop?
Inderdaad. Moreel zat Tulippa goed.

Inzio Tulippa stond over de hele wereld bekend onder een bij-
naam. Men noemde hem 'de vaccinator'. Buitenlandse industrië-
len en investeerders met enorme holdings in Zuid-Amerika – of
het nu olievelden, autofabrieken of gewassen betrof – werden verplicht hun allerhoogste bazen daar naartoe te sturen. Velen kwamen uit de Verenigde Staten. Hun grootste probleem was dat hun
directeuren op vreemde grond werden gekidnapt, waardoor ze
miljoenen dollars aan losgeld kwijtraakten.

Inzio Tulippa stond aan het hoofd van een firma die die direc-
tieleden tegen kidnapping verzekerde en hij bracht elk jaar een bezoek aan de Verenigde Staten om de contracten met die bedrijven
te herzien. Dat deed hij niet alleen om het geld, maar omdat hij
van die bedrijven industriële of wetenschappelijke impulsen nodig had. Kortom: hij voerde een vaccinatieservice uit. Dat was belangrijk voor hem.

Maar hij had een hebbelijkheid die gevaarlijker was. Hij beschouwde de internationale jacht op de drugsindustrie als een tegen hem persoonlijk gerichte heilige oorlog, en hij was vastbesloten zijn rijk te verdedigen. Dus had hij krankzinnige ambities. Hij was uit op nucleaire macht, voor het geval ooit het noodlot zou toeslaan. Niet dat hij die macht zou gebruiken, tenzij als laatste redmiddel, maar bij onderhandelingen kon die een effectief wapen zijn. Het was een verlangen dat in ieders ogen lachwekkend zou lijken, maar niet in die van de New Yorkse FBI-agent Kurt Cilke.

Op een zeker punt in zijn loopbaan was Kurt Cilke naar een antiterreuropleiding van de FBI gestuurd. Zijn selectie voor de cursus, die een halfjaar duurde, was destijds een blijk van het hoge aanzien dat hij genoot bij de directeur. Destijds had hij, al of niet volledige (dat wist hij niet), toegang tot hoogst geheime informatie en bepaalde draaiboeken voor mogelijk gebruik van kernwapens door terroristen uit kleine staten. In de dossiers stond gedetailleerd vermeld welke staten in het bezit waren van kernwapens. Algemeen was bekend welke dat waren: Rusland, Frankrijk en Engeland, mogelijk India en Pakistan. Men nam aan dat Israël over kernwapens beschikte. Kurt had gefascineerd draaiboeken gelezen waarin werd beschreven hoe Israël ze zou aanwenden als het Arabische blok zover zou komen om er binnen te vallen.

Voor de Verenigde Staten waren er twee oplossingen voor dat probleem. De eerste was dat als Israël aangevallen zou worden, de Verenigde Staten de kant zouden kiezen van Israël voordat het kernwapens zou moeten gebruiken. Of, als het cruciale punt werd bereikt dat er voor Israël geen redden meer aan was, de Verenigde Staten Israëls nucleaire vermogen zouden uitschakelen.

Engeland en Frankrijk werden niet als probleem gezien; die zouden nooit een kernoorlog riskeren. India had geen ambities en Pakistan zou onmiddellijk van de kaart geveegd worden. China zou niet durven; daar hadden ze industrieel gezien op korte termijn de capaciteit niet voor.

Het meest directe gevaar kwam uit kleine staten als Irak, Iran en Libië, waar de leiders roekeloos waren, althans volgens de draaiboeken. De oplossingen daarvoor waren zo goed als unaniem. Die landen zouden met kernwapens platgebombardeerd worden.

Het grootste gevaar op korte termijn was dat in het geheim door een buitenlandse mogendheid gefinancierde en gesteunde terreurorganisaties kernwapens de Verenigde Staten binnen zouden smokkelen en tot ontploffing zouden brengen in een grote stad. Waarschijnlijk Washington D.C., of New York. Dat was niet te voorkomen. De geopperde oplossing was het formeren van speciale eenheden om contraspionage toe te passen en vervolgens uitzonderlijk hoge strafmaatregelen tegen die terroristen en degenen die hen steunden. Daartoe zouden speciale wetten nodig zijn die de rechten van de Amerikaanse burgers zouden beknotten. In de draaiboeken werd onderkend dat dergelijke wetten onmogelijk zouden zijn tot iemand er uiteindelijk in zou slagen een groot deel van een Amerikaanse metropool op te blazen. Dan zouden die wetten zonder slag of stoot worden aangenomen. Maar tot die tijd gold, zoals één draaiboek luchtig opmerkte: 'Dat het geluk aan de kant stond van degene die als eerste de trekker wist over te halen'.

Slechts in een paar scenario's werd crimineel gebruik van kernwapens beschreven. Dat werd vrijwel geheel onmogelijk geacht op grond van het feit dat de technische mogelijkheden, de aanschaf van materiaal en het grote scala van mensen dat daaraan te pas zou komen onvermijdelijk verklikkers met zich meebracht. Eén oplossing daarvoor was dat het Hooggerechtshof over zo'n crimineel meesterbrein zonder proces een doodvonnis zou uitspreken. Maar dat was fantasie, had Kurt Cilke gedacht. Alleen maar speculatie. Het land zou moeten wachten tot er iets gebeurde.

Maar nu, jaren later, besefte Cilke dat het al aan de gang was. Inzio Tulippo wilde zijn eigen kernbom. Hij lokte Amerikaanse kerngeleerden naar Zuid-Amerika, zette laboratoria voor hen op poten en leverde geld voor hun onderzoek. En uitgerekend Tulippa probeerde via don Apriles banken een miljardenfonds te kweken voor het uit- en toerusten van een oorlog – dus was Cilke vastbesloten zijn eigen onderzoek te verrichten. Hoe kon hij dat nu aanpakken?

Hij zou er binnenkort tijdens zijn trip naar de FBI-hoofdkwartieren met de directeur over praten. Maar hij betwijfelde of ze het probleem zouden kunnen oplossen. En een man als Inzio Tulippa zou nooit van opgeven weten.

Inzio Tulippa was naar de Verenigde Staten gekomen om Timmona Portello te ontmoeten en te proberen of hij don Apriles banken kon verwerven. Op hetzelfde moment kwam Michael Grazziella, hoofd van de Siciliaanse *cosca*, in New York aan om met Tulippo en Portella de details uit te werken van de werelddistributie van drugs. Hun aankomst verliep zeer divers.

Tulippa was met zijn privé-vliegtuig naar New York gekomen, in gezelschap van vijftig volgelingen en bodyguards. Die mannen droegen een bepaald uniform: witte pakken, blauwe overhemden met roze dassen, en op hun hoofd slappe gele strohoeden. Het hadden evengoed leden van een Zuid-Amerikaanse rumbaband kunnen zijn. Tulippa en zijn entourage hadden allen een Costaricaans paspoort; Tulippa genoot uiteraard diplomatieke onschendbaarheid.

Tulippa en zijn mannen namen hun intrek in een klein privé-hotel waarvan de consul-generaal de eigenaar was, in naam van het Peruviaanse consulaat. En Tulippa sloop niet bepaald rond als de eerste de beste louche drugsdealer. Tenslotte was hij de Vaccinator, en de vertegenwoordigers van de grote Amerikaanse bedrijven liepen zich het vuur uit de sloffen om zijn verblijf te veraangenamen. Hij was bij premières van Broadway-shows, ballet in het Lincoln Center, de Metropolitan Opera en concerten van beroemde Zuid-Amerikaanse artiesten. Hij verscheen zelfs in talkshows in zijn rol van voorzitter van de Zuid-Amerikaanse Confederatie van Agrariërs en probeerde via forums het drugsgebruik te verdedigen. Een van die interviews – met Charlie Rose op PBS – werd berucht.

Tulippa beweerde dat het een schandelijke vorm van kolonisatie was dat de Verenigde Staten over de hele wereld ten strijde trokken tegen het gebruik van cocaïne, heroïne en marihuana. De Zuid-Amerikaanse arbeiders waren om zich in leven te houden afhankelijk van hun drugsgewassen. Hoe kon je het iemand, die zelfs in zijn dromen niet aan zijn armoede kon ontkomen, kwalijk nemen dat hij een paar uur verpozing zocht in drugsgebruik? Het was een onmenselijk oordeel. En tabak en alcohol dan? Die richtten veel meer kwaad aan.

Daarop braken vijftig volgelingen in de studio, allen met strohoeden op schoot, verwoed in applaus uit. Toen Charlie Rose vroeg naar de schade die drugs aanrichtten, was Tulippa buitengewoon oprecht. Zijn organisatie stak enorme bedragen in onderzoek om drugs zó aan te passen dat ze niet schadelijk zouden zijn. Kortom: dat het farmaceutische drugs zouden worden. Die operaties zouden geleid worden door befaamde artsen in plaats van pionnen van de American Medical Association, die zo belachelijk anti verdovende middelen waren en doodsbang voor de United States Drug Enforcement Agency. Nee, verdovende middelen zouden in de toekomst wel eens dé grote zegen voor de mensheid kunnen blijken. De vijftig strohoeden vlogen door de lucht.

Intussen maakte de *cosca*-baas van de Corleonesi, Michael Grazziella, een heel andere entree in de Verenigde Staten. Hij glipte discreet binnen, met slechts twee bodyguards. Hij was een broodmagere man met een hoofd als een faun en een litteken van een mes over zijn mond. Hij liep met een stok, omdat een kogel zijn been had versplinterd toen hij een jonge Palermese *picciotto* was. Hij was berucht om zijn duivelse sluwheid – men beweerde dat hij de moorden op de twee grootste maffia-magistraten van Sicilië beraamd had.

Grazziella logeerde op Portella's landgoed. Hij was niet benauwd om zijn veiligheid, want Portella's hele drugshandel was afhankelijk van hem.

De conferentie was belegd om een strategie uit te stippelen om greep te krijgen op de Aprile-banken. Dat was uitermate belangrijk om de miljarden zwart drugsgeld wit te wassen en macht te verwerven in de financiële kringen van New York. En voor Inzio Tulippa was het niet slechts van cruciaal belang om zijn drugsgeld wit te wassen, maar ook om zijn kernwapenarsenaal te financieren. Ook zou het zijn rol van vaccinator veiliger stellen.

Ze kwamen allen bijeen op het Peruviaanse consulaat, dat niet slechts de mantel van diplomatieke onschendbaarheid bood maar ook super beveiligd was. Marriano Rubio, de consul-generaal, was een gulle gastheer. Aangezien hij een aandeel kreeg van al hun revenuen en hun legale belangen in de VS zou gaan behartigen was hij een en al goede wil.

Zoals ze om de kleine ovale tafel bijeen zaten, boden ze een interessante aanblik.

Grazziella leek op een begrafenisondernemer in zijn glanzend zwarte pak, witte overhemd en smalle zwarte das, want hij was nog in de rouw om zijn moeder die een halfjaar daarvóór was overleden. Hij sprak met een lage, droefgeestige stem met een vet accent, maar hij werd duidelijk verstaan. Hij leek zo'n timide, beleefde man voor iemand die de dood van honderd Siciliaanse wetsdienaren op zijn geweten had.

Timmona Portella, de enige wiens moedertaal Engels was, sprak luid blaffend, alsof de anderen doof waren. Ook zijn tenue leek te schreeuwen: hij droeg een grijs pak met een citroengeel overhemd en een glanzend blauwe zijden das. Het uitstekend gesneden colbert zou zijn enorme buik hebben verborgen als het niet openhing en zijn blauwe bretels vertoonde.

Inzio Tulippa zag eruit als de klassieke Zuid-Amerikaan, met een wit slobberig zijden overhemd en een felrode zakdoek om zijn hals. Hij hield eerbiedig zijn gele panama in zijn hand. Hij sprak met een zangerig Engelse tongval en zijn stem had de bekoring van een nachtegaal. Maar die dag had hij een barse frons op zijn scherpe indiaanse gezicht; de wereld stemde hem niet tevreden.

Marriano Rubio was de enige die het naar zijn zin leek te hebben. Zijn minzaamheid leek op de anderen over te slaan. Zijn stem was op z'n Engels gecultiveerd en hij was gekleed in een stijl die hij *en pantouffle* noemde: een groene zijden pyjama met een kamerjas in een donkerder loofgroen. Hij droeg zachte bruine, met wit bont gevoerde slippers. Tenslotte was het bij hem thuis en hij mocht relaxen.

Tulippa opende de discussie, waarbij hij zich met een dodelijke beleefdheid rechtstreeks tot Portella richtte. 'Timmona, mijn vriend,' zei hij, 'ik heb rijkelijk betaald om de don uit de weg te laten ruimen, en nog steeds zijn wij geen eigenaars van de banken. En we wachten al bijna een jaar.'

De consul-generaal sprak op zijn typisch zalvende, kalmerende toon. 'Mijn waarde Inzio,' zei hij, 'Ik heb geprobeerd de banken te kopen. Maar we hebben een onvoorziene hindernis: Astorre Aprile, de neef van de don. Hij staat er nu aan het hoofd en weigert te verkopen.'

'En?' zei Inzio? 'Waarom leeft hij dan nog?'

Portella lachte, een enorm gebrul. 'Omdat hij niet zo gemakkelijk te doden is,' zei hij. 'Ik heb vier man bewaking op zijn huis gezet, en die zijn verdwenen. Nu weet ik totaal niet waar hij is, en hij heeft overal waar hij gaat een zwerm bodyguards om zich heen.'

'Niemand is zo moeilijk te doden,' zei Tulippa met dat aangenaam zangerige in zijn stem, waardoor de woorden klonken als de tekst van een popsong.

Grazziella sprak voor het eerst. 'We hebben Astorre een paar jaar geleden op Sicilië gekend. Hij heeft altijd geluk, maar hij is dan ook uiterst bekwaam. We hebben in Sicilië op hem geschoten en we dachten dat hij dood was. Als we nogmaals toeslaan, moeten we zekerheid hebben. Het is een gevaarlijke man.'

Tulippa richtte het woord tot Portella: 'Jij beweert toch dat je een FBI-man op je loonlijst hebt staan? Gebruik hem dan, om Gods wil.'

'Die is niet zo corrupt,' zei Portella. 'De FBI heeft meer klasse dan de NYPD. Die zouden nooit een rechtstreekse aanslag plegen.'

'Oké,' zei Tulippa. 'Dan grijpen we een van de don-kinderen en gebruiken ze als gijzelaars tegen Astorre. Marriano, jij kent zijn dochter.' Hij knipoogde. 'Jij mag haar inpalmen.'

Rubio voelde niets voor zijn voorstel. Hij pafte aan zijn dunne ochtendsigaar en zei toen heftig, kort en krachtig: 'Nee.' Hij zweeg even. 'Ik ben op die meid gesteld. Ik laat die zoiets niet aandoen. Ik verbied het jullie ook.'

Hierop trokken de andere mannen hun wenkbrauwen op. De consul-generaal was qua macht van allen de mindere. Toen hij hun reacties zag, glimlachte hij, waarna hij weer de minzaamheid zelve werd.

'Ik weet dat ik één zwakke plek heb. Ik word verliefd. Maar hou me ten goede. Ik heb goede en politiek correcte gronden. Inzio, ik weet dat kidnappen jouw metier is, maar in Amerika werkt dat nauwelijks. Zeker niet bij een vrouw. Maar als je een van de broers neemt en snel tot een deal komt met Astorre, maak je een kans.'

'Niet Valerius,' zei Portella. 'Die is van de inlichtingendienst van het leger en heeft vrienden bij de CIA. We willen niet zoveel stront aan de knikker.'

'Dan moet het Marcantonio worden,' zei de consul-generaal. 'Ik regel wel een deal met Astorre.'

'Breng een hoger bod uit op de banken,' zei Grazziella zacht. 'Vermijd geweld. Geloof me, ik heb dit soort dingen al eens meegemaakt. Ik heb pistolen gebruikt in plaats van geld, en het kwam me altijd duurder te staan.'

Ze keken hem stomverbaasd aan. Grazziella had een angstwekkende reputatie wat geweld aangaat.

'Michael,' zei de consul-generaal, 'je hebt het over miljarden dollars. En Astorre wil nóg niet verkopen.'

Grazziella haalde zijn schouders op. 'Als we tot actie moeten overgaan, dan zit er niets anders op. Maar wees erg voorzichtig. Als je hem bij het onderhandelen naar buiten weet te krijgen, kunnen wij hem neerleggen.'

Tulippa schonk hem een enorme grijns. 'Zo mag ik het horen. En Marriano,' zei hij, 'word niet steeds verliefd. Dat is een erg ongezonde zwakheid.'

Marriano Rubio wist Nicole en haar broers eindelijk zover te krijgen dat ze met zijn syndicaat om de tafel gingen zitten over de verkoop van de banken. Uiteraard moest Astorre Viola ook aanwezig zijn, al kon Nicole dat niet garanderen.

Vóór de vergadering vertelde Astorre Nicole en haar broers wat ze moesten zeggen en wat hun houding precies moest zijn. Ze begrepen zijn strategie: dat het syndicaat het idee moest krijgen dat alleen hij hun opponent was.

Die bijeenkomst werd gehouden in een vergaderzaal van de Peruviaanse ambassade. Er was geen bedienend personeel, maar er stond een buffet klaar en Rubio zelf schonk hun wijn in. Vanwege hun diverse programma's vond de vergadering om tien uur 's avonds plaats.

Rubio stelde iedereen aan elkaar voor en leidde de bijeenkomst. Hij gaf Nicole een map. 'Dit is het uitgewerkte voorstel. Maar kort gezegd bieden we vijftig procent boven de marktwaarde. Hoewel wij de absolute zeggenschap krijgen, ontvangen de Apriles de komende twintig jaar tien procent van onze winst. Jullie kunnen allemaal rijk worden en van je vrije tijd genieten zonder de verschrikkelijke spanningen die met zo'n zakenleven gepaard gaan.'

Ze wachtten, terwijl Nicole even de papieren doorkeek. Uiteindelijk keek ze op en zei: 'Erg indrukwekkend, maar vanwaar zo'n royaal bod?'

Rubio glimlachte haar hartelijk toe. 'Synergie,' zei hij. 'De hele business is nu synergie. Net als computers en de luchtvaart, boeken en uitgevers, muziek en drugs, sport en tv. Een en al synergie. Met de Aprile-banken krijgen we synergie in internationale financiën, krijgen we controle over de bouw van steden, de verkiezingen van regeringen. Dit syndicaat opereert over de hele wereld en we hebben jullie banken nodig, dus is ons bod genereus.'

Nicole wendde zich tot de overige leden van het syndicaat. 'En heren, u bent allemaal gelijkwaardige partners?'

Tulippa was behoorlijk onder de indruk van Nicoles uiterlijk en serieuze manier van praten, dus was hij hoogst charmant toen hij antwoordde: 'Bij deze aankoop zijn we juridisch gelijkwaardig, maar laat ik u verzekeren dat ik het als een eer beschouw geassocieerd te worden met de naam Aprile. Niemand heeft zo veel bewondering voor uw vader gehad als ik.'

Valerius richtte met een stalen gezicht direct het woord tot Tulippa: 'Begrijpt u me niet verkeerd: ik wil best verkopen. Maar ik geef de voorkeur aan een eenmalige verkoop zonder percentage. Persoonlijk wil ik hier voorgoed vanaf.'

'Maar u bent bereid te verkopen?' vroeg Tulippa.

'Zeker,' zei Valerius. 'Ik wil er niets meer mee te maken hebben.'

Portello wilde iets zeggen, maar Rubio kapte hem af.

'Marcantonio,' zei hij, 'wat vind jij van ons voorstel? Vind je het aantrekkelijk?'

Marcantonio zei berustend: 'Ik ben het met Val eens. Laten we een deal sluiten zonder de percentages. Dan kunnen we allemaal met de beste wensen afscheid nemen.'

'Uitstekend, we kunnen de deal zo afsluiten,' zei Rubio.

Nicole zei koeltjes: 'Maar dan moet u uiteraard de meerwaarde verhogen. Kunt u dat opbrengen?'

Tulippa zei: 'Geen probleem,' en hij lachte haar stralend toe.

Grazziella vroeg met een bezorgd gezicht, maar hoffelijk: 'En onze goede vriend Astorre Viola? Is hij het ermee eens?'

Astorre lachte gegeneerd. 'U weet dat ik de bankwereld ben gaan waarderen. En don Aprile heeft me laten beloven dat ik nooit zou verkopen. Ik vind het vreselijk om tegen mijn hele hier aanwezige familie in te gaan, maar ik moet nee zeggen. En ik beschik over het leeuwendeel van de stemmen.'

'Maar de kinderen van de don hebben een aandeel,' zei de consul-generaal. 'Ze kunnen er een rechtszaak van maken.'

Astorre barstte in lachen uit.

Nicole zei bits: 'Dat zouden we nooit doen.'

Valerius glimlachte zuur en Marcantonio vond het kennelijk een hilarisch idee.

Portella sputterde: 'Vergeet het maar,' en hij wilde opstaan om te vertrekken.

Astorre zei op verzoenende toon: 'Heb geduld. Misschien gaat het bankieren me wel vervelen. Over een paar maanden kunnen we nog eens vergaderen.'

'Natuurlijk,' zei Rubio. 'Maar misschien kunnen we het financiële pakket niet zo lang bij elkaar houden. Dan krijgt u misschien een lagere prijs.'

Er werden geen handen geschud toen ze uit elkaar gingen.

Toen de Apriles en Astorre waren vertrokken zei Michael Grazziella tegen zijn collega's: 'Hij wil alleen tijd winnen. Hij zal nooit verkopen.'

Tulippa zuchtte. 'Zo'n simpatico vent. We hadden goede vrienden kunnen worden. Misschien moet ik hem een keer uitnodigen op mijn plantage in Costa Rica. Hij zou er de tijd van zijn leven kunnen hebben.'

De anderen lachten. Portella zei nors: 'Hij gaat niet op huwelijksreis met jou, Inzio. Ik moet hier met hem afrekenen.'

'Met meer succes dan toen, hoop ik,' zei Tulippa.

'Ik heb hem onderschat,' zei Portella. 'Hoe kon ik dat nou weten? Een vent die op bruiloften zingt? Bij de don heb ik goed werk geleverd. Daar zijn geen klachten over.'

De consul-generaal zei met een gezicht dat straalde van waardering: 'Uitstekend werk, Timmona. We hebben alle vertrouwen in je. Maar deze nieuwe klus moet zo snel mogelijk worden uitgevoerd.'

Toen ze de vergadering verlieten, gingen de Apriles en Astorre voor een laat souper naar het Partinico-restaurant, waar ze privé-eetkamers hadden en waarvan de eigenaar een oude vriend van de don was.

'Ik vind dat jullie het erg goed hebben gedaan,' zei Astorre. 'Jullie hebben hen ervan overtuigd dat jullie tegen mij waren.'

'We zíjn tegen je,' zei Val.

'Waarom moeten we dit spelletje spelen?' vroeg Nicole. 'Ik vind het maar niks.'

'Die lui hadden iets te maken met de dood van jullie vader,' zei Astorre. 'En ik wil niet dat ze denken dat ze iets zullen bereiken als ze jullie iets doen.'

'En jij weet zeker dat jij alles aankunt wat zij tegen je ondernemen?' vroeg Marcantonio.

'Nee, nee,' wierp Astorre tegen. 'Maar ik kan onderduiken zonder mijn leven te verknallen. God, ik ga desnoods naar Dakota, en dan vinden ze me nooit.' Zijn glimlach was zo breed en overtuigend dat hij iedereen voor de gek zou hebben gehouden, behalve de kinderen van don Aprile. 'Zeg,' zei hij. 'Laat het me weten als ze direct contact opnemen met een van jullie.'

'Ik heb een heleboel telefoontjes van detective Di Benedetto gehad,' zei Valerius.

Astorre was verbaasd. 'Waarom belde hij jou in godsnaam?'

Valerius glimlachte. 'Toen ik bij de geheime dienst zat, kregen we wat we zijn gaan noemen 'Wat weet je''-telefoontjes. Iemand wilde je informatie geven of je helpen bij een of andere deal. Wat ze in werkelijkheid wilden was informatie over hoe je met je onderzoek opschoot. Dus belt Di Benedetto me op uit aardigheid om me op de hoogte te houden van zijn zaak. Vervolgens hoort hij me uit over jou, Astorre. Hij heeft veel belangstelling voor jou.'

'Dat is erg vleiend,' zei Astorre met een grijns. 'Hij heeft me zeker ergens horen zingen.'

'Uitgesloten,' zei Marcantonio zonder omwegen. 'Mij heeft Di Benedetto ook opgebeld. Hij zegt dat hij een idee voor een politieserie heeft. Er is altijd plaats voor wéér een politieserie op de tv, dus ik moedig hem steeds aan. Maar wat hij me stuurt is gewoon onzin. Hij meent er niks van. Hij wil ons alleen maar op het spoor blijven.'

'Mooi,' zei Astorre.

'Astorre, wil je dat hij jou als doelwit neemt in plaats van ons?' vroeg Nicole. 'Is dat niet te gevaarlijk? Van die Grazziella krijg ik de zenuwen.'

'O, ik ken hem wel,' zei Astorre. 'Hij is heel redelijk. En die consul-generaal van jou is een echte diplomaat; hij kan Tulippa wel aan. De enige die me nu zorgen baart, is Portella. Die vent is stom genoeg om echt lastig te worden.' Dat vertelde hij alsof het een alledaags zakengesprek betrof.

'Maar hoe lang gaat dit duren?' vroeg Nicole.

'Geef me nog een paar maanden,' zei Astorre. 'Ik beloof je dat we het dan allemaal eens zijn.'

Valerius keek hem geringschattend aan. 'Astorre, je bent altijd een optimist geweest. Als je een geheim agent onder mijn commando was geweest, zou ik je overplaatsen naar de infanterie om wakker te worden.'

Het was geen gezellige maaltijd. Nicole bleef Astorre observeren alsof ze achter een of ander geheim probeerde te komen. Valerius had duidelijk geen vertrouwen in Astorre en Marcantonio deed gereserveerd. Op het laatst hief Astorre een glas wijn en zei opgewekt: 'Jullie zijn een stelletje zwartkijkers, maar dat laat me koud. Dit gaat erg leuk worden. Op jullie vader.'

'De grote don Aprile,' zei Nicole zuur.

Astorre glimlachte naar haar en zei: 'Ja, op de grote don.'

Astorre ging altijd aan het eind van de middag paardrijden. Het gaf hem rust, en een goede eetlust voor het avondeten. Als hij een vrouw aan het versieren was, liet hij haar altijd met hem meerijden. Als een vrouw niet kon rijden, gaf hij haar les. En als ze niet van paarden hield, staakte hij zijn verleidingspogingen.

Hij had op zijn landgoed een speciaal ruiterpad laten aanleggen dat door het bos liep. Hij genoot van het vogelgekwetter, het geluid van wegschietende kleine dieren en van het feit dat hij af en toe een hert tegenkwam. Maar bovenal genoot hij als hij zich in zijn rijtenue stak. Het felrode jasje, de bruine rijlaarzen, de zweep in zijn hand – al gebruikte hij die nooit. De zwarte suède cap. Hij glimlachte naar zichzelf in de spiegel, terwijl hij fantaseerde dat hij een Engelse landheer was.

Hij ging naar de stallen, waar hij zijn zes paarden hield, en zag tot zijn tevredenheid dat Aldo Monza, de trainer, al een van zijn hengsten had gezadeld. Hij besteeg het dier en galoppeerde langzaam naar het bospad. Terwijl hij het tempo opvoerde, reed hij onder een blikkerend baldakijn door van rood en goudkleurig gebladerte dat een kantgordijn vormde tegen de ondergaande zon. Slechts smalle gouden stralen belichtten het pad. Onder de paardenhoeven steeg de reuk op van vergane bladeren. Hij zag de geurige hoop compost en leidde zijn paard erlangs, reed vervolgens naar een splitsing in het pad, waarlangs hij via een andere route terug kon rijden naar huis. Het goud op het pad verdween.

Hij beteugelde zijn paard. Op dat moment doken twee mannen voor hem op. Ze waren gekleed in de slobberige kleren van boerenknechten. Maar ze hadden maskers op en in hun handen lichtte staal zilverkleurig op. Astorre gaf zijn paard de sporen en dook met zijn hoofd weg naar een flank. Het bos was een en al licht en lawaai van knallende kogels. De mannen waren heel dichtbij en Astorre voelde dat de kogels hem in de zij en rug troffen. Het paard raakte in paniek en sloeg op hol terwijl Astorre uit alle macht in het zadel probeerde te blijven. Hij galoppeerde het pad af en vervolgens kwamen twee andere mannen te voorschijn. Die waren niet gemaskerd of gewapend. Hij verloor het bewustzijn en gleed van het paard in hun armen.

Binnen een uur ontving Kurt Cilke een rapport van het bewakingsteam dat Astorre Viola had gered. Wat hem werkelijk verbaasde was dat Astorre onder al zijn dandy-achtige kleren een kogelvrij vest aan had gehad dat zijn romp over de gehele lengte van zijn rijjasje bedekte. En niet van gewoon kevlar, maar speciaal handgemaakt. Waarom droeg een vent als Astorre in godsnaam een harnas? Een macaroni-importeur, een zanger uit het club-circuit, een halfzachte ruiter. Jawel, hij was overrompeld door de inslag van de kogels, maar die waren niet in zijn lichaam gedrongen. Astorre was het ziekenhuis al uit.

Cilke begon aan een memo om een onderzoek te laten instellen naar Astorres leven vanaf zijn jeugd. Die man was misschien de sleutel tot het geheel. Maar van één ding was hij zeker: hij wist wie had geprobeerd Astorre Viola te vermoorden.

Astorre kwam met zijn nicht en neven samen bij Valerius thuis. Hij vertelde hun van de aanslag, dat er op hem was geschoten. 'Ik heb jullie hulp gevraagd,' zei hij. 'En jullie weigerden en ik begreep dat. Maar nu vind ik dat jullie er nog eens over moeten nadenken. Er hangt een bedreiging over ons allemaal. Ik geloof dat die opgelost zou worden als we de banken verkopen. Dan wint iedereen. Iedereen krijgt wat hij wil. Of we gaan voor een winst-verliessituatie. Wij houden de banken en blijven vechten om onze vijanden te vernietigen, wie dat ook zijn. Dan heb je ook nog de situatie waarin iedereen verliest, en we moeten voorzichtig zijn dat we daar niet in vervallen. Dat we onze vijanden uitschakelen en winnen, maar de regering krijgt ons tóch te pakken.'

'Dat is een eenvoudige keuze,' zei Valerius. 'Verkoop de banken maar. Dan wint iedereen.'

Marcantonio zei: 'We zijn geen Sicilianen. Wij vergooien niet alles om onze vergelding te krijgen.'

'Als we de banken verkopen, vergooien we onze toekomst,' merkte Nicole kalm op. 'Marc, op een dag wil je een eigen netwerk. Val, jij zou met grote politieke donaties ambassadeur of minister van Defensie kunnen worden. En jij, Astorre, zou bij de Rolling Stones kunnen zingen.' Ze glimlachte naar hem. 'Oké, het is een beetje vergezocht,' zei ze, overgaand op een andere toon. 'Alle gekheid op een stokje. Betekent het niets voor ons dat vader is vermoord? Moeten we hen belonen voor moord? Ik vind dat we Astorre zoveel mogelijk moeten helpen.'

'Weet je wel wat je zegt?' vroeg Valerius.

'Ja,' zei Nicole kalm.

Astorre zei rustig tegen hen: 'Jullie vader heeft me geleerd dat je je nooit door anderen hun wil mag laten opleggen, want dan is het leven niet waard geleefd te worden. Dat is toch de essentie van oorlog, Val?'

'Oorlog is een verlies-verliessituatie,' zei Nicole venijnig.

Valerius gaf blijk van zijn irritatie. 'Wat de liberalen ook zeggen, oorlog is een win-verliessituatie. Je kunt een oorlog veel beter winnen. Verliezen is een ongelooflijke nachtmerrie.'

'Jullie vader had een verleden,' zei Astorre. 'Dat verleden moeten we nu stuk voor stuk onder ogen zien. Dus vraag ik jullie nu nogmaals om hulp. Bedenk dat ik onder bevel sta van jullie vader, en het mijn taak is de familie te beschermen, wat inhoudt dat de banken behouden moeten blijven.'

Valerius zei: 'Ik zorg dat je binnen een maand informatie krijgt.'

Astorre vroeg: 'Marc?'

Marcantonio zei: 'Ik ga onmiddellijk voor dat programma aan de slag. Laten we zeggen twee, drie maanden.'

Astorre keek Nicole aan. 'Nicole, heb je de analyse van je vaders FBI-dossier al af?'

'Nee, nog niet.' Het leek wel of ze overstuur was. 'Moeten we hierbij niet de hulp van Cilke inroepen?'

Astorre glimlachte. 'Cilke is een van mijn verdachten,' zei hij. 'Als ik alle informatie heb, kunnen we beslissen wat we moeten doen.'

Binnen een maand kwam Valerius met enige informatie – onverwacht, onwelkom. Via zijn CIA-contacten had hij de waarheid over Inzio Tulippa vernomen. Die had contacten op Sicilië, in Turkije, India, Pakistan, Colombia en andere Latijns-Amerikaanse landen. Hij onderhield zelfs betrekkingen met de Corleonesi op Sicilië en was meer dan hun gelijke.

Volgens Valerius was Tulippa degene die bepaalde kernlaboratoria in Zuid-Amerika financierde. Tulippa, die wanhopige pogingen deed een enorm fonds in Amerika op te bouwen om instrumenten en materiaal te kopen. Die, in zijn grootheidswaan, een afschuwelijk afweermechanisme tegen de autoriteiten wilde bezitten voor het geval het ergste puntje bij het ergste paaltje kwam. Daaruit kon men opmaken dat Timmona Portella een front vormde voor Tulippa. Dat was goed nieuws voor Astorre. Er was een extra speler in de wedstrijd, een extra front waar gestreden moest worden.

'Is wat Tulippa van plan is uitvoerbaar?' vroeg Astorre.

'Daar is hij zelf zeker van,' zei Valerius. 'En hij geniet de protectie van regeringsleiders, overal waar hij de laboratoria heeft.'

'Bedankt, Val,' zei Astorre, terwijl hij zijn neef vriendschappelijk op de schouder klopte.

'Graag gedaan,' zei Valerius. 'Maar dat is alle hulp die je van mij kunt verwachten.'

Het onderzoek voor een televisieportret over Kurt Cilke kostte Marcantonio zes weken. Astorre had een dikke map met informatie ontvangen, die hij vierentwintig uur in zijn bezit had gehouden voordat hij hem terugstuurde.

Het was alleen Nicole die hem zorgen baarde. Ze had hem een kopie geleend van het FBI-dossier over don Aprile, maar daarvan was een groot gedeelte onleesbaar gemaakt. Toen hij daarnaar vroeg, zei ze: 'Zo heb ik het gekregen.'

Astorre had de documenten nauwkeurig bestudeerd. Het onleesbaar gemaakte gedeelte bleek over de periode te gaan toen hij twee jaar was. 'Laat maar,' zei hij tegen Nicole. 'Dat is te lang geleden om belangrijk te zijn.'

Nu kon niets Astorre nog weerhouden. Hij had genoeg informatie om zijn oorlog te beginnen.

Nicole had zich een rad voor ogen laten draaien door Marriano Rubio en zijn versiertoer. Ze had het verraad van Astorre uit haar jeugd nooit goed verwerkt, toen hij er de voorkeur aan gaf zijn vader te gehoorzamen. Hoewel ze zelf een paar korte affaires met machtige heren had gehad, wist ze dat mannen altijd een complot tegen vrouwen zouden sluiten.

Maar Rubio leek een uitzondering. Hij werd nooit boos op haar als haar programma niet strookte met hun plannen om samen te zijn. Hij begreep dat haar carrière op de eerste plaats kwam. En nooit bezondigde hij zich aan die belachelijke, kwetsende emotie van talloze mannen, die vonden dat hun jaloezie het bewijs was van ware liefde.

Het hielp dat hij een gulle gever was, het was nog belangrijker dat ze hem interessant vond en graag naar hem luisterde wanneer hij over literatuur en theater sprak. Maar zijn grootste deugd was dat hij altijd een enthousiaste minnaar was, geniaal in bed, en afgezien daarvan niet te veel beslag legde op haar tijd.

Op een avond nam Rubio Nicole mee uit eten in Le Cirque, samen met een paar vrienden, onder wie een wereldberoemde Zuid-Amerikaanse romancier die Nicole inpakte met zijn scherpe geest en extravagante spookverhalen, een befaamde operazanger die bij elke schotel van verrukking een aria neuriede en at alsof hij op weg was naar de elektrische stoel en een conservatieve columnist, het toonaangevende politieke orakel van de *New York Times*, die er prat op ging dat hij gehaat was bij zowel de liberalen als de conservatieven.

Na het eten nam Rubio Nicole mee naar zijn weelderige appartement in het Peruviaanse consulaat. Daar bedreef hij vurig de liefde met haar, zowel fysiek als met woorden. Na afloop tilde hij haar naakt van zijn bed en danste met haar, terwijl hij in het Spaans gedichten reciteerde. Nicole amuseerde zich kostelijk. Vooral toen ze gekalmeerd waren en hij champagne voor hen inschonk en uit de grond van zijn hart zei: 'Ik hou van je.' Zijn indrukwekkende neus en voorhoofd glommen van oprechtheid. Wat waren mannen toch schaamteloos. Nicole had een stille tevredenheid gevoeld omdat ze hem had bedrogen. Haar vader zou trots op haar zijn geweest. Ze had gehandeld als een echte maffioso.

Als hoofd van de New Yorkse FBI-dienst behandelde Kurt Cilke veel belangrijker zaken dan de moord op don Raymonde Aprile. Een ervan was het grootscheepse onderzoek naar zes grote ondernemingen die samenwerkten om illegaal machineonderdelen, waaronder computertechnologie, naar communistisch China te verschepen. Een andere was de samenzwering van de belangrijkste sigarettenfabrieken die voor een onderzoekscommissie van de regering meinedige verklaringen hadden afgelegd. De derde zaak betrof de emigratie van geleerden van bedenkelijk allooi naar Zuid-Amerikaanse landen als Brazilië, Peru en Colombia. De directeur wenste over die zaken op de hoogte te blijven.

In het vliegtuig op weg naar Washington zei Boxton: 'We hebben die sigarettenlui bij de staart, we hebben de ladingen naar China onderschept – interne documenten, tipgevers die hun vege lijf willen redden. Het enige waar we nog niet klaar mee zijn, zijn die wetenschappers. Maar volgens mij word jij hierna adjunct. Ze kunnen niet om je staat van dienst heen.'

'Dat bepaalt de directeur,' zei Cilke. Hij wist waarom die geleerden in Zuid-Amerika waren, maar hij liet Boxton in de waan.

In Hoover Building werd Boxton bij de vergadering geweerd.

Het was elf maanden na de moord op don Aprile. Cilke had al zijn aantekeningen voorbereid. De zaak-Aprile zat op een dood spoor, maar hij had beter nieuws over zaken die nog belangrijker waren. En ditmaal bestond er een reële kans dat hij een van de hoogste aanstellingen op de Dienst zou krijgen. Hij had zijn sporen verdiend met goed werk, en hij had er veel van zijn tijd ingestoken.

De directeur was een lange, zwierige man wiens voorvaderen op de *Mayflower* naar Amerika waren gekomen. Hij was op eigen kracht ontzettend rijk geworden en was bij wijze van burgerplicht in de politiek gegaan. En hij had aan het begin van zijn ambtsperiode strenge regels ingesteld. 'Geen gefoezel,' had hij goedmoedig en met zijn melodieuze yankee-tongval gezegd. 'Volgens het boekje. Geen mazen in de Grondwet. Een FBI-agent is altijd beleefd, altijd sportief. Op zijn privé-leven valt nooit iets aan te merken.' Eén blijk van wantoestanden – mishandeling van de echtgenote, dronkenschap, te dikke vriendschap met een plaatselijke politiebeambte, trucs bij derdegraadsverhoren – en je kon het schudden, zelfs al was je oom senator. Zo waren de afgelopen tien jaar de regels geweest. Ook als je te vaak in de pers kwam – al was het op een gunstige manier – kon je morgen in Alaska iglo's gaan bewaken.

De directeur vroeg Cilke te gaan zitten in een uitermate ongemakkelijke stoel tegenover zijn massief eiken bureau.

'Agent Cilke,' zei hij, 'ik heb je om een paar redenen gevraagd te komen. Nummer één: ik heb een speciale aanbeveling in je persoonlijk dossier gestopt voor je werk tegen de maffia in New York. Dankzij jou hebben we hun ruggengraat gebroken. Ik kan je feliciteren.' Hij boog zich voorover om Cilke de hand te schudden. 'We zullen het nu niet bekendmaken omdat individuele prestaties op het conto komen van de Dienst. Bovendien zou dat gevaarlijk voor je kunnen zijn.'

'Alleen een idioot weet niet beter,' zei Cilke. 'De misdaadorganisaties begrijpen dat ze een agent niets kunnen maken.'

'Je bedoelt dat de Dienst persoonlijke vendetta's voert,' zei de directeur.

'O, nee,' zei Cilke. 'Alleen zouden we wat beter moeten opletten.'

De directeur liet dat voor wat het was. Er waren grenzen. Er liep altijd een zeer smalle lijn tussen deugd en ondeugd. 'Het is niet sportief om je aan het lijntje te houden,' zei de directeur. 'Ik heb besloten je niet hier in Washington een adjunctschap te verlenen. Voorlopig nog niet. Om de volgende redenen. Je bent uiterst bekwaam op straat, en er valt nog altijd veldwerk te verrichten. De maffia, een betere naam hebben we niet, is nog steeds actief. Ten tweede: officieel beschik je over een informant wiens naam je weigert bekend te maken, zelfs aan de allerhoogste supervisie van de Dienst. Officieus heb je het ons wél verteld. Dat is vertrouwelijke informatie. Dus officieus ben je gedekt. Ten derde: je relatie tot een zekere directeur Recherche van New York is te persoonlijk.'

De directeur en Cilke hadden andere thema's op hun vergaderagenda. 'En hoe staat het met je operatie-*Omertà*?' wilde de directeur weten. 'We moeten heel voorzichtig zijn dat al onze operaties wettelijk worden goedgekeurd.'

'Uiteraard,' zei Cilke met een stalen gezicht. De directeur wist verdomd goed dat er af en toe van het pad moest worden afgeweken. 'We hebben een paar obstakels. Raymonde Aprile heeft geweigerd met ons samen te werken. Maar dat obstakel is uiteraard opgeheven.'

'Het kwam goed van pas dat Mr. Aprile werd vermoord,' zei de directeur sardonisch. 'Ik wil je niet beledigen met de vraag of je er van tevoren iets van wist. Je vriend Portella wellicht?'

'We weten het niet,' zei Cilke. 'Italianen gaan nooit naar de overheid. We kunnen alleen maar wachten tot er lijken vallen. Maar ik heb Astorre Aprile benaderd, zoals we hebben besproken. Hij heeft de papieren over vertrouwelijkheid getekend, maar weigerde mee te werken. Hij zal geen zaken doen met Portella en hij zal de banken niet verkopen.'

'Dus wat doen we nu?' vroeg de directeur. 'Je weet hoe belangrijk dit is. Als we de bankier op grond van witwaspraktijken kunnen aanklagen, kunnen we de banken aan de regering laten vervallen. En dan zouden die tien miljard naar criminaliteitsbestrijding gaan. Daarmee zou de Dienst een enorme slag slaan. En dan kunnen we een eind maken aan je betrekkingen met Portella. Die heeft zijn nut wel gehad. Kurt, we zitten in een heel moeilijk parket. Alleen mijn assistenten en ik zijn op de hoogte van je samenwerking met Portella. Dat je betalingen van hem ontvangt, dat hij jou ziet als zijn bondgenoot. Je leven loopt misschien gevaar.'

'Hij zou een federale agent niets durven te doen,' zei Cilke. 'Hij is wel gek, maar niet zó gek.'

'Enfin, Portella moet er bij deze operatie aan geloven,' zei de directeur. Wat zijn je plannen?'

'Die Astorre Viola is niet zo onschuldig als men beweert,' zei Cilke. 'Ik laat zijn verleden nagaan. Intussen ga ik Apriles kinderen vragen hem te overreden. Maar waar ik me zorgen over maak: kunnen we ze, als ze nu uitglijden, na tien jaar ook nog pakken voor dat witwassen?'

'Dat is aan onze procureur-generaal,' zei de directeur. 'Wij moeten zorgen dat we onze voet tussen de deur krijgen, dan gaan honderden advocaten het hele verleden napluizen. We moeten eerst met iets komen wat Justitie kan hardmaken.'

'Wat betreft mijn geheime Kaayman-rekening waar Portella geld op stort...' zei Cilke. 'Volgens mij moet u er wat van opnemen zodat hij het idee krijgt dat ik het uitgeef.'

'Dat zal ik regelen,' zei de directeur. 'Ik moet zeggen: die Timmona Portella van jou is niet gierig.'

'Hij gelooft echt dat ik me heb verkocht,' zei Cilke met een glimlach.

'Wees voorzichtig,' zei de directeur. 'Geef hem geen aanleiding waardoor je werkelijk een vertrouwensman wordt, een medeplichtige van een misdaad.'

'Ik begrijp het,' zei Cilke. Maar hij dacht: makkelijker gezegd dan gedaan.

'En neem geen onnodige risico's,' zei de directeur. 'Denk eraan: drugsbaronnen in Zuid-Amerika en op Sicilië staan in verbinding met Portella, en dat zijn gewetenloze rekels.'

'Zal ik u dagelijks mondeling of schriftelijk op de hoogte houden?' vroeg Cilke.

'Geen van beide,' zei de directeur. 'Ik heb volledig vertrouwen in je integriteit. Bovendien wil ik niet tegen een overheidscommissie hoeven liegen. Om een van mijn adjuncts te worden zul je die dingen moeten oplossen.' Hij zweeg afwachtend.

Cilke durfde nooit zijn ware gedachten te denken in het bijzijn van zijn directeur, alsof die man zijn gedachten zou kunnen raden. Maar toch stak de rebel in hem de kop op. Wie dacht de directeur verdomme wel dat hij was, de Unie van Burgerrechten? Met zijn memo's om te benadrukken dat de maffia niet Italiaans was, moslims geen terroristen waren, dat zwarten geen criminele klasse vormden. Wie maakten zich volgens hem verdomme schuldig aan straatcriminaliteit?

Maar Cilke zei rustig: 'Als u wilt dat ik ontslag neem, heb ik tijd genoeg opgebouwd voor vervroegd pensioen.'

'Nee,' zei de directeur. 'Geef antwoord op mijn vraag. Kun je je relaties zuiveren?'

'Ik heb alle namen van informanten van de Dienst verstrekt,' zei Cilke. 'En wat betreft van het pad afwijken, dat is een kwestie van interpretatie. Wat betreft de vriendschappelijke betrekkingen met de lokale politie, dat is pr voor de Dienst.'

'Je resultaten spreken voor zich,' zei de directeur. 'Laten we het nog een jaar aanzien. Laten we doorgaan.' Hij zweeg een lang ogenblik en zuchtte. 'Hebben we naar jouw mening voldoende tegen de directies van de sigarettenfabrieken voor meineed?'

'Meer dan dat,' zei Cilke, en hij vroeg zich af waarom de directeur dat in godsnaam moest vragen. Hij had alle dossiers.

'Maar misschien geloven ze het zelf,' zei de directeur. 'We hebben peilingen waaruit blijkt dat de helft van het Amerikaanse volk het met hen eens is.'

'Dat is niet relevant voor de zaak,' zei Cilke. 'De mensen in die peiling hebben geen meineed gepleegd in hun getuigenissen tegen de commissie. We beschikken over tapes en interne documenten die bewijzen dat de directies van die sigarettenfabrieken willens en wetens hebben gelogen. Het was een samenzwering.'

'Je hebt gelijk,' zei de directeur met een zucht. 'Maar de procureur-generaal heeft een deal gemaakt. Geen rechtsvervolging, geen gevangenisstraf. Ze zullen boetes krijgen van honderden miljarden dollars. Dus sluit dat onderzoek af. Het is uit onze handen.'

'Uitstekend, *sir*,' zei Cilke. 'Ik kan altijd extra mankracht voor andere zaken gebruiken.'

'Bof jij even,' zei de directeur. 'Ik zal je nog blijer maken. Over die lading illegale technische instrumenten naar China, dat is een ernstige zaak.'

'Er is geen optie,' zei Cilke. 'Die concerns hebben expres voor financieel gewin de wet overtreden en de veiligheid van de Verenigde Staten geschonden. De directeuren van die concerns hebben samengezworen.'

'We hebben inderdaad de bewijzen tegen hen,' zei de directeur. 'Maar je weet dat samenzwering een gemeenplaats is. Iedereen zweert samen. Maar ook die zaak kun je afsluiten om mankracht te besparen.'

Cilke zei ongelovig: '*Sir*, bedoelt u dat daarover een deal is gesloten?'

De directeur leunde achterover in zijn stoel, ontstemd om Cilkes verdekte impertinentie, maar hij draaide bij. 'Cilke, je bent de beste veldspeler die de Dienst heeft. Maar je hebt geen verstand van politiek. Luister naar me, en knoop dit in je oren: je kunt niet zes miljardairs de gevangenis in sturen. Niet in een democratie.'

'Is dat alles?' vroeg Cilke.

'De financiële sancties zullen heel zwaar zijn,' zei de directeur. 'Laten we het nu over andere dingen hebben, waarvan één strikt vertrouwelijk. We zijn van plan een gevangene uit te wisselen tegen een van onze informanten die in Colombia wordt gegijzeld, een zeer waardevolle pion in onze strijd tegen de drugshandel. Van die zaak weet jij alles af.'

Hij refereerde aan een zaak van vier jaar daarvóór, waarbij een drugshandelaar vijf mensen had gegijzeld, een vrouw en vier kinderen. Hij had hen en een FBI-agent gedood. Hij had de doodstraf zonder voorwaardelijk gekregen. 'Ik weet nog dat je een onherroepelijk voorstander van de doodstraf was,' zei de directeur. 'Nu zijn we van plan hem vrij te laten en ik weet dat jij er niet blij mee zult zijn. Denk eraan, dit is uiterst geheim, maar de kranten zullen er waarschijnlijk lucht van krijgen en dan komt er een enorme heisa. Jij en je Dienst geven in geen geval commentaar. Begrepen?'

Cilke zei: 'We kunnen toch niet tolereren dat iemand onze agenten vermoordt en vrijuit gaat?'

'Die houding is onacceptabel bij een FBI-ambtenaar,' zei de directeur.

Cilke deed zijn best zijn woede te verbergen. 'Dan lopen al onze agenten gevaar,' zei hij. 'Zo gaat dat nu eenmaal op straat. Die agent werd gedood toen hij de gegijzelden wilde redden. Het was een koelbloedige executie. Dat de moordenaar wordt losgelaten is een aanfluiting voor het leven van die agent.'

'We kunnen op de Dienst geen vendettamentaliteit hebben,' zei de directeur. 'Anders zijn we geen haar beter dan zij. Enfin, wat heb je over die geleerden die zijn geëmigreerd?'

Op dat moment besefte Cilke dat hij de directeur niet langer kon vertrouwen. 'Niets nieuws,' loog hij. Hij had besloten dat hij voortaan niets wilde weten van de politieke compromissen van de Dienst. Hij zou het wel op zijn eigen houtje doen.

'Nou, werk eraan, nu je over een hoop mankracht beschikt,' zei de directeur. 'En als je Timmona Portella in z'n kraag hebt gevat, zou ik graag willen dat je hier komt werken als een van mijn adjuncts.'

'Dank u,' zei Cilke. 'Maar ik heb besloten dat ik, als ik klaar ben met Portella, met pensioen ga.'

De directeur zuchtte diep. 'Denk er nog eens over na. Ik weet dat je niets moet hebben van deals. Maar bedenk wel: de Dienst is niet alleen verantwoordelijk voor de bescherming van de samenleving tegen wetsovertreders, we moeten tevens alleen tot die acties over-gaan die op de lange termijn onze samenleving als totaliteit ten goede komen.'

'Dat weet ik nog van school,' zei Cilke. 'Het doel heiligt de mid-delen.'

De directeur haalde zijn schouders op. 'Soms. Hoe dan ook: denk nog eens na over je pensioen. Ik stop een aanbevelingsbrief in je dossier. Of je nu blijft of niet, je krijgt een medaille van de pre-sident van de Verenigde Staten.'

'Dank u, *sir*,' zei Cilke. De directeur schudde hem de hand en liep met hem mee naar de deur. Maar hij had nog één laatste vraag. 'Wat is er van de zaak-Aprile geworden? We zijn al maanden verder en het lijkt wel of er niets bereikt is.'

'Dat is de taak van de NYPD, niet van ons,' zei Cilke. 'Natuurlijk, ik ben ermee bezig geweest. Tot zover geen motieven. Geen aan-knopingspunten. Ik zou denken dat de kans nihil is dat hij wordt opgelost.'

Die avond ging Cilke uit eten met Bill Boxton. 'Goed nieuws,' ver-telde Cilke hem. 'De sigarettenzaak en die van de China-onderde-len zijn gesloten. De procureur-generaal beraadt zich op financië-le sancties in plaats van juridische. Dat maakt een hoop mankracht vrij.'

'Zonder dollen?' zei Boxton. 'Ik heb altijd gedacht dat de direc-teur te vertrouwen was. Recht-door-zee. Neemt hij ontslag?'

'Je hebt lui die recht-door-zee zijn en je hebt lui die wel eens een omweggetje maken,' zei Cilke.

'Anders nog nieuws?' vroeg Boxton.

'Als ik Portella weet uit te schakelen, word ik de rechterhand van de directeur. Gegarandeerd. Maar tegen die tijd ga ik stil le-ven.'

'Ja ja,' zei Boxton. 'Doe voor míj een goed woordje voor die baan.'

'Uitgesloten. De directeur weet dat je een vuilbek bent.' Hij lach-te.

'Shit,' zei Boxton, quasi-teleurgesteld. 'Of is het *fuck*?'

De avond daarop liep Cilke van het station naar huis. Georgette en Vanessa waren een week op bezoek bij Georgettes ouders in Florida, en hij had een hekel aan taxi's. Tot zijn verbazing hoorde hij de honden niet blaffen toen hij de oprit opliep. Toen hij ze riep, gebeurde er niets. Waarschijnlijk scharrelden ze rond in de wijk of in de bossen in de buurt.

Hij miste zijn gezin, vooral rond etenstijd. Hij had 's avonds te vaak alleen of met andere agenten gegeten, in bijna elke stad in Amerika, altijd gespitst op eventueel gevaar. Hij maakte een eenvoudige maaltijd voor zichzelf klaar zoals hij van zijn vrouw had geleerd – groenten, groene salade en een biefstukje. Geen koffie, maar een cognacglaasje brandy. Daarna ging hij naar boven om te douchen en zijn vrouw op te bellen voordat hij met een boek in bed kroop. Hij was dol op boeken en voelde zich altijd ongelukkig als de FBI in detectiveromannetjes werd afgeschilderd als een stelletje ongeregeld. Wat wisten zíj ervan?

Op het moment dat hij de deur naar de slaapkamer opende, rook hij het bloed en begon zijn hoofd in één chaos te draaien. Alle angsten die hij zijn leven lang had onderdrukt, kwamen met een noodgang op hem af.

De twee Duitse herders lagen op zijn bed. Hun bruin-met-witte vacht was besmeurd met rode vegen, hun poten waren samengebonden en om hun snuiten was gaas gewikkeld. Hun harten waren eruit gesneden en lagen boven op hun buiken.

Met grote moeite kreeg hij zijn hersens bij elkaar. Instinctief belde hij zijn vrouw op om zich ervan te verzekeren dat ze niets mankeerde. Hij vertelde haar niets. Daarop belde hij de dienstdoende agent van de FBI en vroeg om een medisch team en de opruimingsdienst. Die moesten al het beddengoed, de matras en het kleed zien te lozen. Hij lichtte niet de plaatselijke autoriteiten in.

Zes uur later waren de FBI-teams vertrokken en schreef hij een rapport aan de directeur. Hij schonk zich een drinkglas brandy in en probeerde de situatie te analyseren.

Even overwoog hij tegen Georgette te liegen en het verhaal op te dissen dat de honden waren weggelopen. Maar dan zou hij toch het verdwenen kleed en beddengoed moeten verklaren. Bovendien zou dat niet eerlijk tegenover haar zijn. Hij stond voor de keus. Boven alles zou ze hem nooit vergeven als hij zou liegen. Hij moest haar de waarheid vertellen.

De volgende dag vloog Cilke eerst naar Washington om met zijn directeur te overleggen en vervolgens naar Florida, waar zijn vrouw en dochter bij zijn schoonouders op vakantie waren.

Daar ging hij, nadat hij met hen had geluncht, met Georgette een wandeling maken langs het strand. Terwijl ze naar het fonkelende blauwe water keken, vertelde hij haar dat de honden waren vermoord, dat het een oude Siciliaanse waarschuwing was om te intimideren.

'Volgens de kranten hebben we dankzij jou in dit land geen maffia meer,' zei Georgette peinzend.

'Min of meer,' zei Cilke. 'We hebben nog een paar drugsorganisaties over en ik weet bijna zeker wie dit op zijn geweten heeft.'

'Die arme honden,' zei Georgette. 'Hoe kunnen mensen zo wreed zijn? Heb je met de directeur gepraat?'

Opeens voelde Cilke irritatie omdat ze zich zo druk maakte om de honden. 'De directeur heeft me drie opties gegeven,' zei hij. 'Dat ik ontslag neem van de Dienst en ga verhuizen. Die optie heb ik geweigerd. De tweede was dat ik onder protectie van de Dienst mijn gezin laat verhuizen tot deze zaak is afgesloten. De derde is dat jij in het huis blijft alsof er niets gebeurd is. Dan krijgen we vierentwintig uur per dag een beveiligingsteam om ons te bewaken. Er zou dan een vrouwelijke agent bij je komen wonen, en jij en Vanessa worden overal door twee bodyguards begeleid. Om het hele huis worden bewakingsposten met de modernste alarmapparatuur geplaatst. Wat vind jij? Over een halfjaar is alles voorbij.'

'Jij denkt dat het allemaal bluf is,' zei Georgette.

'Ja. Ze hebben niet het lef iets te proberen met een federale agent en zijn gezin. Dat zou voor hen gelijkstaan aan zelfmoord.'

Georgette tuurde over het kalme blauwe water van de baai. Haar hand sloot zich vaster om de zijne.

'Dan blijf ik,' zei ze. 'Ik zou je te erg missen, en ik weet dat je deze zaak niet zult laten rusten. Hoe weet je zo zeker dat je er over een halfjaar mee klaar bent?'

'Ik weet het zeker,' zei Cilke.

Georgette schudde haar hoofd. 'Het bevalt me niet dat je daar zo zeker van bent. Doe alsjeblieft niets afschuwelijks. En ik wil één belofte. Als deze zaak is afgesloten, trek je je terug uit de Dienst. Begin je eigen advocatenbureau of ga lesgeven. Zo kan ik de rest van mijn leven niet doorgaan.' Ze was doodernstig.

De zin die bij Cilke in zijn hoofd bleef hangen was dat ze hem te erg zou missen. En zoals zo vaak vroeg hij zich af hoe het mogelijk was dat een vrouw als zij hield van een man als hij. Maar hij had altijd geweten dat ze op een dag die eis zou stellen. Hij zuchtte en zei: 'Ik beloof het.'

Ze zetten hun wandeling langs het strand voort en gingen toen in een groen parkje zitten dat hen tegen de zon beschutte. Een koele bries uit de baai blies het haar van zijn vrouw in de war, waardoor ze er erg jong en gelukkig uitzag. Cilke wist dat hij nimmer zijn belofte aan haar zou kunnen breken. En hij was zelfs trots dat ze zo listig was hem die belofte op exact het uitgelezen moment, nu ze haar leven waagde om aan zijn zijde te blijven, te ontfutselen. Want een vrouw die van je hield maar niet intelligent was, wie zou dat nou willen? Tegelijkertijd wist agent Cilke dat zijn vrouw zich rot zou schrikken, zich vernederd zou voelen om wat hij dacht. Haar listigheid was kennelijk onschuldig. Wie was hij om te oordelen?

Zij had nooit over hem geoordeeld, had nooit iets achter zíjn minder onschuldige listigheden gezocht.

6

Franky en Stace Sturzo hadden een enorme sportzaak in L.A. en een huis in Santa Monica, slechts vijf minuten van Malibu Beach. Ze waren allebei een keer getrouwd geweest, maar hun huwelijken sloegen niet aan, dus woonden ze nu samen.

Ze vertelden nooit aan hun vrienden dat ze een tweeling waren. Het leken niet eens broers, al hadden ze allebei die relaxte openheid en buitengewone atletische lenigheid. Franky had meer charme en was de opvliegendste van de twee. Stace was de evenwichtigste, vrij flegmatiek, maar iedereen vond hen alle twee aardig.

Ze waren lid van zo'n grote, dure sportschool waar L.A. van vergeven is, vol digitale bodybuildapparatuur en grootbeeld tv-schermen aan de muren waar je onder het trainen naar kon kijken. Er was een basketbalveld, een zwembad en zelfs een boksring. De trainers waren knappe, gespierde mannen en vrouwen met strakke lichamen. De broers gebruikten de sportschool om hun conditie op peil te houden, maar ook om contacten te leggen met vrouwen die daar trainden. Voor mannen als zij was het een fantastisch jachtgebied, te midden van hoopvolle actrices die hun lichaam in vorm probeerden te houden en verveelde, verwaarloosde echtgenotes van machtige filmbonzen.

Maar meestal kwamen Franky en Stace er voor de lol een paar rondjes basketbal te spelen. Er kwamen goede spelers – soms zelfs een reserve van de L.A. Lakers. Als Franky en Stace tegen hem hadden gespeeld, hadden ze het gevoel dat ze er zelf ook best wat van konden. Het bracht dierbare herinneringen boven aan de tijd dat ze de sterren van de highschool waren. Maar ze hadden niet de illusie dat ze in een echte wedstrijd zo'n goed figuur zouden slaan. Zíj hadden voluit gespeeld, terwijl het voor die vent van de Lakers alleen maar een lolletje was.

In het restaurant van de sportschool, waar alleen gezonde voeding werd geserveerd, sloten ze vriendschap met de vrouwelijke trainers en medeleden, en soms zelfs met een beroemdheid. Ze amuseerden zich er altijd wel, maar het vulde niet hun leven. Franky was coach van de basketbalploeg van de plaatselijke basisschool, een taak die hij heel ernstig opvatte. Hij hoopte altijd een superster-in-spe te ontdekken, en hij straalde altijd een kameraadschap uit, waardoor de jongens dol op hem waren. Hij had een favoriete trainingstactiek. 'Oké,' zei hij altijd. 'Jullie staan twintig punten achter en er is nog een kwartier te gaan. Jullie komen het veld op en scoren de eerste tien punten. Nu hebben jullie ze waar je ze hebben wilt – jullie kunnen winnen. Het komt nu aan op lef en zelfvertrouwen. Je kunt nog altijd winnen. Jullie staan tien punten achter, dan vijf, en dan staan jullie gelijk. En je hébt ze!'

Natuurlijk werkte het nooit. De jongens waren fysiek nog niet zo ver of mentaal niet sterk genoeg. Het waren nog maar kinderen. Maar Franky wist dat degenen met echt talent die les nooit zouden vergeten en er later iets aan zouden hebben.

Stace beperkte zich tot het runnen van de winkel en hij had het laatste woord over welke klussen ze aannamen als huurmoordenaars. Het risico diende tot een minimum beperkt te zijn, de prijs zo hoog mogelijk. Stace zwoer bij percentages en had ook een sombere imborst. Het grote voordeel voor de broers was dat ze het zelden over iets oneens waren. Ze hadden dezelfde smaak en waren fysiek bijna altijd aan elkaar gewaagd. Soms waren ze in de boksring elkaars sparringpartner of ze speelden man tegen man op het basketbalveld. Dat maakte hun relatie hechter. Ze vertrouwden elkaar volkomen.

Ze waren pas drieënveertig en hun leventje beviel hun heel goed, maar vaak hadden ze het over hertrouwen en een gezin stichten. Franky hield er in San Francisco een maîtresse op na, Stace had een vriendin in Las Vegas, een danseres. Omdat geen van de twee vrouwen duidelijke neiging om te trouwen had, hadden de broers het gevoel dat ze aan het freewheelen waren tot er iemand anders kwam opdagen.

Omdat ze zo aardig waren, maakten ze gemakkelijk vrienden en hadden ze een druk sociaal leven. Maar toch leefden ze het jaar na de moord op de don enigszins in angst. Een man als de don kon niet straffeloos vermoord worden.

Omstreeks november pleegde Stace het afgesproken telefoontje naar Heskow om de tweede vijfhonderdduizend dollar van het

loon te kunnen ophalen. Het gesprek was kort en nogal ambiva-
lent.

'Hallo,' zei Stace. 'We komen over exact een maand. Alles oké?'

Heskow leek blij hem te horen. 'Kan niet beter,' zei hij. 'Alles
staat klaar. Kun je wat preciezer zijn over de tijd? Ik wil niet dat jullie komen als ik de stad uit ben.'

Stace lachte en zei nonchalant: 'We weten je wel te vinden. Oké?
Over een maand ongeveer.' Toen hing hij op.

Het ophalen van het geld was bij een dergelijke deal altijd link.
Soms wilden ze niet zo graag betalen voor iets wat al was gedaan.
Dat kwam niet alleen bij dit soort zaken voor. Achteraf kreeg ie-
mand wel eens last van grootheidswaanzin. Die dacht dan dat hij
niet onderdeed voor een vakman. Dat gevaar liep je nauwelijks bij
Heskow – hij was altijd een betrouwbare tussenpersoon geweest.
Maar het geval van de don was iets bijzonders, net zoals het be-
drag. Dus wilden ze niet dat Heskow greep kreeg op hun plannen.

De broers waren het afgelopen jaar met tennis begonnen, maar
dat was nu net een sport die hun pet te boven ging. Omdat ze over
het algemeen zo goed in sport waren, konden ze dat niet uitstaan,
ook al werd hun uitgelegd dat tennis een sport was die je onder de
knie kreeg als je er van jongs af aan les in had gehad, dat je bepaalde technieken moest beheersen, zoals je een taal moest leren.
Dus hadden ze geregeld dat ze drie weken lang op een tennisranch
in Scottsdale, Arizona, een beginnerscursus konden volgen. Daarvandaan zouden ze dan naar New York reizen voor een ontmoeting met Heskow. Natuurlijk zouden ze in die weken een paar
avonden kunnen doorbrengen in Las Vegas, wat per vliegtuig nog
geen uur af lag van Scottsdale.

De tennisranch was superdeluxe. Franky en Stace kregen een
adobenhuisje met twee slaapkamers en airconditioning, een eet-
kamer in indianenstijl, een zitkamer met balkon en een keuken-
tje. Ze hadden een schitterend uitzicht op de bergen. Er was een in-
gebouwde bar, een grote koelkast en een enorme tv.

Maar de drie weken begonnen vervelend. Een van de instruc-
teurs maakte het Franky lastig. Franky was verreweg de beste van
de beginnersgroep, en hij was met name trots op zijn serve, die
loeihard was en absoluut niet volgens de regels. Maar de instruc-
teur, Leslie heette de man, leek zich daar bijzonder aan te ergeren.

Op een morgen sloeg Franky de bal naar zijn tegenstander, die

118

er op geen stukken na bij kon, dus hij zei trots tegen Leslie: 'Dat is een ace, hè?'

'Nee,' zei Leslie bot. 'Dat is een voetfout. Je teen kwam over de lijn heen. Probeer het nog eens, met een fatsoenlijke serve. Zoals jij het doet, gaat-ie vaker uit dan in.'

Franky serveerde opnieuw: snel en precies. 'Ace, hè?' zei hij.

'Dat is een voetfout,' zei Leslie lijzig. 'En die serve lijkt nergens naar. Zorg eens dat de bal in is. Je bent een heel behoorlijke speler voor een hakker. Scoor eens een punt.'

Franky was gepikeerd, maar hij hield zich in. 'Zet me dan tegenover iemand die geen hakker is,' zei hij. 'Om te zien hoe ik het doe.' Hij wachtte even. 'Jou bijvoorbeeld?'

Leslie keek hem vol walging aan. 'Ik speel niet tegen hakkers,' zei hij. Hij wees naar een jonge vrouw van achter in de twintig, begin dertig. 'Rosie?' zei hij. 'Kom eens een set spelen met Mr. Sturzo?'

De vrouw was net op de baan gekomen. Mooie, gebronsde benen staken onder haar short uit en ze droeg een roze hemdje met het logo van de tennisranch. Ze had een ondeugend, knap gezicht en haar haar zat in een paardenstaart.

'Je moet me een handicap geven,' zei Franky ontwapenend. 'Zo te zien ben je te goed. Ben je instructrice?'

'Nee,' zei Rosie. 'Ik kom hier voor serve-lessen. En Leslie traint me daarin.'

'Geef hem maar een handicap,' zei Leslie. 'Hij is ver onder je niveau.'

Franky zei snel: 'Wat dacht je van twee *games* met elk een set van vier?' Hij wilde best een veer laten.

Rosie schonk hem een korte, aanstekelijke glimlach. 'Nee,' zei ze, 'daar schiet je niks mee op. Jíj moet vragen om twee punten in elke *game*. Dan maak je tenminste een kans. En als we tot *deuce* komen, moet ik met vier winnen en niet met twee.'

Franky gaf haar een hand. 'Kom op,' zei hij. Nu ze dichter bij elkaar stonden, rook hij de zoete geur van haar lichaam. Ze fluisterde: 'Zal ik je laten winnen?'

Franky was opgetogen. 'Nee,' zei hij. 'Met die handicap kun je me nóóit verslaan.'

Ze speelden terwijl Leslie toekeek, die niets over de voetfouten zei. Franky won de eerste twee *games*, maar daarna veegde Rosie de vloer met hem aan. Haar *groundstrokes* waren perfect, en ze had absoluut geen probleem met zijn wijze van serveren. Ze stond steevast waar Franky de bal had geslagen, en al sloeg hij diverse keren *deuce*, ze maakte hem in met 6-2.

'Goh, je bent erg goed voor een hakker,' zei Rosie. 'Maar je bent pas na je twintigste met spelen begonnen, klopt dat?'

'Dat klopt,' zei Franky, die het woord hakker niet meer kon horen.

'Je moet leren slaan en serveren als je nog een kind bent,' zei ze.

'O ja?' plaagde Franky. 'Maar voordat we hier weg zijn, heb ik je ingemaakt.'

Rosie grinnikte. Ze had een brede, gulle mond voor zo'n smal gezicht. 'Natuurlijk,' zei ze. 'Als jij de beste dag van je leven hebt en ik de slechtste.' Franky lachte.

Stace kwam erbij staan en stelde zich voor. Toen zei hij: 'Waarom ga je vanavond niet met ons eten? Franky zal je niet uitnodigen omdat je hem hebt ingemaakt, maar hij gaat tóch wel mee.'

'O, dat is niet waar,' zei Rosie. 'Hij wilde het me nét vragen. Is acht uur goed?'

'Uitstekend,' zei Stace. Hij gaf Franky een mep met zijn racket.

'Op mij kun je rekenen,' zei Franky.

Ze aten in het restaurant op de ranch, een enorme zaal met gewelven en glazen wanden, waardoor je in de woestijn tussen de bergen leek te zitten. Rosie bleek een aanwinst, zoals Franky later tegen Stace zei. Ze flirtte met hen allebei, wist over alle sporten mee te praten en kende haar klassieken uit het verleden en het heden – de grote kampioenschappen, de grote spelers, de grote individuele prestaties. En ze kon goed luisteren: ze hing aan hun lippen. Franky vertelde haar zelfs over het coachen van de kinderen, dat zijn winkel hun de beste spullen leverde, waarop Rosie enthousiast zei: 'Goh, dat is fantastisch, echt fantastisch.' Vervolgens vertelden ze haar dat ze in hun jeugd de sterren van hun highschool waren.

Rosie had ook een gezonde eetlust, wat ze waardeerden in een vrouw. Ze at traag en delicaat. En ze had de neiging bijna quasi-verlegen haar hoofd scheef te houden als ze over zichzelf praatte. Ze studeerde psychologie aan de New York University. Ze kwam uit een tamelijk gegoede familie en had al door heel Europa gereisd. Op highschool was ze een ster in tennis. Maar ze zei dat allemaal met een zelfspot die hen vertederde, en terwijl ze sprak raakte ze steeds hun handen aan om contact met hen te houden.

'Ik weet nog steeds niet wat ik moet doen als ik ben afgestudeerd,' zei ze. 'Met al mijn boekenwijsheid lukt het me in het echte leven nooit om mensen te peilen. Zoals jullie. Jullie vertellen me jullie verleden, jullie zijn een stel vuile charmeurs, maar ik heb geen idee wat jullie drijft.'

'Maak je daar maar geen zorgen over,' zei Stace. 'We zijn niet anders dan we ons voordoen.'

'Mij moet je niets vragen,' zei Franky. 'Op dit moment draait mijn hele leven om de vraag hoe ik met tennis van je kan winnen.'

Na het eten liepen de twee broers met haar mee over het rode lemen pad naar haar huisje. Ze gaf hun allebei een snelle kus op de wang, waarna ze aan hun lot waren overgelaten in de woestijn. Het laatste beeld dat ze met zich meenamen was Rosies parmantige gezicht dat in het maanlicht straalde.

'Ik vind haar buitengewoon,' zei Stace.

'Meer dan dat,' zei Franky.

De rest van Rosies twee weken op de ranch werd ze hun maatje. Laat in de middag, na het tennissen, gingen ze samen golfen. Ze was goed, maar niet zo goed als de broers. Ze konden het balletje werkelijk mijlenver weg slaan en toonden stalen zenuwen op de *green*. Toen een man van middelbare leeftijd van de tennisranch zich bij hen aansloot om met golfen een viertal te formeren, wilde hij Rosie als partner en spelen voor tien dollar per hole. En hoewel hij goed was, verloor hij. Vervolgens wilde hij zich die avond ook voor het eten op de tennisranch bij hen aansluiten. Rosie weerde hem af, tot verrukking van de tweeling. 'Ik probeer een van deze jongens zover te krijgen dat hij met me trouwt,' zei ze.

Stace was degene die Rosie aan het eind van de eerste week in bed wist te krijgen. Franky was die avond naar Las Vegas gegaan om te gokken en om Stace vrij spel te geven. Toen hij om middernacht terugkwam, was Stace niet in de kamer. Toen hij de volgende morgen opdook, vroeg Franky: 'Hoe was ze?'

'Buitengewoon,' zei Stace.

'Vind je het erg als ik een kans waag?' vroeg Franky.

Dat was ongewoon. Ze hadden nooit een vrouw gedeeld; dat was een terrein waar hun smaken verschilden. Stace dacht erover na. Rosie paste perfect bij hen alletwee. Maar ze konden niet met z'n drieën met elkaar om blijven gaan als Stace Rosie kreeg en Franky niet. Tenzij Franky een ander meisje in de combi bracht – en dat zou alles bederven.

'Het is oké,' zei Stace.

Dus ging Stace de volgende avond naar Vegas en waagde Franky zijn kans bij Rosie. Rosie maakte er helemaal geen punt van, en ze was heerlijk in bed – geen nuffige trucjes, gewoon gezonde lol en spelletjes. Ze had er kennelijk geen problemen mee.

Maar de volgende dag, toen ze met z'n drieën aan het ontbijt zaten, wisten Franky en Stace zich geen houding te geven. Ze waren een beetje te formeel en beleefd. Hun volmaakte harmonie was verdwenen. Rosie at haar gebakken eieren met spek en toost op, leunde achterover en zei geamuseerd: 'Moet ik moeilijkheden met jullie verwachten, jongens? Ik dacht dat we maatjes waren.'

Stace zei oprecht: 'Dat komt gewoon omdat we allebei gek op je zijn, en we weten er niet zo goed raad mee.'

Rosie zei lachend: 'Ik weet er wel raad mee. Ik vind jullie allebei hartstikke leuk. We vermaken ons kostelijk. We gaan niet trouwen, en nadat we hier zijn vertrokken, zien we elkaar waarschijnlijk nooit meer. Dan ga ik terug naar New York, en jullie gaan terug naar L.A. Dus laten we het nu niet verpesten, tenzij een van jullie een jaloers type is. In dat geval kunnen we de seks gewoon laten zitten.'

De tweeling was opeens op z'n gemak bij haar. 'Vergeet het maar,' zei Stace.

Franky zei: 'We zijn niet jaloers, en vóór we hier weggaan, zal ik je één keer met tennis verslaan.'

'Je hebt het niet in je vingers,' zei Rosie stellig, maar ze reikte naar hun handen en greep die stevig vast.

'Laten we het vandaag regelen,' zei Franky.

Rosie hield verlegen haar hoofd schuin. 'Ik geef je per *game* drie punten,' zei ze. 'En als je verliest, hou je op met dat macho gezeik.'

Stace zei: 'Ik zet honderd dollar op Rosie.'

Franky keek sluw van de een naar de ander. Met zo'n handicap wilde hij voor geen prijs van Rosie verliezen. 'Maak er maar vijfhonderd van,' zei hij tegen zijn broer.

Rosie had een boosaardige glimlach op haar gezicht. 'En als ik win, is vannacht voor Stace.'

De broers moesten allebei hard lachen. Het deed hun deugd dat Rosie niet zo onberispelijk was, dat ze een stoute kant had.

Eenmaal op de tennisbaan was er voor Franky geen redden aan – niet zijn orkaan van een serve, noch zijn acrobatische *returns* of de drie-puntendeal. Rosie had een *topspin* die ze nog nooit had gebruikt en die Franky overrompelde. Ze maakte hem in met 6-0. Aan het eind van de set gaf ze Franky een kus op zijn wang en fluisterde: 'Morgenavond zal ik het goedmaken met je.' Zoals beloofd ging ze met Stace naar bed nadat ze met z'n drieën hadden gegeten. Zo ging het de rest van de week om en om.

De tweeling bracht Rosie op de dag van haar vertrek met de auto naar het vliegveld. 'Denk erom, mochten jullie ooit in New York komen, bel me dan op,' zei ze. Zij hadden haar al gezegd dat ze te allen tijde bij hen kon logeren als ze in L.A. was. Toen verraste ze hen. Ze stak twee fraai verpakte doosjes omhoog. 'Cadeautjes,' zei ze, en ze glimlachte blij. Toen de tweeling de doosjes openmaakte, vond ieder een navajo-ring met een blauwe steen. 'Als aandenken aan mij.'

Later, toen de broers in de stad gingen winkelen, zagen ze de ringen in de aanbieding voor driehonderd dollar.

'Ze had voor ons ook elk een das kunnen kopen of zo'n stomme cowboyriem van vijftig dollar,' zei Franky. Ze waren buitengewoon in hun sas.

Ze hadden nog een week te gaan op de ranch, maar daarvan spendeerden ze weinig aan tennis. Ze speelden golf en vlogen 's avonds naar Vegas. Maar als regel brachten ze daar nooit de nacht door. Dat was pas een manier om enorm te verliezen – genadeloos afgestraft worden in de kleine uurtjes als je energie uitgeput en je beoordelingsvermogen niet scherp meer was.

Onder het eten spraken ze over Rosie. Geen van beiden wilde een kwaad woord over haar zeggen, al hadden ze in hun hart niet zo veel achting voor haar omdat ze met hen alletwee had geneukt.

'Ze genoot er echt van,' zei Franky. 'Ze werd achteraf nooit vals of narrig.'

'Tja,' zei Stace. 'Ze was buitengewoon. Volgens mij hebben we de volmaakte griet gevonden.'

'Maar ze veranderen altijd,' zei Franky.

'Bellen we haar als we in New York komen?' vroeg Stace.

'Ik wel,' zei Franky.

Een week nadat ze uit Scottsdale waren vertrokken, checkten ze in het Sherry-Netherland Hotel in Manhattan in. De volgende dag huurden ze een auto en reden naar John Heskows huis op Long Island. Toen ze de oprit indraaiden, zagen ze hoe Heskow een dunne laag sneeuw van zijn basketbalveld veegde. Hij stak ter begroeting zijn hand op. Vervolgens gebaarde hij dat ze de garage naast het huis in moesten rijden. Zijn eigen auto stond buiten geparkeerd.

Vóór Stace de auto erin reed, sprong Franky eruit om Heskow een hand te geven, maar in werkelijkheid om dicht bij hem te zijn voor het geval er iets mocht gebeuren.

Heskow deed de deur open en liet hen binnen.

'Alles is geregeld,' zei hij. Hij bracht hen naar boven, naar de enorme kist in de slaapkamer, en maakte die open. Daarin lagen stapels geld van elk vijftien centimeter hoog met een elastiekje eromheen en een opgevouwen leren tas, bijna ter grootte van een koffer. Stace gooide de bundels op het bed. Vervolgens gingen de broers met hun vingers door elke stapel om te controleren of het allemaal honderdjes waren en er geen valse biljetten tussen zaten. Ze telden de biljetten van slechts één bundel en vermenigvuldigden dat met honderd. Daarna laadden ze het geld in de leren tas. Toen ze klaar waren, keken ze Heskow aan. Hij glimlachte. 'Drink een kop koffie voordat jullie gaan,' zei hij. 'Ga pissen, wat je maar wilt.'

'Bedankt,' zei Stace. 'Is er iets wat we moeten weten? Moeilijkheden?'

'Welnee,' zei Heskow. 'Alles loopt op rolletjes. Maar doe niet te opzichtig met de poen.'

'Die is voor onze oude dag,' zei Franky, waarop de broers lachten.

'En zijn kinderen?' vroeg Franky. 'Hebben die nog heibel gemaakt?'

'Die zijn braaf opgevoed,' zei Heskow. 'Het zijn geen Sicilianen. Ze zijn geslaagd in hun carrières. Ze geloven in de wet. En ze boffen dat ze niet verdacht worden.'

De tweeling lachte en Heskow glimlachte. Dat was een goede grap.

'Goh, ik sta paf,' zei Stace. 'Zo'n grote man en zo weinig heibel.'

'Tja, het is nu een jaar geleden en geen kik,' zei Heskow.

De broers dronken hun koffie op en gaven Heskow een hand. 'Hou je taai,' zei Heskow. 'Ik bel jullie misschien nog wel eens.'

'Doe dat,' zei Franky.

Toen ze weer in de stad waren, dumpten ze het geld in een gezamenlijke bankkluis. In twee, eigenlijk. Ze pakten er niet eens wat los geld vanaf om uit te geven. Toen gingen ze terug naar het hotel om Rosie op te bellen.

Ze was verbaasd en blij zo snel weer iets van hen te horen. Haar stem klonk enthousiast toen ze hun op het hart drukte om onmiddellijk naar haar appartement te komen. Dan zou ze hun New York laten zien en hen trakteren. Dus kwamen ze die avond naar haar appartement, waar ze hun een borrel inschonk voordat ze met z'n allen uit eten en naar het theater gingen.

Rosie nam hen mee naar Le Cirque, dat volgens haar het beste restaurant van New York was. Het eten was uitstekend, en hoewel het niet op het menu stond, maakten ze op Franky's verzoek een spaghettischotel klaar zoals ze nog nooit hadden geproefd. De tweeling kon er niet over uit dat een chic restaurant zomaar het eten kon serveren dat ze zo lekker vonden. Ze zagen ook dat de gerant Rosie een zeer speciale behandeling gaf, en dat maakte indruk op hen. Ze amuseerden zich als vanouds kostelijk, terwijl Rosie hen aanspoorde hun verhalen te vertellen. Ze zag er uitzonderlijk mooi uit. Het was voor het eerst dat ze zagen dat ze zich speciaal had gekleed.

Bij de koffie gaven de broers Rosie haar cadeau. Dat hadden ze die middag bij Tiffany's gekocht, verpakt in een paars fluwelen doosje. Hij had vijf meier gekost: een enkel gouden snoer met een met diamanten bezet medaillon van platina.

'Van mij en Stace,' zei Franky. 'We hebben gelapt.'

Rosie was verbluft. Haar ogen gingen vochtig glanzen. Ze schoof de ketting over haar hoofd, zodat het medaillon tussen haar borsten rustte. Toen boog ze zich voorover en kuste hen om de beurt. Een simpele, lieve kus op de lippen die naar honing smaakte.

De broers hadden Rosie ooit verteld dat ze nog nooit naar een Broadway-musical waren geweest, dus de avond daarop nam ze hen mee naar *Les Misérables*. Ze had hun op het hart gedrukt dat ze ervan zouden genieten. En dat deden ze, afgezien van een paar bezwaren. Later, in haar appartement, zei Franky: 'Ik vind het ongelooflijk dat hij Javert, die agent, niet vermoordde toen hij er de kans voor kreeg.'

'Het is een musical,' zei Stace. 'Musicals zijn zelfs als film niet logisch. Daar zijn ze niet voor.'

Maar dat sprak Rosie tegen. 'Daaruit blijkt dat Jean Valjean echt een goed mens is geworden,' zei ze. 'Het gaat over inkeer. Iemand die zondigt en steelt, en zich dan verzoent met de maatschappij.'

Dat irriteerde Stace. 'Wacht eens even,' zei hij. 'Die vent begon als een dief. Eens een dief, altijd een dief. Toch, Franky?'

Nu brandde Rosie los. 'Wat weten jullie nou van een man als Val-jean?' En daar hadden de broers niet van terug. Rosie glimlachte haar goedmoedige glimlach. 'Wie van jullie blijft vannacht?' vroeg ze.

Ze wachtte op een antwoord en zei ten slotte: 'Ik doe niet aan trio's. Jullie moeten om de beurt.'

'Wie wil jíj dat er blijft?' vroeg Franky.

'Ga niet zó beginnen,' zei Rosie. 'Anders maken we er net zo'n fijne relatie van als in de film. Geen geneuk. En dat zou ik vreselijk vinden,' zei ze. 'Ik hou van jullie allebei.'

'Ik ga wel naar huis,' zei Franky. Hij wilde haar duidelijk maken dat ze geen macht over hem had.

Rosie gaf Franky een nachtzoen en liep met hem mee naar de deur. Ze fluisterde: 'Morgenavond zal ik iets speciaals doen.'

Ze hadden nog zes dagen samen. Overdag moest Rosie aan haar scriptie werken, maar 's avonds was ze beschikbaar.

Op een avond namen de broers haar mee naar een wedstrijd van de Knicks in de Garden, en tot hun verrukking begreep ze alle fijne kneepjes van het spel. Na afloop gingen ze naar een luxe *deli* en vertelde Rosie dat ze volgende dag, de dag voor Kerstmis, voor een week de stad uit moest. De broers hadden aangenomen dat ze de kerst met familie zou doorbrengen. Maar nu zagen ze voor het eerst sinds ze haar hadden leren kennen dat ze enigszins depressief was.

'Nee, ik vier Kerstmis in mijn eentje in een huis van mijn familie boven New York. Ik wilde al dat valse kerstgedoe ontlopen om wat te studeren en over mijn leven na te denken.'

'Zie er dan van af en vier Kerstmis met ons,' zei Franky. 'Dan verzetten wij onze vlucht naar L.A.'

'Dat kan niet,' zei Rosie. 'Ik moet studeren, en dat is daarvoor de beste plek.'

'Helemaal alleen?' vroeg Stace.

Rosie boog haar hoofd. 'Ik ben zo'n oen,' zei ze.

'Zullen we soms een paar dagen met je meegaan?' vroeg Franky. 'Dan gaan we na Kerstmis weg.'

'Ja,' zei Stace. 'Wij zijn ook wel toe aan wat rust.'

Rosies gezicht gloeide. 'Lijkt dat jullie echt wat?' vroeg ze blij. 'Wat fantastisch. Dan kunnen we met de kerst gaan skiën. Een halfuur van het huis is een piste. En dan kook ik een kerstmaal.' Ze zweeg even en zei toen aarzelend: 'Maar beloof dat jullie na Kerstmis vertrekken. Ik moet echt werken.'

'We moeten terug naar L.A.,' zei Stace. 'We hebben een zaak.'

'God, wat hou ik van jullie,' zei Rosie.

Stace zei terloops: 'Franky en ik zaten wat te praten. We zijn namelijk nog nooit in Europa geweest, en we dachten: als jij van de zomer klaar bent met je studie kunnen we met zijn drieën gaan. Dan ben jij onze gids. En dan doen we van alles het allerbeste. Een paar weken maar. We zouden een geweldige tijd hebben als je meeging.'

'Ja,' zei Franky. 'We kunnen niet alleen gaan.' Ze moesten alledrie lachen.

'Dat is een prachtidee,' zei Rosie. 'Dan laat ik jullie Londen zien, en Parijs en Rome. En jullie zullen Venetië absoluut goddelijk vinden. Misschien willen jullie nooit meer weg. Maar Jezus, jongens, de zomer is nog ver weg. Ik ken jullie: misschien zitten jullie tegen die tijd achter andere vrouwen aan.'

'We willen jou,' zei Franky bijna boos.

'Ik sta klaar zodra ik het telefoontje krijg,' zei Rosie.

De ochtend van de 23e december stopte Rosie voor hun hotel om de tweeling op te halen. Ze reed in een enorme Cadillac, met in de kofferbak haar grote koffers en een paar vrolijk ingepakte cadeaus, maar met nog wat ruimte over voor hun bescheidener bagage.

Stace installeerde zich op de achterbank en liet Franky naast Rosie voorin rijden. De radio stond aan en ongeveer een uur lang praatte geen van drieën. Dat was nou zo geweldig aan Rosie.

Toen ze zaten te wachten tot Rosie hen kwam ophalen hadden de broers onder het ontbijt een gesprek gehad. Stace zag dat Franky zich geen houding tegenover hem wist te geven, wat bij de tweeling bijna nooit voorkwam.

'Voor de dag ermee,' had Stace gezegd.

'Vat het niet verkeerd op,' zei Franky. 'Ik ben niet jaloers of zo. Maar zou jij van Rosie kunnen afblijven als we daar zijn?'

'Natuurlijk,' zei Stace. 'Ik zeg wel tegen haar dat ik in Vegas een druiper heb opgelopen.'

Franky grijnsde en zei: 'Zo ver hoef je ook weer niet te gaan. Ik wil gewoon proberen haar voor mezelf te houden. Anders hou ik me wel gedeisd en mag jij haar hebben.'

'Je bent een lul,' zei Stace. 'Dan verpest je alles. Luister, we hebben haar niet gedwongen, we hebben haar nergens ingeluisd. Zij wil het zo. En ik vind het fantastisch voor ons.'

'Ik zou het gewoon alleen willen proberen,' zei Franky. 'Voor een poosje.'

'Natuurlijk,' zei Stace. 'Ik ben de oudste broer, ik moet op je passen.' Dat was hun geliefde grap, en inderdaad leek het altijd alsof Stace een paar jaar ouder was dan Franky in plaats van tien minuten.

'Maar je weet dat ze je binnen twee seconden uit de droom zal helpen,' zei Stace. 'Rosie is slim. Ze heeft onmiddellijk door dat je verliefd op haar bent.'

Franky keek zijn broer verbluft aan. 'Ben ik verliefd op haar?' vroeg hij. 'Is dat het? Jezuschristusmaria.' En ze moesten allebei lachen.

Nu had de auto de stad verlaten en reed door de akkers van Westchester County. Franky verbrak het zwijgen. 'Ik heb van m'n leven niet zo veel sneeuw gezien,' zei hij. 'Hoe kan een mens hier in godsnaam leven?'

'Het is hier goedkoop,' zei Rosie.

Stace vroeg: 'Hoe lang nog?'

'Anderhalf uur ongeveer,' zei Rosie. 'Willen jullie dat ik stop?'

'Nee,' zei Franky. 'Laten we maar doorrijden.'

'Tenzij jíj moet stoppen,' zei Stace tegen Rosie.

Rosie schudde haar hoofd. Ze leek vastbesloten, zoals ze met haar handen stevig het stuur beethield en aandachtig naar de traag neerdwarrelende sneeuwvlokken tuurde.

Toen ze ongeveer een uur later door een kleine stad reden, zei ze: 'Nog een kwartiertje.'

De auto reed een steile helling op. Boven op een heuveltje stond een huis: grijs als een olifant, te midden van met sneeuw bedekte akkers. De sneeuw was absoluut zuiver wit en onbetreden – geen voetstappen, geen wielsporen.

Rosie stopte bij de voordeur en ze stapten uit. Ze laadde koffers en de kerstcadeaus voor hen uit. 'Ga maar naar binnen,' zei ze. 'De deur zit niet op slot. Daar doen we hier niet aan.'

Franky en Stace liepen krakend de treden van het portiek op en openden de deur. Ze belandden in een enorme zitkamer met dierenkoppen aan de muren en in een haard die zo groot was als een grot brandde een enorm vuur.

Buiten hoorden ze plotseling de motor van de Cadillac gieren, en op dat moment verschenen zes mannen in de beide ingangen van het huis. Elk met een revolver in de hand, en de leider, een reus van een man met een grote snor, zei met een licht accent: 'Verroer je niet. Laat de pakjes niet vallen.' Vervolgens werden de revolvers tegen hun lichamen gedrukt.

Stace begreep het meteen, maar Franky maakte zich zorgen om Rosie. Het kostte hem zo'n dertig seconden voordat hij het door-had – het gegier van de motor en het feit dat Rosie er niet was. Waarop met het rotste gevoel dat hij van zijn leven gekend had de waarheid tot hem doordrong. Rosie was het aas.

7

De AVOND VÓÓR KERSTAVOND WAS ASTORRE OP EEN FEEST DAT Nicole in haar appartement gaf. Ze had collega's en leden van haar pro-Deo-groepen uitgenodigd, onder meer van de groep die haar het meest na aan het hart lag, de Lobby Tegen de Doodstraf.

Astorre hield wel van een feestje. Hij babbelde graag met mensen die hij nooit meer zou zien en die anders waren dan hij. Soms kwam hij een interessante vrouw tegen met wie hij een kortstondige affaire kreeg. En altijd hoopte hij dat hij verliefd zou worden; dat miste hij. Die avond had Nicole hem herinnerd aan hun tienerromance – niet koket of flirterig, maar vol genegenheid.

'Je hebt mijn hart gebroken toen je mijn vader gehoorzaamde en naar Europa ging,' zei ze.

'Vast wel,' zei Astorre. 'Maar dat heeft je er niet van weerhouden met andere kerels aan te pappen.'

Om een of andere reden was Nicole die avond vreselijk dol op hem. Als een schoolmeisje hield ze innig zijn hand vast, ze kuste hem op de lippen, ze klampte zich aan hem vast alsof ze wist dat hij haar elk moment opnieuw kon ontglippen.

Daar raakte hij van in de war omdat al zijn oude tedere gevoelens weer werden aangewakkerd, maar hij zag in dat het een vreselijke vergissing zou zijn in deze fase van zijn leven weer iets met Nicole te beginnen. Nu hij voor grote beslissingen stond. Uiteindelijk nam ze hem mee naar een groepje mensen en stelde hem voor.

Omdat er die avond een live orkestje was, vroeg Nicole of Astorre met zijn nu gruizige, warm vibrerende stem wilde zingen, wat hij altijd met veel genoegen deed. Samen zongen ze een oude Italiaanse liefdesballade.

Toen hij Nicole een serenade bracht, hield ze hem dicht tegen zich aan en zocht in zijn ogen de diepten van zijn ziel. Toen liet ze hem met een laatste innige kus los.

Naderhand had Nicole een verrassing voor hem. Ze nam hem mee naar een gaste, een onopvallend mooie vrouw met grote, intelligente grijsgroene ogen. 'Astorre,' zei ze, 'dit is Georgette Cilke, voorzitter van de Lobby Tegen de Doodstraf. We werken vaak samen.'

Georgette schudde zijn hand en complimenteerde hem met zijn zang. 'Je doet me denken aan de jonge Dean Martin,' zei ze.

Astorre was verrukt. 'Dank je,' zei hij. 'Dat is mijn held. Ik ken alle songs uit zijn repertoire uit mijn hoofd.'

'Mijn man is ook een grote fan,' zei Georgette. 'Ik hou van zijn muziek, maar niet van de manier waarop hij met vrouwen omgaat.'

Astorre zuchtte, wetend dat hij een eventuele discussie zou verliezen, al zou hij die als een volleerd soldaat van eer niet uit de weg mogen gaan. 'Ja, maar we moeten de artiest en de man gescheiden houden.'

Georgette was geamuseerd door Astorres galante repliek. 'Vind je?' vroeg ze met een wrange glimlach. 'Ik vind dat we een dergelijk gebrek aan gevoel en arrogant gedrag nooit mogen goedpraten.'

Astorre zag in dat Georgette op dit punt geen strobreed zou toegeven, dus beperkte hij zich tot het zingen van een paar maten van een van Dino's beroemdste Italiaanse liedjes. Hij keek diep in haar groene ogen, terwijl hij meedeinde op de melodie en zag dat ze begon te glimlachen.

'Oké, oké,' zei ze. 'Ik moet toegeven dat zijn songs goed zijn. Maar ik ben nog steeds niet bereid hem vrij te pleiten.'

Ze legde even haar hand op zijn schouder, waarna ze wegliep. Het hele feest hield Astorre haar verder in de gaten. Ze was een vrouw die niets deed om haar schoonheid te onderstrepen, maar ze had een aangeboren gratie en hartelijkheid die elke dreiging die schoonheid inhoudt, wegnam. En Astorre werd, zoals iedereen in de kamer, een beetje verliefd op haar. Toch scheen ze zich absoluut niet bewust van de impact die ze op mensen had. Ze had geen greintje flirtgedrag in zich.

Inmiddels had Astorre gelezen wat Marcantonio in verband met de documentaire over Cilke had geschreven: een koppige fret als hij menselijk falen op het spoor zat, koelbloedig en efficiënt in zijn werk. En hij had ook gelezen dat zijn vrouw innig van hem hield. Daar lag het mysterie.

Halverwege het feest kwam Nicole naar hem toe en fluisterde dat Aldo Monza in de salon was.

'Het spijt me, Nicole,' zei Astorre. 'Ik moet weg.'

'Goed,' zei Nicole. 'Ik had gehoopt dat je Georgette beter zou leren kennen. Ze is absoluut de intelligentste, integerste vrouw die ik ooit ben tegengekomen.'

'Tja, ze is mooi,' zei Astorre, en hij bedacht wat een oen hij nog steeds was op het gebied van vrouwen – dat hij na één ontmoeting al enorme fantasieën bouwde.

Toen Astorre de salon binnenkwam, zag hij Aldo Monza ongemakkelijk op een van Nicoles fragiele doch fraaie antieke stoeltjes zitten. Monza stond op en fluisterde hem toe: 'We hebben de tweeling. Ze zijn volledig tot je beschikking.'

Het werd Astorre koud om het hart. Nu zou het beginnen. Nu zou hij op de proef gesteld worden, opnieuw. 'Hoe lang is het rijden?' vroeg hij.

'Minstens drie uur. Er zijn sneeuwstormen.'

Astorre keek op zijn horloge. Het was halfelf. 'Laten we eropaf gaan,' zei hij.

Toen hij het gebouw verliet, was de lucht wit van de sneeuw en waren de geparkeerde auto's half aan het oog onttrokken. Monza had een enorme donkere Cadillac klaarstaan.

Monza reed, met Astorre naast zich. Omdat het erg koud was, draaide Monza de verwarming hoger. Geleidelijk aan veranderde de auto in een oven die naar tabak en wijn rook.

'Ga slapen,' zei Monza tegen Astorre. 'We hebben een lange rit voor de boeg en een nacht van hard werken.'

Astorre ontspande zijn lichaam en liet zijn gedachten door dromen meeslepen. Sneeuw onttrok de weg aan het zicht. Hij dacht terug aan de schroeiende hitte op Sicilië en de elf jaar waarin de don hem had voorbereid op zijn uiteindelijke taak. En hij wist hoe onafwendbaar zijn lot was.

Astorre Viola was zestien jaar oud toen don Aprile hem opdroeg in Londen te gaan studeren. Astorre was niet verbaasd. De don had al zijn kinderen naar privé-scholen gestuurd en hen aan universiteiten volwassen laten worden, niet alleen omdat hij zwoer bij een goede opleiding, maar om hen verre te houden van zijn eigen besognes en manier van leven.

In Londen woonde Astorre in bij een welgesteld echtpaar dat

vele jaren daarvóór uit Sicilië was geëmigreerd en in Engeland blijkbaar een zeer comfortabel bestaan leidde. Het waren mensen van middelbare leeftijd, kinderloos, en ze hadden hun naam Priola veranderd in Pryor. Ze zagen er buitengewoon Engels uit: het Engelse klimaat had hun huid opgebleekt en hun manier van kleden en bewegen was uiterst on-Siciliaans. Mr. Pryor had als hij naar zijn werk ging een bolhoed op en een ingeklapte paraplu in zijn hand. Mrs. Pryor ging gekleed in de bloemetjesjurken met schuin opgezette hoedjes, zoals gebruikelijk bij dikke Engelse matrones.

In de beslotenheid van hun huis keerden ze terug naar hun wortels. Mr. Pryor droeg dan slobberbroeken met boordloze, zwarte overhemden, terwijl Mrs. Pryor gekleed ging in een zeer ruimvallende zwarte jurk en volgens de oude Italiaanse traditie kookte. Hij noemde haar Marizza en zij noemde hem Zu.

Mr. Pryor was werkzaam als directeur van een particuliere bank, filiaal van een grote Palermese bank. Hij behandelde Astorre als een favoriete neef maar bewaarde afstand. Mrs. Pryor legde hem in de watten met eten en affectie alsof hij een kleinzoon was.

Mr. Pryor gaf Astorre een auto en een ruime toelage. De opleiding was van tevoren geregeld: op een kleine obscure universiteit vlak buiten Londen, die gespecialiseerd was in het zaken- en bankwezen, maar ook qua kunstonderwijs een goede naam had. Astorre schreef zich in voor de verplichte vakken, maar zijn ware belangstelling ging uit naar acteer- en zanglessen. Hij vulde zijn programma aan met de keuzevakken muziek en geschiedenis. Het was tijdens zijn verblijf in Londen dat hij verkikkerd raakte op het idee van de vossenjacht – niet het doden en de jacht, maar het gebeuren daaromheen – de rode jasjes, de bruine honden, de zwarte paarden.

Tijdens een acteerles ontmoette Astorre Rosie Conner, een meisje van zijn eigen leeftijd. Ze was buitengewoon mooi, met dat argeloze dat jongemannen in het verderf kan storten en uitdagend werkt op ouderen. Ze had bovendien talent en speelde enkele hoofdrollen in toneelstukken die door de klas werden opgevoerd. Astorre kreeg daarentegen kleinere rollen toegewezen. Hij was wel knap, maar iets in zijn karakter weerhield hem ervan zich helemaal aan een publiek te geven. Rosie kende dat probleem niet. Het was alsof ze het publiek steeds weer smeekte om haar te verleiden.

Ze namen ook samen zangles, en Rosie had bewondering voor Astorres zang. Het was duidelijk dat de docent haar bewondering niet deelde. Hij gaf Astorre zelfs het advies zijn muzieklessen te laten vallen. Hij beschikte over een echt niet meer dan aangename stem, maar wat erger was: hij had geen enkel benul van muziek.

Al na twee weken werden Astorre en Rosie minnaars. Meer op haar dan op zijn initiatief, al was hij tegen die tijd stapelverliefd op haar – zoals alleen iemand van zestien stapelverliefd kan zijn. Hij was Nicole bijna totaal vergeten. Rosie leek zich eerder te amuseren dan dat ze gepassioneerd was. Maar wat straalde ze, ze was verrukt van hem als ze bij hem was. In bed was ze vurig en altijd en in elk opzicht ruimhartig. Ze deelden pas een week het bed toen Rosie een duur cadeau voor hem kocht: een rood rijjasje met een zwarte suède *cap* en een zweepje van zacht leer. Ze gaf ze bij wijze van grap.

Zoals alle jonge geliefden vertelden ze elkaar hun levensverhaal. Rosie vertelde hem dat haar ouders een enorme ranch in Zuid-Dakota bezaten en dat ze haar jeugd in een saaie stad in Plains had gesleten. Uiteindelijk wist ze er weg te komen door erop te staan dat ze in Engeland op de toneelschool wilde. Maar haar jeugd was niet geheel nutteloos geweest. Ze had leren paardrijden, jagen en skiën, en in highschool had ze zowel in de toneelklas als op de tennisbaan geschitterd.

Astorre had zijn hart bij haar uitgestort. Hij vertelde haar dat hij dolgraag zanger wilde worden, hoe heerlijk hij het leven in Engeland vond, met die oude middeleeuwse bouwwerken, de koninklijke praal, de polowedstrijden en vossenjachten. Maar hij sprak nooit met haar over zijn oom, don Raymonde Aprile, en zijn bezoeken aan Sicilië als kind.

Ze wilde dat hij zijn rijtenue aantrok, waarna ze hem uitkleedde. 'Je bent zo knap,' zei ze. 'Misschien ben je in een vorig leven een Engelse lord geweest.'

Dat was de enige kant van haar waar Astorre niet veel mee ophad. Ze geloofde werkelijk in reïncarnatie. Maar als ze daarna met hem vrijde, vergat hij alles om zich heen. Het leek wel of hij nog nooit zo gelukkig geweest was, behalve op Sicilië.

Maar na een jaar nam Mr. Pryor hem mee naar zijn kamer, waar hij hem slecht nieuws verkondigde. Mr. Pryor droeg een knickerbocker met een boerse wollen kiel en had een geruite pet op zijn hoofd waarvan de klep zijn ogen verduisterde.

Hij zei tegen Astorre: 'We waren blij dat je bij ons was. Mijn vrouw geniet van je zang. Maar nu moeten we helaas afscheid van elkaar nemen. Don Raymonde heeft opdracht gegeven dat je bij zijn goede vriend Bianco op Sicilië moet gaan wonen. Daar moet je iets leren. Hij wil dat je opgroeit als een Siciliaan. Je weet wat dat betekent.'

Astorre was weliswaar geschrokken van het nieuws, maar hij betwijfelde geen moment dat hij moest gehoorzamen. En al verlangde hij nog zo terug naar Sicilië, de gedachte dat hij Rosie nooit meer zou zien vond hij onverdraaglijk. Hij zei tegen Mr. Pryor: 'Als ik eens per maand naar London kom, mag ik dan bij u logeren?'

'Ik zou gekwetst zijn als je dat niet deed,' had Mr. Pryor gezegd. 'Maar hoezo?'

Astorre vertelde over Rosie, bekende zijn liefde voor haar.

'Aha,' zei Mr. Pryor met een zucht van vreugde. 'Je boft maar dat je moet scheiden van de vrouw die je liefhebt. De ware extase. En dat arme meisje, wat zal ze lijden. Ga maar, maak je geen zorgen. Geef mij haar naam en adres zodat ik op haar kan passen.'

Astorre en Rosie hadden wenend afscheid genomen. Hij had gezworen dat hij elke maand terug zou vliegen naar Londen om bij haar te zijn. Zij had gezworen dat ze nooit een andere man zou aankijken. Het was een verrukkelijke scheiding. Astorre maakte zich zorgen om haar. Met haar verschijning, haar opgewekte manier van doen en haar glimlach stond ze altijd aan verleidingen bloot. De eigenschappen waarom hij van haar hield, vormden ook een constant gevaar. Hij had het zo vaak gezien: zoals elke minnaar geloofde dat elke man op aarde de vrouw van wie hij hield begeerde, dat ook híj vanzelfsprekend werd aangetrokken door haar schoonheid, haar geest en opgewekte natuur.

De volgende dag al zat Astorre in het vliegtuig naar Palermo. Daar werd hij afgehaald door Bianco, maar een drastisch veranderde Bianco. De reus droeg nu een aangemeten pak en een witte, breedgerande hoed. Hij kleedde zich naar zijn status, want tegenwoordig had Bianco's *cosca* het voor het zeggen bij de wederopbouw van het door de oorlog geteisterde Palermo. Een welvarend bestaan, jawel, maar veel gecompliceerder dan weleer. Nu moest hij alle ambtenaren van de gemeente en het ministerie in Rome omkopen en zijn territorium veiligstellen tegen rivaliserende *coscas*, zoals de machtige Corleonesi.

Octavius Bianco omarmde Astorre, memoreerde de ontvoering van lang geleden en stelde hem op de hoogte van don Raymondes instructies. Astorre zou opgeleid worden tot Bianco's lijfwacht en leerling in zakentransacties. Dat zou minstens vijf jaar duren, maar aan het eind van die termijn zou Astorre een echte Siciliaan zijn en derhalve het vertrouwen van zijn oom waardig. Hij had een voorsprong: dankzij zijn bezoeken in zijn jeugd sprak hij het Siciliaanse dialect alsof hij er geboren was.

Bianco woonde in een enorme villa aan de rand van Palermo, waar vierentwintig uur per dag bedienden en een peloton bewakers actief waren. Vanwege zijn rijkdom en macht onderhield hij tegenwoordig intieme connecties met de crème de la crème van Palermo. Overdag werd Astorre getraind in schieten, kennis van explosieven en kreeg hij les in lassowerpen. 's Avonds introduceerde Bianco hem bij vrienden thuis en in de espressobars. Soms gingen ze naar chique bals, waar Bianco de lieveling van rijke, conservatieve weduwes was en Astorre tedere liefdesliedjes voor hun dochters kweelde.

Wat Astorre het meest verbaasde was het onverholen omkopen van hooggeplaatste ambtenaren uit Rome.

Op een zondag kwam de Italiaanse minister van Wederopbouw op bezoek en nam doodleuk, zonder een spoor van schaamte, een koffer vol contant geld aan, waarvoor hij Bianco uitvoerig bedankte. Hij legde bijna verontschuldigend uit dat de helft van het geld naar de premier van Italië moest gaan. Later, toen Astorre en Bianco weer thuis waren, had Astorre gevraagd of dat zomaar kon.

Bianco had zijn schouders opgehaald. 'Niet de helft, maar ik hoop wel íéts. Het is een eer om Zijne Excellentie wat zakgeld toe te stoppen.'

Het daaropvolgende jaar bezocht Astorre Rosie diverse keren in Londen, waarvoor hij voor slechts één dag en een nacht overvloog. Voor hem waren het paradijselijke nachten.

Dat jaar kreeg hij ook zijn vuurdoop. Tussen Bianco en de Corleonesi-*cosca* was een wapenstilstand van kracht. Een van de leiders van de Corleonesi was Tosci Limona. Een klein mannetje met een afschuwelijke hoest, een indrukwekkende haviksneus en diepliggende oogjes. Zelfs Bianco bekende dat hij zich niet veilig bij hem voelde.

De ontmoeting tussen de beide leiders zou op neutraal terrein plaatsvinden, in aanwezigheid van een van Siciliës hoogstgeplaatste magistraten.

Deze rechter, die de Leeuw van Palermo werd genoemd, ging prat op zijn grenzeloze corruptie. Hij wist strafvermindering voor wegens moord veroordeelde maffialeden te krijgen en weigerde akkoord te gaan met hoger beroep. Hij maakte geen geheim van zijn vriendschappelijke betrekkingen met de *coscas* van Corleone en Bianco. Vijftien kilometer buiten Palermo bezat hij een immens landgoed, en daar zou de ontmoeting plaatshebben om eventuele gewelddadigheden uit te sluiten.

Beide leiders hadden toestemming vier lijfwachten mee te brengen. Tevens deelden ze in het honorarium van de Leeuw voor het organiseren en leiden van de vergadering en, uiteraard, voor het huren van zijn huis.

Met zijn enorme witte haardos waaronder zijn gezicht schuilging, was de Leeuw het prototype van de jurisdictie.

Astorre, als commandant van Bianco's groep lijfwachten, was onder de indruk van de waardering die de twee mannen voor elkaar bleken te hebben. Limona en Bianco hielden niet op elkaar te omarmen, op de wangen te kussen en hartelijk de hand te schudden. Ze lachten en fluisterden intiem met elkaar tijdens een overdadig diner dat de Leeuw hun offreerde.

Dus was hij verbaasd toen het feest achter de rug was en hij met Bianco alleen was, en laatstgenoemde tegen hem zei: 'We moeten heel erg oppassen. Die klootzak van een Limona wil ons allemaal van kant maken.'

En Bianco kreeg gelijk.

Een week daarna werd een politie-inspecteur die op Bianco's loonlijst stond vermoord toen hij op weg naar zijn maîtresse zijn huis verliet. Twee weken daarna werd een van Palermo's hoge pieten, en een van Bianco's partners in de aannemersbranche, gedood door een squadron gemaskerde mannen dat zijn huis binnendrong en hem doorzeefde met kogels.

Bianco reageerde door meer lijfwachten te nemen en extra veiligheidsmaatregelen te treffen voor zijn vervoermiddelen. De Corleonesi waren berucht om hun kennis van munitie. Bianco bleef tevens dicht in de buurt van zijn villa.

Maar er kwam een dag dat hij Palermo in moest om twee hooggeplaatste gemeenteambtenaren te betalen. Hij besloot aldaar in zijn favoriete restaurant te dineren. Hij koos een Mercedes uit en een lijfwacht die een uitstekend chauffeur was. Een auto reed voor hem uit en een auto reed achter hem, elk met, buiten de chauffeurs, twee gewapende mannen.

Ze reden over een brede boulevard toen plotseling een motorfiets met daarop twee personen uit een zijweg stoof. De bijrijder had een Kalashnikov-geweer in zijn handen en vuurde kogels af op de auto. Maar Astorre had Bianco al op de grond geduwd en vuurde terug terwijl de motorrijder wegstoof. De motor sloeg een andere zijweg in en verdween.

Drie weken later werden, door het donker aan het zicht onttrokken, vijf mannen gevangengenomen en naar Bianco's villa gebracht, waar ze vastgebonden in de kelder werden verborgen. 'Dat zijn Corleonesi,' had Bianco tegen Astorre gezegd. 'Kom mee naar de kelder.'

De mannen waren op Bianco's klassieke manier gekneveld: met hun handen en voeten bij elkaar. Gewapende wachten torenden boven hen uit. Bianco pakte een van hen zijn geweer af en schoot zonder een woord te zeggen alle vijf mannen in hun achterhoofd.

'Gooi ze in de straten van Palermo,' commandeerde hij. Toen wendde hij zich tot Astorre. 'Heb je eenmaal besloten een man te doden, spreek dan nooit tegen hem. Dat zou het voor jullie beiden ongemakkelijk maken.'

'Waren dat de motorrijders?' had Astorre gevraagd.

'Nee,' zei Bianco. 'Maar deze zullen hun nut hebben.'

En inderdaad. Vanaf dat moment heerste er vrede tussen de Palermese *cosca* en de Corleonesi.

Astorre was al bijna twee maanden niet in Londen terug geweest om Rosie op te zoeken. Op een ochtend had hij een telefoontje van haar gekregen. Hij had haar zijn nummer gegeven, dat ze slechts in noodgevallen mocht gebruiken.

'Astorre,' had ze op heel rustige toon gezegd. 'Kun je onmiddellijk terugvliegen? Ik zit geweldig in de nesten.'

'Zeg me wat er is,' had Astorre gezegd.

'Dat kan niet,' zei Rosie. 'Maar als je echt van me houdt, kom je.'

Toen Astorre toestemming vroeg om te vertrekken, zei Bianco: 'Neem geld mee.' En hij gaf hem een grote stapel Engelse ponden.

Toen Astorre bij Rosies appartement aankwam, liet ze hem snel binnen en deed achter hem behoedzaam de deur in het slot. Ze was doodsbleek en had een dikke badjas om zich heen die hij nooit eerder had gezien. Ze gaf hem een snelle, dankbare kus. 'Je zult vást heel boos op me worden,' zei ze treurig.

Omdat Astorre op dat moment dacht dat ze zwanger was, haastte hij zich te zeggen: 'Lieverd, op jou kan ik nooit boos worden.'

Ze omhelsde hem stevig. 'Je bent al ruim een jaar weg, weet je. Ik heb erg mijn best gedaan om trouw te blijven. Maar dat is een lange tijd.'

138

Plotseling was Astorres hoofd helder, koel. Daar had je het weer: verraad. Maar er was nog iets anders. Waarom had ze gewild dat hij zo snel zou komen? 'Oké,' zei hij. 'Waarom ben ik hier?'

'Je moet me helpen,' zei Rosie, en ze trok hem mee naar de slaapkamer.

Er lag iets in het bed. Toen Astorre de lakens wegtrok, zag hij een man van middelbare leeftijd die op zijn rug lag, weliswaar helemaal naakt, maar hij lag er waardig bij. Dat was deels te danken aan een zilvergrijze sik, of wellicht eerder aan de fijne groeven in zijn gezicht. Zijn lichaam was nietig en mager, met een dichte vacht op zijn borst. Maar het allervreemdste was dat hij over zijn open ogen een bril met een gouden montuur op had. En al was zijn hoofd wat groot voor zijn lichaam, het was een knappe man. Hij was zo dood als Astorre zich maar kon voorstellen, ondanks het feit dat er geen wonden te zien waren. De bril hing scheef, en Astorre stak zijn hand uit om hem recht te zetten.

Rosie fluisterde: 'We waren aan het vrijen en toen kreeg hij van die vreselijke spiertrekkingen. Hij heeft vast een hartaanval gehad.'

'Wanneer is dit gebeurd?' vroeg Astorre. Hij had nogal een shock gekregen.

'Vannacht,' zei Rosie.

'Waarom heb je niet met spoed het ziekenhuis gebeld?' vroeg Astorre. 'Het is jouw schuld niet.'

'Hij is getrouwd, en misschien is het wél mijn schuld. We hebben poppers gebruikt. Hij had moeite met klaarkomen.' Ze zei het zonder gêne.

Astorre was werkelijk perplex van haar zelfbeheersing. Terwijl hij naar het lijk keek, kreeg hij de eigenaardige aanvechting om de man aan te kleden en zijn bril af te zetten. Hij was te oud om naakt te zijn, minstens vijftig – het hoorde niet. Hij zei, zonder het vals te bedoelen maar met het ongeloof van de jeugd, tegen Rosie: 'Wat zag je in die vent?'

'Hij was mijn geschiedenisleraar,' zei Rosie. 'Heel erg lief, heel aardig. Het kwam plotseling in ons op. Dit was pas de tweede keer. Ik was zo eenzaam.' Ze zweeg even en zei, terwijl ze hem recht in de ogen keek: 'Je moet me helpen.'

'Weet iemand dat hij met je omging?' vroeg Astorre.

'Nee.'

'Ik vind toch dat we de politie moeten bellen.'

'Nee,' zei Rosie. 'Als je bang bent, regel ik het zelf wel.'

'Kleed je aan,' zei Astorre terwijl hij haar streng aankeek. Hij trok het laken weer over de dode man heen.

Een uur later waren ze bij Mr. Pryors huis. Hij deed zelf open. Zonder iets te zeggen bracht hij hen naar de werkkamer en luisterde naar hun relaas. Hij voelde erg met Rosie mee en klopte sussend op haar hand, waardoor ze in tranen uitbarstte. Mr. Pryor zette zijn pet af en maakte klokkende geluiden van medeleven.

'Geef mij de sleutels van je appartement,' zei hij tegen Rosie. 'Blijf vannacht hier. Morgen kun je naar huis, dan is alles in orde. Dan is je vriend verdwenen. Daarna blijf je een week hier voordat je teruggaat naar Amerika.'

Mr. Pryor wees hun hun slaapkamer alsof hij in de veronderstelling verkeerde dat er niets was gebeurd dat hun liefdesrelatie zou kunnen verstoren. Vervolgens nam hij afscheid van hen om de zaak te regelen.

Astorre had die nacht nooit kunnen vergeten. Hij had met Rosie op het bed gelegen, terwijl hij haar troostte en haar tranen droogde. 'Het was pas de tweede keer,' fluisterde ze. 'Het stelde niets voor, en we waren zulke goede vrienden. Ik miste je. Ik bewonderde hem om zijn hersens, en op een avond is het gewoon gebeurd. Hij kon niet klaarkomen, en ik vind het vreselijk dit over hem te vertellen, maar zijn erectie verslapte ook nog. Dus vroeg hij om de poppers.'

Ze leek zo kwetsbaar, zo gekwetst, zo gebroken door het drama, dat Astorre haar alleen maar kon troosten. Maar één ding liet hem niet los. Ze was meer dan vierentwintig uur met een lijk in haar huis gebleven tot hij kwam. Dat was een raadsel, en als er één raadsel was, waren er misschien wel meer. Maar hij veegde haar tranen weg en kuste haar wangen om haar te troosten.

'Wil je me ooit nog zien?' vroeg ze, terwijl ze haar gezicht in zijn schouder begroef, waardoor hij de zachtheid van haar lichaam voelde.

'Natuurlijk wel,' zei Astorre. Maar in zijn hart was hij daar niet zo zeker van.

De volgende morgen was Mr. Pryor teruggekomen en had hij tegen Rosie gezegd dat ze terug kon gaan naar haar flat. Rosie omhelsde hem dankbaar, wat hij van harte accepteerde. Hij had een auto voor haar klaarstaan.

Toen ze weg was, had Mr. Pryor, deftig met zijn bolhoed en paraplu, Astorre naar het vliegveld gebracht. 'Maak je geen zorgen over haar,' zei hij. 'Wij zullen alles regelen.'

140

'Houd me op de hoogte,' zei Astorre.

'Natuurlijk. Het is een geweldige meid, een maffiavrouw. Je moet haar haar kleine zonde vergeven.'

8

In DIE JAREN OP SICILIË WERD ASTORRE KLAARGESTOOMD TOT EEN
Man van Kaliber. Hij had zelfs een squadron van zes van Bianco's
cosca-mannen naar Corleone aangevoerd bij de terechtstelling van
hun voornaamste bommenlegger, een man die een Italiaanse le-
geradmiraal en twee van de kundigste anti-maffiamagistraten van
Sicilië had opgeblazen. Een hachelijke inval, waarmee zijn reputatie in de hoogste kringen van de door Bianco geleide Palermo-*cosca*
was gevestigd.

Astorre had ook een druk sociaal leven geleid en frequenteerde
de bars en nachtclubs van Palermo – voornamelijk om in contact
te komen met mooie vrouwen. In Palermo struikelde je over de
jonge maffia-*picciotti* – voetvolk – van diverse *coscas*, die allemaal
hun mannelijkheid wilden bewijzen en er angstvallig voor zorg-
den een goed figuur te slaan met hun maatpakken, gemanicuur-
de handen en die hun haar zo strak achterover hadden geplakt dat
het een deel van hun huid leek. Allemaal deden ze alles om indruk
te maken – gevreesd of geliefd te zijn. De jongsten waren nog tieners met smalle, verzorgde snorren en lippen zo rood als koraal.
Ze gunden een andere man geen enkele ruimte, en Astorre meed
hen. Ze waren meedogenloos, bereid om zelfs iemand van de
hoogste rang in hun milieu te vermoorden, waarmee ze zichzelf
van een vrijwel onmiddellijke dood verzekerden. Want de moord
op een medelid van de maffia werd, net zoals het verleiden van
zijn vrouw, bestraft met de dood. Om hun trots niet te krenken
was Astorre die *picciotti* altijd met een gemoedelijke eerbied tegemoet getreden. En hij was populair onder hen. Een voordeel was
dat hij min of meer verliefd was op Buji, een danseres in een club,
en op die manier voorkwam dat hij in hartszaken in hun vaarwa-
ter kwam.

Astorre was enkele jaren Bianco's rechterhand tegen de Corleonesi-*cosca*. Om de zoveel tijd ontving hij instructies van don Aprile, die niet langer jaarlijks zijn bezoek aan Sicilië bracht.

Het grote twistpunt tussen de Corleonesi- en Bianco's *cosca* was een kwestie van lange-termijnstrategie. De Corleonesi hadden gekozen voor een terreurregime tegen de autoriteiten. Ze slachtten onderzoeksrechters af en bliezen generaals op die naar Sicilië waren gestuurd om daar de maffia te onderdrukken. Bianco geloofde dat dat op de lange duur nadelig kon werken, ondanks diverse directe voordelen. Maar zijn protesten hadden tot gevolg dat zijn eigen vrienden werden vermoord. Toen Bianco represailles nam, liep het bloedbad zo uit de hand dat beide partijen het weer op een bestand lieten aankomen.

Tijdens zijn jaren op Sicilië had Astorre één goede vriend gemaakt. Nello Sparra was vijf jaar ouder dan Astorre en speelde met een orkest in een Palermese nachtclub waar de gastvrouwen erg mooi waren en waarvan sommigen dienst deden als elite-prostituees.

Nello had geen gebrek aan geld – hij scheen diverse bronnen van inkomsten te hebben. Hij kleedde zich schitterend in de Palermese maffiastijl. Hij was altijd optimistisch en voor avontuur te porren, en de meiden in de club waren dol op hem omdat hij hun op hun verjaardag en voor feestdagen presentjes gaf. En ook omdat ze vermoedden dat hij een van de geheime eigenaren van de club was, een nette en veilige werkplek dankzij de strikte bewaking van de Palermese *cosca* die alle vermaak in de provincie in handen had. De meiden waren maar al te blij als ze met Nello en Astorre mee mochten naar privé-party's en excursies buiten de stad.

Buji was een rijzige, opvallende en voluptueuze brunette die in Nello Sparra's club danste. Ze was fameus om haar temperament en het feit dat ze haar minnaars zelf uitzocht. Ze lonkte nooit naar een *picciotto*. De mannen die haar het hof maakten, dienden te beschikken over geld en macht. Ze had de reputatie te koop te zijn op de eerlijke, open manier die men als maffioos beschouwde. Ze vergaarde kostbare geschenken, maar dankzij haar schoonheid en vuur liepen de rijke mannen van Palermo zich het vuur uit de sloffen om aan haar behoeften te voldoen.

143

Door de jaren heen was de verhouding die Buji en Astorre waren aangegaan gevaarlijk veel op ware liefde gaan lijken. Astorre was Buji's favoriet, al aarzelde ze niet hem in de steek te laten voor een rendabel weekend met een rijke Palermese zakenman. Toen ze dat voor het eerst deed, had Astorre geprobeerd haar daar verwijten over te maken, maar ze had hem overbluft met haar gezonde verstand.

'Ik ben eenentwintig jaar,' zei ze. 'Mijn schoonheid is mijn kapitaal. Als ik dertig ben, kan ik huisvrouw worden met een stel kinderen, of onafhankelijk en rijk zijn met mijn eigen winkeltje. Natuurlijk, we hebben het leuk samen, maar jij gaat uiteindelijk terug naar Amerika, waar ik absoluut niet heen wil – en waar jij mij niet naar toe wilt meenemen. Laten we gewoon als vrije mensen plezier maken. En ondanks alles zul je het beste van me krijgen voordat ik genoeg van je krijg. Dus hou op met die onzin. Ik moet voor mezelf zorgen.' Waarna ze er slinks aan toevoegde: 'Bovendien is jouw beroep zo gevaarlijk dat ik niet op je kan rekenen.'

Nello bezat een immense villa buiten Palermo, aan zee. Met tien slaapkamers was die groot genoeg voor hun feesten. In de tuin waren een zwembad in de vorm van het eiland Sicilië plus twee tennisbanen met gravel, die zelden werden gebruikt.

Tijdens de weekends werd de villa bevolkt door Nello's uitgebreide familie, die van het platteland op bezoek kwam. De kinderen die niet konden zwemmen werden met hun speelgoed en oude tennisrackets naar de tennisbanen verbannen, waar ze met de gele tennisballetjes voetbalden tot die als gele vogeltjes over het gravel verspreid lagen.

Astorre werd bij dit familieleven betrokken, en geaccepteerd als een geliefde neef. Nello werd voor hem als een broer. 's Avonds vroeg Nello hem zelfs bij het orkest op het podium te komen en dan zongen ze Italiaanse liefdesballaden voor het publiek, dat hen toejuichte van enthousiasme, en tot verrukking van de gastvrouwen.

De Leeuw van Palermo, die uiterst corrupte rechter, had wederom zijn huis en zijn aanwezigheid ter beschikking gesteld voor een overleg tussen Bianco en Limona. Wederom mocht elk van hen vier lijfwachten meenemen. Bianco was voor de lieve vrede zelfs bereid een klein deel van zijn Palermese aannemersimperium op te geven.

Astorre nam geen risico. Hij en zijn drie bewakers waren ter gelegenheid van het overleg zwaarbewapend.

Limona en zijn entourage wachtten al in de woning van de magistraat toen Bianco, Astorre en de lijfwachten arriveerden. Er was een diner met vele gangen bereid. Geen van de lijfwachten schoof aan tafel aan, alleen de magistraat – zijn dichte, witte haardos werd uit zijn gezicht gehouden met een roze lint – en Bianco en Limona. Limona at erg weinig, maar was extreem minzaam en ontvankelijk voor Bianco's uitingen van affectie. Hij beloofde dat er een eind zou komen aan de moorden op ambtenaren, met name de ambtenaren die onder Bianco vielen.

Toen het diner ten einde liep en ze aanstalten maakten om naar de zitkamer te gaan voor een laatste gesprek, excuseerde de Leeuw zich en zei dat hij over vijf minuten terug zou komen. Dat deed hij met een verontschuldigende glimlach, waardoor ze begrepen dat hij gehoor ging geven aan de roep der natuur.

Limona trok nog een fles wijn open en vulde Bianco's glas. Astorre liep naar het raam en keek uit over de brede oprijlaan. Er stond een eenzame auto te wachten, en terwijl hij keek, verscheen het grote witte hoofd van de Leeuw van Palermo op de oprijlaan. De magistraat stapte in zijn auto, die snel wegreed.

Astorre aarzelde geen seconde. Zijn hersens legden onmiddellijk de stukjes in elkaar. Zijn revolver lag in zijn hand zonder dat hij er zelfs bij nadacht. Limona en Bianco hadden hun armen verstrengeld en dronken uit hun glazen. Astorre kwam dicht naast hen staan, bracht zijn revolver omhoog en vuurde in Limona's gezicht. De kogel raakte eerst het glas voordat hij Limona's mond binnendrong, en glasscherven schoten als diamanten over de tafel. Onmiddellijk richtte Astorre zijn revolver op Limona's vier lijfwachten en vuurde. Zijn eigen mannen hadden hun wapens getrokken en begonnen te schieten. De lijken vielen op de vloer.

Bianco keek hem stomverbaasd aan.

Astorre zei: 'De Leeuw heeft de villa verlaten,' en Bianco begreep meteen dat het een val was geweest.

'Je moet voorzichtig zijn,' zei Bianco tegen Astorre met een gebaar naar Limona's lijk. 'Je krijgt vast zijn vrienden achter je aan.'

Het is voor een eigenzinnig man mogelijk om loyaal te zijn, maar het valt niet mee om te voorkomen dat hij in moeilijkheden komt. Dat bleek maar weer bij Pietro Fissolini. Als gevolg van don

Raymondes uitzonderlijke blijk van genade jegens hem had Fissolini de don nooit bedrogen, maar wel zijn eigen familie. Hij verleidde de vrouw van zijn neef Aldo Monza. En dat gebeurde vele jaren na zijn gelofte aan de don, toen hij zestig was.

Dat was uiterst onbezonnen. Toen Fissolini de vrouw van zijn neef verleidde, verspeelde hij zijn leiderschap over de *cosca*. Want in de afzonderlijke maffiagroeperingen dient men, wil men aan de macht blijven, familie boven alles te plaatsen. Wat de situatie des te hachelijker maakte, was dat de vrouw de nicht van Bianco was. Bianco zou geen wraak van de echtgenoot op zijn nicht dulden. De echtgenoot zou onvermijdelijk Fissolini, zijn lievelingsoom en hoofd van de *cosca*, moeten doden. Twee gewesten zouden dan in een bloedige strijd verwikkeld raken, wat de bevolking op het platteland zou decimeren. Astorre zond bericht naar de don om hem instructies te vragen.

Het antwoord kwam: 'Je hebt hem eens gered; je moet opnieuw een beslissing nemen.'

Aldo Monza was een van de leden van de *cosca* en van de grote familie die het hoogst in aanzien stonden. Hij was een van de mannen wiens leven die jaren daarvóór gespaard was gebleven door de don. Dus toen Astorre hem naar het dorp van de don riep, kwam hij meteen. Astorre had Bianco weggehouden bij de ontmoeting, maar hem ervan verzekerd dat hij de nicht zou beschermen.

Monza was groot voor een Siciliaan: bijna één meter tachtig. Hij was schitterend gebouwd omdat zijn lichaam van kindsbeen af met hard werken was gevormd. Maar hij had diepliggende ogen en de huid zat zo strak over zijn gezicht gespannen dat zijn hoofd wel een doodskop leek. Dat gaf hem een bijzonder onaantrekkelijke, gevaarlijke – en in zekere zin tragische – uitstraling. Monza was het intelligentst en het hoogst geschoold van Fissolini's *cosca*. Hij had in Palermo voor dierenarts gestudeerd en droeg altijd zijn dokterskoffertje met zich mee. Hij had een aangeboren voorliefde voor dieren en zijn hulp werd vaak ingeroepen. Toch was hij een even fanatieke aanhanger van de Siciliaanse erecode als elke boer. Na Fissolini was hij de machtigste man in de *cosca*.

Astorre had zijn besluit genomen. 'Ik ben hier niet om voor Fissolini's leven te pleiten. Ik heb begrepen dat je *cosca* het eens is over je vergelding. Ik begrijp je verdriet. Maar ik ben gekomen om te pleiten voor het leven van de moeder van je kinderen.'

Monza keek hem strak aan. 'Ze was een verraadster, van mij en mijn kinderen. Ik kan haar niet laten leven.'

'Luister naar me,' zei Astorre. 'Niemand zal Fissolini willen wreken. Maar die vrouw is Bianco's nicht. Hij zal vergelding willen voor haar dood. Zijn *cosca* is sterker dan die van jou. Dat zal een bloedige oorlog worden. Denk aan je kinderen.'

Monza wuifde minachtend met zijn hand. 'Wie weet zijn ze niet eens van mij. Het is een hoer.' Hij zweeg even. 'En ze zal sterven als een hoer.' Zijn gezicht kreeg een moordlustige gloed. Hij was buiten zichzelf. Hij zou de hele wereld wel willen vernietigen.

Astorre probeerde zich voor te stellen wat voor leven de man in zijn dorp had: zijn vrouw verloren, zijn waardigheid aangetast door zijn oom en zijn vrouw.

'Luister heel goed,' zei Astorre. 'Jaren geleden heeft don Aprile je leven gespaard. Nu vraagt hij deze gunst. Neem wraak op Fissolini; we weten dat je daartoe verplicht bent. Maar spaar je vrouw, dan zal Bianco regelen dat zij en de kinderen naar familie in Brazilië gaan. En wat jezelf betreft: ik doe je dit voorstel met de goedkeuring van de don. Ga met mij mee als mijn persoonlijke assistent, mijn vriend. Je zult een rijk en boeiend leven krijgen. En dan word je de schande in je dorp bespaard. Dan zul je ook veilig zijn voor de wraak van Fissolini's vrienden.'

Het deed Astorre genoegen dat Aldo Monza geen blijk gaf van woede of verbazing. Vijf minuten bleef hij zwijgen terwijl hij diep nadacht. Toen zei Monza: 'Zet je dan de betalingen aan mijn familie-*cosca* voort? Mijn broer zal de leiding overnemen.'

'Natuurlijk,' zei Astorre. 'Ze zijn ons veel waard.'

'Dan ga ik met je mee nadat ik Fissolini heb gedood. Daar mag jij, noch Bianco hoe dan ook tussenkomen. Mijn vrouw gaat niet naar Brazilië vóór ze het dode lichaam van mijn oom heeft gezien.'

'Afgesproken,' zei Astorre. En toen hij dacht aan Fissolini's vrolijke gezicht en kwajongensachtige glimlach voelde hij een steek van spijt. 'Wanneer gebeurt het?'

'Zondag,' zei Monza. 'Maandag zal ik bij je zijn. En moge God Sicilië en mijn vrouw in duizend eeuwige hellevuren laten branden.'

'Ik ga met je mee naar je dorp,' zei Astorre. 'Ik zal je vrouw in bescherming nemen. Ik ben bang dat je je anders laat meeslepen.'

Monza haalde zijn schouders op. 'Ik kan mijn lot niet laten bepalen door wat een vrouw in haar vagina stopt.'

De Fissolini-*cosca* kwam die zondagmorgen in alle vroegte bijeen. De neven en schoonzoons moesten beslissen of ook Fissolini's jongere broer gedood moest worden, teneinde zijn wraak te voorkomen. Natuurlijk, die broer moest van de verleiding hebben geweten, en had er door te zwijgen zijn goedkeuring aan gehecht. Astorre hield zich verre van die discussie. Hij maakte alleen maar duidelijk dat de vrouw en de kinderen ongedeerd moesten blijven. Maar zijn bloed stolde bij de bloeddorstigheid van die mannen over iets wat in zijn ogen niet eens zo'n ernstig vergrijp was. Toen besefte hij hoe genadig de don ten opzichte van hem was geweest.

Hij begreep dat het niet louter een kwestie van seks was. Als een vrouw haar man met een minnaar bedriegt, geeft ze een mogelijk Paard van Troje toegang tot de politieke structuur van de *cosca*. Ze kan geheimen lekken en de weerbaarheid verzwakken; ze geeft haar minnaar macht over de familie van haar man. Zij is een spion in een oorlog. Liefde is geen excuus voor een dergelijk verraad.

Dus verzamelde de *cosca* zich zondagmorgen voor het ontbijt bij Aldo Monza thuis, waarna de vrouwen met de kinderen naar de mis gingen. Drie mannen van de *cosca* voerden Fissolini's broer mee naar de akkers – zijn dood tegemoet. De anderen luisterden naar Fissolini die te midden van de rest van zijn *cosca* hof hield. Slechts Aldo Monza lachte niet om zijn grappen. Astorre zat als eregast naast Fissolini.

'Aldo,' zei Fissolini met een liederlijke glimlach tegen zijn neef, 'je bent net zo verzuurd als je eruitziet.'

Monza keek zijn oom aan. 'Ik kan niet zo vrolijk zijn als u, oom. Tenslotte deel ík niet úw vrouw, nietwaar?'

Op hetzelfde moment grepen drie *cosca*-mannen Fissolini beet zodat hij vastzat op zijn stoel. Monza ging naar de keuken en kwam terug met zijn koffertje met dierenartsgereedschap. 'Oom,' zei hij, 'ik zal u leren wat u niet meer wist.'

Astorre wendde zijn hoofd af.

In het felle zonlicht van de zondagochtend kwam langzaam over het zandpad naar de beroemde kerk van de Heilige Maagd Maria een gigantisch wit paard aan galopperen. Op dat paard bevond zich Fissolini. Hij was met draad aan het zadel vastgebonden en zijn rug werd gesteund met een enorme houten crucifix. Het leek bijna of hij leefde. Maar op zijn hoofd, bij wijze van doornenkroon, stond een van twijgen gevormd nest waarin groen gras was opgestapeld, en op die stapel lagen zijn penis en testikels. Daaruit liepen smalle straaltjes bloed over zijn voorhoofd.

Aldo Monza en zijn mooie jonge vrouw keken toe vanaf de treden van de kerk. Ze wilde een kruis slaan, maar Aldo sloeg haar arm neer en hield haar hoofd omhoog zodat ze moest kijken. Vervolgens duwde hij haar de straat op om achter het lijk aan te lopen.

Astorre ging haar achterna en bracht haar naar zijn auto om haar veilig mee te nemen naar Palermo.

Monza, zijn gezicht een masker van haat, wilde op hem en de vrouw af springen. Astorre keek hem kalm aan en stak een waarschuwende vinger naar hem op. Monza liet hen gaan.

Een halfjaar na de moord op Limona nodigde Nello Astorre voor het weekend uit in zijn villa. Om te tennissen en in de zee te zwemmen. Ze zouden zich te goed doen aan verrukkelijke, ter plaatse gevangen vis en in het goede gezelschap verkeren van twee van de meest gewilde gastvrouwen van de club, Buji en Stella. En de villa zou gevrijwaard zijn van familieleden, die naar een grootse trouwpartij op het land zouden gaan.

Het was prachtig Siciliaans weer, met die typische sluier over het zonlicht waardoor de hitte draaglijk werd en de hemel een schitterend baldakijn leek. Astorre en Nello hadden getennist met de meiden, die nog nooit een racket hadden gezien maar er lustig op los sloegen, waardoor de ballen over de schutting heen vlogen. Op het laatst stelde Nello voor om een strandwandeling te gaan maken en wat te zwemmen.

De vijf lijfwachten vermaakten zich in de schaduw van de veranda, waar de bedienden hun eten en drinken kwamen brengen. Maar dat suste niet hun waakzaamheid in slaap. Om te beginnen keken ze verlekkerd naar de soepele lijven van de twee vrouwen in badpak, waarbij ze speculeerden wie van hen beter in bed was en het unaniem eens werden dat dat Buji moest zijn, omdat haar sprankelende manier van praten en lachen een grotere lust beloofde. Nu bereidden ze zich opgewekt voor op een strandwandeling en rolden zelfs hun broekspijpen op.

Maar Astorre wenkte hen. 'We zullen binnen jullie gezichtsveld blijven,' zei hij. 'Geniet van jullie drankjes.'

Met z'n vieren slenterden ze over het strand, vlak buiten het bereik van de hoogste golven: Astorre en Nello voorop, gevolgd door de beide vrouwen. Toen de vrouwen vijftig meter hadden afgelegd begonnen ze hun badpakken uit te trekken. Buji liet haar schouderbandjes zakken, waarop haar borsten zichtbaar werden, die ze met haar handen omhoog hield naar de zon.

Met z'n allen sprongen ze de branding in, die kalm kabbelde. Nello was een eersteklas zwemmer. Hij dook kopje onder en kwam tussen Stella's benen boven water, zodat ze op zijn schouders zat toen hij rechtop ging staan. Hij schreeuwde naar Astorre: 'Kom er ook in!!!', waarop Astorre waadde tot hij een plek vond waar hij kon zwemmen, terwijl Buji zich van achteren aan hem vasthield. Hij duwde haar onder water, waarna hij samen met haar kopje onder ging. Maar in plaats dat ze bang was, rukte Buji hem zijn broekje van zijn achterste.

Toen hij weer bovenkwam, voelde hij zijn oren kloppen. Tegelijkertijd zag hij Buji's blote, witte borsten op het groene water onder de zee drijven, met haar lachende gezicht dicht bij het zijne. Toen vervolgens het kloppen in zijn oren overging in een gebrul, richtte hij zich op, terwijl Buji zich aan zijn naakte heupen vastklampte.

Het eerste wat hij zag was dat er een speedboat op hem af scheurde, terwijl de motor lucht en water deed opspatten. Nello en Stella waren op het strand. Hoe waren ze daar zo snel beland? In de verte zag hij zijn lijfwachten, die met opgerolde broekspijpen van de villa in de richting van de zee kwamen rennen. Hij duwde Buji onder water van hem af en probeerde naar het strand te waden. Maar hij was te laat. De speedboot was heel dichtbij en hij zag een man die heel nauwkeurig zijn geweer richtte. Het geluid van de schoten werd gedempt door het gejank van de motor.

Door de eerste kogel werd Astorre rondgetold, zodat hij een helder doelwit voor de schutter was. Het leek wel of zijn lichaam uit het water omhoog sprong en vervolgens onder het oppervlak in elkaar klapte. Hij hoorde hoe de boot vaart meerderde en voelde toen dat Buji aan hem rukte, hem op het strand probeerde te sleuren.

Toen de lijfwachten kwamen opdagen, vonden ze Astorre op zijn buik in de branding, met een kogel in zijn hals, terwijl Buji naast hem zat te huilen.

Het kostte Astorre vier maanden om van zijn verwondingen te herstellen. Bianco had hem ondergebracht in een kleine privé-kliniek in Palermo, waar hij bewaakt kon worden en de beste behandeling zou krijgen. Bianco was hem elke dag komen bezoeken, en Buji kwam als ze niet in de club hoefde te werken.

Toen zijn verblijf daar ten einde liep, kwam Buji hem een vijf centimeter brede gouden halsband brengen, waar een gouden schijfje aan hing waarin het portret van de Maagd Maria was gegraveerd. Ze legde hem als een kraag om zijn hals, met het medaillon over zijn litteken. Het was met plaksel behandeld, zodat het aan de huid vastkleefde. Het schijfje was niet groter dan een zilveren dollar, maar bedekte het litteken en zag eruit als een decoratie. Desondanks was er niets vrouwelijks aan.

'Dat is beter,' zei Buji teder. 'Ik kon er niet naar kijken.' Voorzichtig kuste ze hem.

'Je wast de lijm er gewoon één keer per dag af,' zei Bianco.

'Straks snijdt iemand mijn strot door als-ie op goud uit is,' zei Astorre wrang. 'Is het echt nodig?'

'Ja,' zei Bianco. 'Een gerespecteerd man kan niet pronken met een wond die hem door een vijand is toegebracht. Bovendien heeft Buji gelijk. Het is niet om aan te zien.'

Het enige wat tot Astorre doordrong, was dat Bianco hem een gerespecteerd man had genoemd. Octavius Bianco, de maffioso der maffiosi, had hem die eer bewezen. Hij was verbaasd en gevleid.

Toen Buji weg was – voor een weekend met de rijkste wijnhandelaar van Palermo – hield Bianco hem een spiegel voor. De gouden band was mooi gemaakt. De Madonna, dacht Astorre. Op heel Sicilië kwam je haar tegen: op altaartjes langs de kant van de weg, in auto's en huizen, op kinderspeelgoed...

Hij vroeg aan Bianco: 'Waarom aanbidden Sicilianen de Madonna en niet Christus?'

Bianco haalde zijn schouders op. 'Per slot van rekening was Jezus een man, dus kun je hem niet volledig vertrouwen. Enfin, vergeet dat allemaal maar. Het is gebeurd. Voor je teruggaat naar Amerika, blijf je nog een jaar bij Mr. Pryor in Londen om je het bankwezen eigen te maken. Orders van je oom. Er is nog iets. Nello moet gedood worden.'

Astorre had in gedachten de hele affaire vele malen herbeleefd en wist dat Nello schuldig was. Maar wat was de reden? Ze waren zo lang goede vrienden geweest, en het was een oprechte vriendschap. Maar toen kwam de moord op de Corleonesi. Op een of andere manier moest Nello te maken hebben met de Corleonesi-*cosca*, dus had hij geen keus.

Bovendien was daar het feit dat Nello geen enkele poging had gedaan hem in het ziekenhuis op te zoeken. Nello was zelfs uit Palermo verdwenen. Hij speelde niet langer in de club. Toch hoopte Astorre dat hij zich vergiste.

'Weet u zeker dat het Nello was?' vroeg Astorre. 'Hij was mijn beste vriend.'

'Wie zouden ze anders hebben kunnen inzetten?' zei Bianco. 'Je ergste vijand? Natuurlijk: je vriend. Ik elk geval moet jij, als gerespecteerd man, hem zelf afstraffen. Word dus maar beter.'

Bij Bianco's volgende bezoek zei Astorre: 'We hebben geen bewijs tegen Nello. Laat de zaak rusten en sluit vrede met de Corleonesi. Laat het bericht verspreiden dat ik aan mijn verwondingen ben gestorven.'

Aanvankelijk reageerde Bianco woedend, maar toen hij daarna de wijsheid van Astorres advies inzag, vond hij hem een pientere man. Als hij vrede kon sluiten met de Corleonesi zouden ze quitte staan. Wat Nello betrof: die diende slechts als aas, was het niet waard gedood te worden. Die dag zou nog wel komen.

Het duurde een week voor alles was geregeld. Astorre zou terugkeren naar de Verenigde Staten via Londen, waar hij door Mr. Pryor zou worden opgeleid. Bianco had Astorre verteld dat Aldo Monza rechtstreeks naar don Aprile in Amerika werd gestuurd en in New York op hem zou wachten.

Astorre was een jaar bij Mr. Pryor in Londen gebleven. Een leerzame ervaring.

In Mr. Pryors kamer was hem, bij een kroes wijn met citroen, uitgelegd dat men heel bijzondere plannen met hem had. Dat zijn verblijf op Sicilië deel uitmaakte van een speciaal plan van de don om hem voor te bereiden op een bepaalde, belangrijke rol.

Astorre informeerde naar Rosie. Hij had haar nooit kunnen vergeten – haar gracieuze manier van bewegen, haar pure levenslust, haar gulheid in alles, ook in bed. Hij had haar gemist.

Mr. Pryor had zijn wenkbrauwen opgetrokken. 'Die maffiavrouw,' zei hij. 'Ik wist dat je haar niet zou vergeten.'

'Weet u waar ze is?' vroeg Astorre.

'Jazeker,' had Pryor gezegd. 'In New York.'

Astorre had aarzelend gezegd: 'Ik heb over haar nagedacht. Uiteindelijk ben ik lang weggebleven en zij was jong. Wat er is gebeurd, was heel natuurlijk. Ik had gehoopt haar terug te zien.'

'Natuurlijk,' zei Mr. Pryor. 'Waarom niet? Vanavond na het eten zal ik je alle informatie geven die je nodig hebt.'

Dus kreeg Astorre laat die avond in Mr. Pryors kamer het hele relaas over Rosie. Mr. Pryor liet bandjes horen met Rosies telefoongesprekken die ontmoetingen met andere mannen in haar flat aan het licht brachten. Uit die bandjes bleek dat Rosie seksuele relaties met hen had, dat ze haar kostbare geschenken en geld gaven. Het was een schok voor Astorre om haar stem te horen, in toonaarden die naar hij had gedacht speciaal voor hem bedoeld waren – haar heldere lach, de geestige, intieme kwinkslagen. Ze was uiterst charmant en nergens cru of vulgair. Ze klonk als een schoolmeisje dat een afspraakje voor een schoolfeest had. Haar argeloosheid was werkelijk ongelooflijk.

Mr. Pryor had zijn pet laag over zijn ogen geschoven, maar hij hield Astorre in de gaten.

Astorre zei: 'Ze is erg goed, vindt u niet?'

'Een natuurtalent,' zei Mr. Pryor.

'Werden die bandjes gemaakt toen ik met haar omging?' vroeg Astorre.

Mr. Pryor maakte een geringschattend gebaar. 'Het was mijn plicht je te behoeden. Ja.'

'En u hebt nooit iets gezegd?' zei Astorre.

'Je was stapelverliefd,' zei Mr. Pryor. 'Waarom zou ik je plezier bederven? Ze was niet gierig, ze heeft je goed behandeld. Ik ben zelf ook jong geweest, en geloof me: in de liefde is de waarheid niet van belang. En ondanks alles is het een geweldige meid.'

'Een chique callgirl,' zei Astorre bijna bitter.

'Welnee,' zei Mr. Pryor. 'Ze moest haar instinct volgen. Ze liep van huis weg toen ze veertien was, maar ze was hoogst intelligent en ze had willen studeren. Ze wilde ook gelukkig zijn. Heel natuurlijk allemaal. Ze wist mannen gelukkig te maken, een uitzonderlijk talent. Het was niet meer dan billijk dat ze ervoor betaalden.'

Astorre lachte. 'U bent een verlichte Siciliaan. Maar dat ze vierentwintig uur bij het lijk van een minnaar doorbracht...'

Mr. Pryor lachte smakelijk. 'Maar dat is juist haar beste kant. Echt maffia. Ze heeft een warm hart maar een koel hoofd. Wat een combinatie. Magnifiek. Maar je moet altijd oppassen bij haar. Zo iemand is altijd gevaarlijk.'

'En de poppers?' vroeg Astorre.

'Dat kan zij niet helpen. Haar affaire met de professor was al aan de gang vóór ze jou ontmoette, en hij drong erop aan. Nee, we hebben te maken met een meisje dat vóór alles aan haar eigen geluk denkt en al het andere buitensluit. Ze heeft geen morele remmingen. Als ik jou was zou ik contact houden. Ooit kun je haar beroepsmatig nodig hebben.'

'Dat is waar,' zei Astorre. Tot zijn verbazing voelde hij geen boosheid jegens Rosie. Louter door haar charme verdiende ze al dat hij haar vergaf. Hij zou het door de vingers zien, zei hij tegen Mr. Pryor.

'Goed zo,' zei Mr. Pryor. 'Na een jaar hier ga je naar don Aprile.'

'En wat gaat er met Bianco gebeuren?' had Astorre gevraagd.

Mr. Pryor had zijn hoofd geschud en gezucht. 'Bianco moet wijken. De Corleonesi-*cosca* is te sterk. Jou zullen ze niet vervolgen. De don heeft vrede gesloten. In wezen heeft Bianco's succes hem te beschaafd gemaakt.'

Astorre was Rosie blijven volgen. Deels uit voorzichtigheid, deels vanwege zoete herinneringen aan de liefde van zijn leven. Hij wist dat ze weer naar school was gegaan en bezig was met haar studie psychologie aan de New York University, waar ze dicht bij woonde in een bewaakt appartementencomplex. Daar wijdde ze zich meer beroepsmatig aan oudere en rijkere mannen.

Ze was heel gis. Ze hield tegelijkertijd drie relaties in stand en besteedde haar verdiensten evenredig aan geldschenkingen, juwelen en vakanties in kuuroorden voor de rijken – waar ze nog meer contacten sloot. Niemand zou haar een professionele callgirl noemen, aangezien ze nooit om iets vroeg, maar ze sloeg nooit een geschenk af.

Dat die mannen verliefd op haar werden, was meegenomen. Maar ze ging nooit in op hun huwelijksaanzoeken. Ze hield vol dat ze vrienden waren die van elkaar hielden, dat het huwelijk niets voor haar of voor hen was. De meeste mannen slikten dat besluit dankbaar en opgelucht. Ze was geen goudzoekster; ze zeurde niet om geld en was nooit inhalig. Het enige wat ze wilde was luxueus leven, vrij van zorgen. Maar ze had wel een instinct om geld weg te leggen als appeltje voor de dorst. Ze had vijf verschillende bankrekeningen en twee kluisjes bij de bank.

154

Een paar maanden na de dood van de don besloot Astorre Rosie weer op te zoeken. Hij wist zeker dat het alleen was om haar hulp in te roepen voor zijn plannen. Hij maakte zichzelf wijs dat hij haar geheimen kende en dat zij hem geen rad voor ogen kon draaien. En dat zij bij hem in het krijt stond en hij haar zwakke plek kende.

Hij wist ook dat ze in zekere zin amoreel was. Dat ze zichzelf en haar genot verheven had tot ziekelijke hoogte, een religieus geloof bijna. Ze geloofde met heel haar hart dat ze het recht had om gelukkig te zijn en dat dat vóór alles ging.

Maar bovenal wilde hij haar weer zien. Zoals bij vele mannen had het verstrijken van de tijd haar bedrog verzacht en haar charme uitvergroot. Nu leken haar zonden eerder jeugdige nonchalance in plaats van het bewijs dat ze niet van hem hield. Hij herinnerde zich haar borsten, die roze plekken kregen als ze de liefde bedreef; zoals ze haar hoofd liet zakken als ze verlegen werd; haar aanstekelijke vrolijkheid; haar goedmoedige humor. Hoe moeiteloos ze op haar stelten van benen liep en de ongelooflijke hitte van haar mond op zijn lippen. Ondanks dat alles drukte Astorre zichzelf op het hart dat zijn bezoek puur zakelijk was. Hij had werk voor haar.

Rosie wilde net haar flatgebouw binnengaan toen hij voor haar stilstond, glimlachte en haar groette. Ze droeg boeken in haar rechterarm en ze liet ze op het trottoir vallen. Ze bloosde van blijdschap, haar ogen schitterden. Ze sloeg haar armen om hem heen en kuste hem op de mond.

'Ik wist dat ik je terug zou zien,' zei ze. 'Ik wist dat je me zou vergeven.' Toen trok ze hem de flat in en leidde hem één trap op naar haar appartement.

Daar schonk ze hun een borrel in: wijn voor haar, brandy voor hem. Ze kwam naast hem op de bank zitten. De kamer was luxueus gemeubileerd en hij wist waar het geld vandaan kwam.

'Waarom heb je zo lang gewacht?' vroeg Rosie. Onder het praten trok ze de ringen van haar vingers, deed haar oorbellen uit en trok aan haar oorlellen. Ze liet de drie armbanden, een en al goud met diamanten, van haar linkerarm glijden.

'Ik heb het druk gehad,' zei Astorre. 'En het heeft lang geduurd voor ik je kon vinden.'

Rosie keek hem ontroerd en teder aan. 'Zing je nog? Rijd je nog paard in die belachelijke rode *outfit*?' Weer kuste ze hem, en Astorre voelde een warmte in zijn hersens, een wanhopige reactie.

'Nee,' zei hij. 'Rosie we kunnen niet terug.'

Rosie trok hem overeind. 'Het was de gelukkigste tijd van mijn leven,' zei ze. Toen waren ze in de slaapkamer en in mum van tijd waren ze naakt.

Rosie pakte een flesje parfum van haar nachtkastje en spoot eerst zichzelf, en toen hem onder. 'Geen tijd voor een bad,' zei ze lachend. En daarna lagen ze samen in bed en zag hij hoe de roze plekken zich langzaam over haar borsten verspreidden.

Voor Astorre was dat een buitenlichamelijke ervaring. Hij genoot van de seks, maar hij kon niet genieten van Rosie. Er rees een beeld in zijn hoofd op waarin zij een nacht en een dag de wacht hield bij het dode lichaam van de professor. Daarvóór had hij nog geleefd, had hij niet weer tot leven gewekt kunnen worden? Wat had Rosie gedaan toen ze alleen was met de dood en de professor?

Terwijl ze op haar rug lag, stak Rosie haar hand uit naar zijn wang. Ze liet haar hoofd zakken en fluisterde zachtjes: 'Die oude magie werkt niet meer.' Ze had met het gouden medaillon aan zijn hals gespeeld, zag het lelijke paarse litteken en kuste het.

Astorre zei: 'Het was fijn.'

Rosie kwam overeind zitten, waarbij haar naakte romp en borsten over hem heen hingen. 'Je kunt me dat met die professor niet vergeven, dat ik hem heb laten doodgaan en bij hem ben gebleven. Zo is het toch?'

Astorre gaf geen antwoord. Hij zou haar nooit vertellen wat hij nu van haar wist. Dat ze nooit was veranderd.

Rosie stond op en begon zich aan te kleden. Hij deed hetzelfde.

'Je bent een veel vreselijker mens,' zei Rosie. 'De geadopteerde neef van don Aprile. En die vriend van je in Londen, die heeft geholpen mij uit de nesten te halen. Voor een Engelse bankier pakte hij dat heel professioneel aan, maar niet als je weet dat hij uit Italië is geëmigreerd. Dat zag je zó.'

Ze waren in de zitkamer, waar ze hem nog een borrel inschonk. Ze keek hem recht in de ogen. 'Ik weet wat je bent. En dat kan me niet schelen, echt niet. We zijn echte zielsverwanten. Is dat niet fantastisch?'

Astorre lachte. 'Het laatste wat ik nodig heb is een zielsverwant,' zei hij. 'Maar ik ben naar je toe gekomen voor zaken.'

Rosie was ontnuchterd nu. Alle charme was uit haar gezicht verdwenen. Ze liet de ringen weer om haar vingers glijden. 'Mijn prijs voor een vluggertje is vijfhonderd dollar,' zei ze. 'Ik accepteer geen cheques.' Ze glimlachte boosaardig naar hem – het was een grapje. Hij wist dat ze alleen op feest- en verjaardagen cadeaus aan-nam, en die waren veel kostbaarder. In werkelijkheid was het ap-partement waarin ze zich bevonden een verjaarscadeau geweest van een bewonderaar.

'Nee, serieus,' zei Astorre. En toen vertelde hij haar van de Stur-zo-broers en wat hij van haar wilde. En hij rondde het af. 'Ik zal je nu twintigduizend dollar geven voor onkosten,' zei hij, 'en nog eens honderdduizend als je klaar bent.'

Rosie keek hem zeer nadenkend aan. 'En wat gebeurt er daar-na?'

'Daar hoef je je geen zorgen over te maken,' zei Astorre.

'Aha,' zei Rosie. 'En als ik nee zeg?'

Astorre haalde zijn schouders op. Daar wilde hij niet aan den-ken. 'Niets,' zei hij.

'Dan lever je me niet uit aan de Engelse autoriteiten?' vroeg ze.

'Dat zou ik nooit kunnen,' zei Astorre, en ze kon onmogelijk twijfelen aan de oprechtheid in zijn stem.

Rosie zuchtte. 'Goed.' En toen zag ze zijn ogen schitteren. Ze grijnsde hem toe. 'Alweer een avontuur,' had ze gezegd.

Nu, terwijl hij door Westchester reed, werd Astorre wakker ge-schud uit zijn herinneringen doordat Aldo Monza in zijn been kneep. 'Nog een halfuur te gaan,' zei Monza. 'Je moet je voorberei-den op de Sturzo-broers.'

Astorre tuurde door de voorruit naar het vallen van de verse sneeuwvlokken. Ze waren op het platteland, waar het kaal was, af-gezien van de kale bomen waar de glanzende takken als tover-stokjes uitstaken. Onder de deken van oplichtende sneeuw leken de stenen op heldere sterren. Op dat moment voelde Astorre een ij-selijke verlatenheid in zijn hart. Na die nacht zou zijn wereld ver-anderen, zou híj veranderen, en zou hoe dan ook zijn echte leven beginnen.

In een spookachtig wit landschap en enorme sneeuwstormen kwam Astorre bij het geheime huis aan.

Binnen lag de Sturzo-tweeling met handboeien om, samenge-bonden voeten en met speciale dwangbuizen om hun lichamen. Ze lagen, bewaakt door twee gewapende mannen, in een van de slaapkamers.

Astorre bekeek hen met mededogen. 'Het is een compliment,' zei hij tegen hen. 'We hebben gemerkt hoe gevaarlijk jullie zijn.'

De twee broers waren qua houding totaal verschillend. Stace leek kalm, gereserveerd, maar Franky keek hen aan met een haat die zijn gewoonlijk zo vriendelijke gezicht vertrok tot een gargouille.

Astorre ging op het bed zitten. 'Ik neem aan dat jullie weten hoe het zit,' zei hij.

Stace zei rustig: 'Rosie was het aas. Ze was erg goed, hè Franky?'

'Buitengewoon,' zei Franky. Hij probeerde te voorkomen dat zijn stem hysterisch zou uitschieten.

'Dat komt doordat ze jullie echt graag mocht,' zei Astorre. 'Ze was gek op jullie, vooral op Franky. Het was zwaar voor haar. Erg zwaar.'

Franky zei minachtend: 'Waarom deed ze het dan?'

'Omdat ik haar een smak geld had gegeven,' zei Astorre. 'Werkelijk een hele smak. Je kent dat wel, Franky.'

'Ik weet van niks,' zei Franky.

'Volgens mij was er een grote som nodig voor twee slimme kerels als jullie de don wilden omleggen,' zei Astorre. 'Een miljoen? Twee miljoen?'

Stace zei: 'Je hebt het helemaal mis. We hadden er niets mee te maken. We zijn niet op ons achterhoofd gevallen.'

Astorre zei: 'Ik weet dat jullie schutters zijn. Jullie hebben de reputatie dat jullie een hoop lef hebben. En ik ben jullie gangen nagegaan. Wat ik wil weten is de naam van jullie tussenpersoon.'

'Je vergist je,' zei Stace. 'Je kunt ons daar met geen mogelijkheid van beschuldigen. En wie ben jij, trouwens?'

'Ik ben de neef van de don,' zei Astorre. 'Ik ruim de rotzooi achter hem op. En ik hou jullie al bijna een halfjaar in de gaten. Toen die schietpartij plaatsvond, waren jullie niet in L.A. Jullie waren een week in geen velden of wegen te bekennen. Franky, jij hebt twee keer de kinderen niet voor een wedstrijd gecoacht. Stace, jij bent geen enkele keer gaan kijken hoe de winkel liep. Je hebt niet eens opgebeld. Vertel me dus maar waar jullie uithingen.'

'Ik was in Vegas aan het gokken,' zei Franky. 'En we zouden beter kunnen praten als je ons losmaakte. We zijn verdomme Houdini niet.'

Astorre glimlachte hem vol medeleven toe. 'Nog even wachten,' zei hij. 'En jij, Stace?'

'Ik was bij mijn vriendin in Tahoe,' zei Stace. 'Maar wie weet die dingen nou nog?'

158

Astorre zei: 'Misschien heb ik meer geluk als ik jullie ieder apart spreek.'

Hij liet hen alleen en ging naar de keuken, waar Monza koffie voor hem had ingeschonken. Hij zei tegen Monza dat de broers naar aparte slaapkamers moesten worden gebracht en dat hij ervoor moest zorgen dat er bij elke man te allen tijde twee bewakers moesten blijven. Aldo werkte met een team van zes man.

'Weet je zeker dat we de juiste kerels te pakken hebben?' vroeg Monza.

'Ik denk het wel,' zei Astorre. 'Als ze het niet zijn, hebben ze pech gehad. Ik vraag het je met tegenzin, Aldo, maar misschien moet je hun een zetje geven om te praten.'

'Tja, ze praten niet altijd,' zei Monza. 'Het is amper te geloven, maar mensen zijn koppig. En dit lijken me twee héél harde dobbers.'

'Ik verlaag me niet graag tot die dingen,' zei Astorre.

Hij wachtte een uur voordat hij naar de kamer ging waar Franky was. De avond was gevallen, maar weerkaatsend in het lamplicht buiten zag hij de sneeuwvlokken traag neerdwarrelen. Hij trof Franky op de grond, volledig gekneveld.

'Het is heel eenvoudig,' zei Astorre. 'Geef ons de naam van de tussenpersoon, dan komen jullie hier misschien levend weg.'

Franky keek hem vol haat aan. 'Ik vertel je geen reet, sukkel die je bent. Je hebt de verkeerden te pakken. En ik zal jouw gezicht en Rosie niet vergeten.'

'Dat is nou net de verkeerde tekst,' zei Astorre.

'Neukte jij haar ook?' vroeg Franky. 'Ben jij een pooier?'

Astorre begreep het. Franky zou nooit het verraad van Rosie vergeten. Wat een frivole oplossing voor een ernstige situatie.

'Ik vind dat je stom doet,' zei Astorre. 'En ze zeggen nog wel dat jullie zo slim zijn.'

'Het kan me geen kloot schelen wat je denkt,' zei Franky. 'Zonder bewijs kun je niets beginnen.'

'O nee? Dus ik verdoe mijn tijd met jou,' zei Astorre. 'Ik ga wel met Stace praten.'

Astorre ging naar de keuken voor nog een kop koffie voordat hij naar Stace ging. Hij kon er niet over uit dat Franky in een dergelijke benarde situatie zo'n zelfverzekerde indruk kon maken en zo'n grote mond had. Nou, met Stace zou hij meer moeten bereiken. Die zat ongemakkelijk ineengedoken op bed.

'Doe hem de dwangbuis af,' zei Astorre. 'Maar controleer of zijn polsen en enkels goed vastzitten.'

'Ik heb iets bedacht,' zei Stace. 'Je weet dat we poen hebben. Ik kan regelen dat jij die ophaalt en dan een eind maakt aan deze onzin.'

'Ik heb net met Franky gebabbeld,' zei Astorre. 'Hij heeft me teleurgesteld. Jij en je broer zouden heel slimme jongens zijn. Nu heb je het met mij over geld, en je weet dat dit gaat om jullie aanslag op de don.'

'Je hebt het mis,' zei Stace.

Astorre zei vriendelijk: 'Ik weet dat jij niet in Tahoe was en ik weet dat Franky niet in Vegas was. Jullie zijn de enige freelancers die het lef hebben om zo'n klus aan te nemen. En de schutters waren linkshandig, net als jij en Franky. Dus wil ik alleen maar weten: wie was jullie contactpersoon?'

'Waarom zou ik jou dat vertellen?' vroeg Stace. 'Ik weet dat het einde verhaal is. Jullie droegen geen maskers, je hebt Rosies leven op het spel gezet, dus jullie laten ons hier niet levend wegkomen. Wat je ook belooft.'

Astorre zuchtte. 'Ik zal je er niet inluizen. Veel meer kan ik niet doen. Maar er is nog één ding waarover je kunt onderhandelen. De makkelijke weg of de harde. Ik heb een heel kundige man bij me, en die ga ik loslaten op Franky.' Toen hij dat zei, voelde Astorre een misselijk gevoel in zijn maag. Hij herinnerde zich hoe Aldo Monza met Fissolini was omgesprongen.

'Je verdoet je tijd,' zei Stace. 'Franky zegt geen woord.'

'We zullen zien,' zei Astorre. 'Maar hij wordt stukje voor stukje gesloopt, en elk stukje zullen ze je komen brengen. Volgens mij ga jij wél praten om hem dat te besparen. Maar waarom zou je het zo ver laten komen? En Stace, waarom zou je die contactpersoon beschermen? Hij hoorde júllie te beschermen, en dat heeft hij niet gedaan.'

Stace gaf geen antwoord. Toen zei hij: 'Waarom laten jullie Franky niet gaan?'

Astorre zei: 'Dat weet je heel goed.'

'Hoe weet je dat ik niet tegen je lieg?' vroeg Stace.

'Waarom zou je?' vroeg Astorre. 'Wat heb je te verliezen? Stace, jij kunt Franky een gruwelijke ervaring besparen. Je moet het zuiver zien.'

'Wij waren alleen maar de schutters, we deden ons werk,' zei Stace. 'De man boven ons is degene die je moet hebben. Waarom kun je ons niet gewoon laten gaan?'

Astorre bleef geduldig. 'Stace, jij en je broer hebben op je genomen een groot man te doden. Veel poen, goed voor het ego. Kom nou. Het gaf jullie reputatie een lift. Jullie hebben het geprobeerd en verloren, en nu moeten jullie daarvoor boeten, anders slaat de hele wereld op tilt. Dat moet nu eenmaal. Oké, je enige keuze is: makkelijk of moeilijk. Over precies een uur zit je misschien te kijken naar een heel belangrijk stukje van Franky op die tafel. Geloof me, dat doe ik niet graag, echt niet.'

Stace zei: 'Hoe weet ik dat je niet uit je nek lult?'

Astorre zei: 'Denk na, Stace. Bedenk hoe ik jullie erin heb geluisd met Rosie. Erg veel tijd en geduld. Bedenk: ik ben hiernaar toe gekomen en ik heb zeven gewapende mannen. Een hoop kosten en een hoop moeite. Vlak voor kerstavond. Ik ben heel serieus, Stace, dat zie je toch wel? Ik geef je een uur bedenktijd. Ik beloof: als jij praat, zal Franky nooit weten wat hem boven het hoofd hangt.'

Astorre ging opnieuw naar de keuken. Monza zat op hem te wachten.

'En?' vroeg Monza.

'Ik weet het niet,' zei Astorre. 'Maar ik moet morgen op Nicoles kerstavondfeest zijn, dus we moeten dit vanavond afwerken.'

'Langer dan een uur zal het me niet kosten,' zei Monza. 'Of hij gaat praten, of hij is dood.'

Astorre ontspande zich even bij de loeiende haard en ging daarna weer de trap op om met Stace te praten. Die keek lusteloos en afwerend. Hij had erover nagedacht. Hij wist dat Franky nooit zou praten – Franky dacht dat er nog hoop was. Stace geloofde dat Astorre alle kaarten op tafel had gelegd. En nu besefte Stace de angst van alle mannen die hij had gedood, hun laatste, vergeefse hoop dat het lot hen op een of andere manier zou redden. Tegen alle schijn in. En hij wilde niet dat Franky op die manier aan zijn einde zou komen: stukje voor stukje. Hij zocht Astorres gezicht af. Dat stond streng, te onverbiddelijk voor zijn leeftijd. Met de ernst van een hoge rechter.

De hevig vallende sneeuw bedekte de raamkozijnen als een witte bontlaag. Franky, in zijn eigen kamer, stelde zich voor dat hij met Rosie in Europa was, waar de sneeuw op de Parijse boulevards lag en in de kanalen van Venetië viel. Sneeuw als een sprookje. Rome als een sprookje.

Stace lag zich op zijn bed zorgen te maken over Franky. Ze hadden het geprobeerd en verloren. En daarmee was het verhaal uit. Maar hij kon Franky in de waan laten dat ze slechts twintig punten achter stonden.

'Ik ga er nu mee akkoord,' zei Stace. 'Zorg ervoor dat Franky niet weet wat er gebeurt, oké?'

'Beloofd,' zei Astorre. 'Maar als je liegt, zal ik het weten.'

'Nee,' zei Stace. 'Waarom zou ik? De contactpersoon is een vent die Heskow heet, en hij woont in een stad die Brightwaters heet, vlak bij Babylon. Hij is gescheiden, woont alleen, en hij heeft een kei van een zoon van zestien die fantastisch basketbal speelt. Heskow heeft ons de afgelopen jaren voor een paar klussen ingehuurd. We kennen elkaar al van jongs af aan. De prijs is een miljoen, maar toch waren Franky en ik er niet al te happig op. Een veel te grote slag. We hebben toegehapt omdat hij zei dat we ons niet ongerust hoefden te maken over de FBI en dat we ons niet ongerust hoefden te maken over de politie. Dat het om een belangrijke klus ging. Hij vertelde ons ook dat de don geen invloedrijke connecties meer had. Maar daar heeft hij zich kennelijk in vergist. Jij bent hier. De betaling was gewoon te fantastisch om te laten lopen.'

'Je geeft heel wat info aan een vent die je een ontzaglijke klootzak vindt,' zei Astorre.

'Ik wil je ervan overtuigen dat ik de waarheid spreek,' zei Stace. 'Ik heb erover nagedacht. Het verhaal is uit. Ik wil niet dat Franky het te weten komt.'

'Maak je geen zorgen,' zei Astorre. 'Ik geloof je.'

Hij liep de kamer uit en ging naar de keuken om Monza zijn instructies te geven. Hij wilde hun paspoorten, rijbewijzen, creditcards, etcetera. Hij hield zijn woord aan Stace: Franky moest zonder waarschuwing in zijn achterhoofd worden geschoten. En Stace zou eveneens pijnloos worden geëxecuteerd.

Astorre ging weg en reed terug naar New York. De sneeuw was overgegaan in regen, die het land schoonwaste van de sneeuw.

Het kwam zelden voor dat Monza geen gehoor gaf aan een bevel, maar als de beul vond hij dat hij en zijn mannen het recht hadden zich in te dekken. Er zouden geen revolvers aan te pas komen. Hij zou touw gebruiken.

Eerst koos hij vier bewakers uit om hem te helpen Stace te wurgen. Die probeerde zich niet eens te verzetten. Maar met Franky was dat anders. Twintig minuten probeerde hij het touw te ontwijken. Twintig vreselijke minuten lang wist Franky Sturzo dat hij vermoord ging worden.

Daarna werden de beide lijken in lakens gewikkeld en door de vette modderpoel gedragen, terwijl de regen weer overging in sneeuw. Ze werden in de bossen achter het huis gelegd. Een gat in een heel dicht struikgewas was de schuilplaats, en mochten ze ooit ontdekt worden, dan zou dat op z'n vroegst in de lente gebeuren. Tegen die tijd zouden de lijken zó door de natuur zijn aangetast, hoopte Monza, dat de doodsoorzaak niet vastgesteld zou kunnen worden.

Maar dat was niet de enige reden waarom Monza zijn baas niet had gehoorzaamd. Want net als don Aprile was hij er heilig van overtuigd dat genade slechts door God gegeven werd. Hij moest kotsen van het idee dat genade ook gold voor mannen die zich verhuurden om andere mannen te vermoorden. Dat de ene man de ander vergaf, was je reinste arrogantie. Dat was de taak van God. Want een man die pretendeerde in staat te zijn tot genade was ijdel en trots en toonde geen respect. Dat soort genade zou hemzelf gestolen kunnen worden.

9

Kurt Cilke geloofde in de wet: die regels die de mensheid had uitgevonden om een vreedzaam bestaan te kunnen leiden. Hij had altijd getracht die compromissen uit de weg te gaan die een eerlijke samenleving konden ondermijnen, en hij streed genadeloos tegen de vijanden van de staat. Na twintig jaar van strijd was hij een groot deel van zijn geloof kwijtgeraakt.

Alleen zijn vrouw voldeed aan zijn verwachtingen. Politici waren leugenaars, de rijken meedogenloos in hun zucht naar macht, de armen immoreel. En dan had je nog de geboren bedriegers, zwendelaren, sadisten en moordenaars. De wetshandhavers waren niet véél beter, maar hij had altijd heilig geloofd dat niets kon tippen aan de Dienst.

Sinds een jaar had hij een terugkerende droom. Daarin was hij een jongen van twaalf, en moest hij een uiterst belangrijk examen afleggen dat de hele dag zou duren. Toen hij van huis ging, was zijn moeder in tranen, en in de droom begreep hij waarom. Als hij niet voor het examen slaagde, zou hij haar nooit terugzien.

In de droom begreep hij dat het moorden zo uit de hand was gelopen dat men met behulp van de psychiatrie wetten had uitgevaardigd om regels op te stellen voor psychologische testen waardoor te voorspellen werd welk kind van twaalf jaar zou opgroeien tot een moordenaar. Wie de test niet doorstond, verdween gewoonweg. Want de medische wetenschap had bewezen dat een moordenaar doodde om het genot van het doden. Dat politieke misdrijven, rebellie, terrorisme, jaloezie en diefstal slechts schijnexcuses waren. Dus was het alleen maar noodzaak die genetisch bepaalde moordenaars op jonge leeftijd uit te roeien.

De droom spatte uiteen toen hij na het examen thuiskwam en

zijn moeder hem omhelsde en kuste. Zijn ooms, neven en nichtjes hadden een enorm feest voor hem voorbereid. Daarna, alleen in zijn slaapkamer, trilde hij van angst. Want hij wist dat er een fout was gemaakt. Dat hij nooit voor het examen had mogen slagen en nu zou opgroeien tot een moordenaar.

De droom was twee keer voorgekomen en dat had hij niet tegen zijn vrouw gezegd, omdat hij wist wat die droom betekende – althans dat dacht hij.

Cilkes betrekkingen met Timmona Portella duurden nu al ruim zes jaar. Die waren begonnen toen Portella in blinde woede een ondergeschikte had vermoord. Cilke had direct de mogelijkheden gezien. Hij had maatregelen genomen om Portella tot informant van de maffia te maken in ruil voor het feit dat hij niet vervolgd zou worden voor de moord. De directeur had dat plan goedgekeurd, en de rest was bekend. Met Portella's hulp had Cilke de New Yorkse maffia kleingekregen, maar had een oogje moeten toeknijpen bij Portella's transacties, waaronder zijn supervisie in de drugshandel.

Maar Cilke had, met goedkeuring van de baas, plannen om Portella weer af te stoten. Portella was vastbesloten de Aprile-banken te gebruiken om het drugsgeld wit te wassen. Maar don Aprile was een dwarsligger gebleken. Bij een gedenkwaardige vergadering had Portella aan Cilke gevraagd: 'Zal de FBI don Aprile bewaken bij het vormsel van zijn kleinzoon?' Cilke had het meteen begrepen, maar hij had geaarzeld voordat hij antwoordde. Toen had hij peinzend gezegd: 'Ik weet zeker van niet. Maar wat de NYPD zal doen?'

'Dat is al uitgezocht,' had Portella gezegd.

En Cilke wist dat hij medeplichtig aan moord zou zijn. Maar was dat niet precies wat de don verdiende? Bijna zijn hele leven was hij een gewetenloze crimineel geweest. Hij had zich in immense weelde teruggetrokken zonder dat de wet een vinger naar hem uitstak. En kijk wat dat hem opleverde. Portella zou recht in zijn val lopen door de Aprile-banken over te nemen. En natuurlijk was op de achtergrond altijd Inzio aanwezig met zijn dromen over zijn eigen kernwapenarsenaal. Cilke wist dat, als het meezat, hij de hele zaak zou oprollen, waarmee de regering met de Aprile-banken tien miljard zou opstrijken dankzij de anti-witwaswet. Want er was geen twijfel mogelijk dat de erfgenamen van de don de banken zouden verkopen en een deal zouden sluiten met Portella's émissaires. En tien of elf miljard zou op zich een machtig wapen zijn tegen de criminaliteit.

Maar Georgette zou hem verachten, dus mocht ze het nooit te weten komen. Tenslotte leefde ze in een andere wereld.

Maar nu moest hij weer met Portella overleggen. Over die kwestie met zijn afgeslachte herdershonden en wie daarachter zat. Hij zou beginnen met Portella.

Timmona Portella was een rariteit wat betreft Italianen die het gemaakt hadden: een vrijgezel van in de vijftig. Maar celibatair was hij allerminst. Elke vrijdag bracht hij bijna de hele nacht door met een mooie vrouw van een van de escortbureaus van zijn ondergeschikten. De instructies luidden dat het een jong meisje moest zijn dat niet al te lang in het leven zat, dat ze mooi en fijngebouwd was. Vrolijk en pittig, maar niet bijdehand. En dat ze geen kinky dingen wilde. Timmona wilde zijn seks recht-op-en-neer. Hij had zijn eigenaardigheidjes, maar die waren onschuldig vaderlijk. Een daarvan was dat de meisjes gewone Angelsaksische namen hadden als Jane of Susan. Iets als Tiffany of Merle vond hij nog wel door de beugel kunnen, maar exotisch was uit den boze. Zelden wilde hij twee keer dezelfde vrouw.

Die rendez-vous vonden steevast plaats in een relatief klein hotel in East Side dat in handen was van een van zijn firma's, en waar hij de beschikking had over een hele etage die bestond uit twee aansluitende suites. Daarvan had de ene een volledig toegeruste keuken, want Portella was een begaafde amateurkok – vreemd genoeg van de Noord-Italiaanse keuken, al waren zijn ouders op Sicilië geboren. En hij vond koken heerlijk.

Die avond werd het meisje gebracht door de eigenaar van het escortbureau, die een borrel bleef drinken en daarna verdween. Vervolgens flanste Portella een souper voor twee in elkaar, terwijl ze wat babbelden om kennis te maken. Ze heette Janet. Portella kookte snel en efficiënt. Die avond maakte hij zijn specialiteit klaar: *piccata milanese*, spaghetti met een saus met Gruyèrekaas, kleine geroosterde aubergines als bijgerecht en een groene salade met tomaten. Het dessert bestond uit een assortiment gebakjes van een fameuze Franse patisserie in de buurt.

Hij bediende Janet met een hoffelijkheid die je hem niet zou aanzien. Hij was een grote, harige man met een immens hoofd en een pokdalige huid, maar als hij at, droeg hij altijd een overhemd met een das en een colbert. Onder het eten stelde hij Janet vragen over haar leven met een bezorgdheid die men van zo'n bruut niet

166

zou verwachten. Hij genoot van haar verhalen over pech, hoe ze door haar vader, broers en minnaars was bedrogen en over de machtige mannen die haar onder financiële druk en via ongewenste zwangerschappen tot een zondig leven hadden gebracht zodat ze haar door armoede geteisterde familie kon redden. Hij stond versteld van de variëteit aan eerloos gedrag dat zijn medemens aan de dag legde en zwolg in zijn eigen goedertierendheid jegens vrouwen. Want hij was uitermate genereus voor hen, niet slechts door hun enorme bedragen aan geld te schenken.

Na het eten bracht hij de wijn naar de zitkamer en liet Janet zes doosjes met juwelen zien: een gouden horloge, een ring met een robijn, diamanten oorbellen, een jaden collier, een met juwelen bezette armband en een schitterend parelsnoer. Hij zei dat ze er een van mocht uitzoeken als cadeau. Ze waren elk een paar duizend dollar waard – de meeste meiden lieten ze achteraf taxeren.

Jaren geleden had hij een vrachtwagen vol juwelen gekaapt en in plaats van de inhoud naar een heler te brengen, had hij hem opgeslagen. Dus eigenlijk kostte het geschenk hem niets.

Terwijl Janet overwoog wat ze wilde, en ten slotte het horloge uitkoos, liet hij het bad voor haar vollopen, waarna hij de temperatuur van het water testte en haar zijn favoriete parfums en talkpoeders verstrekte. Pas toen, nadat ze helemaal relaxed was, trokken ze zich terug in bed voor fijne, normale seks, zoals de meeste gelukkig getrouwde paren.

Als hij bijzonder aanminnig was, hield hij een meisje tot vier of vijf uur 's morgens, maar hij ging nooit slapen terwijl ze in zijn suite was. Die avond stuurde hij Janet vroeg weg.

Dat deed hij allemaal voor zijn gezondheid. Hij wist dat hij een vurig temperament had, waardoor hij in moeilijkheden kon komen. Die wekelijkse seksavontuurtjes kalmeerden hem. Vrouwen hadden in het algemeen een rustgevend effect op hem, en hij leverde het bewijs van zijn efficiënte strategie door elke zaterdag naar zijn dokter te gaan om met tevredenheid te horen dat zijn bloeddruk weer normaal was. Toen hij dit aan zijn dokter vertelde, had de man alleen maar gemompeld: 'Heel interessant.' Portella voelde zich diep teleurgesteld in hem.

Die regeling had nog een voordeel. Portella's lijfwachten stonden vóór de suite. Maar de achterdeur gaf toegang tot de aanpalende suite met een ingang in een apart halletje. Daar had Portella nu ontmoetingen die hij voor zijn naaste medewerkers verborgen wilde houden. Want het was heel gevaarlijk voor een maffiabaas om in het geheim een agent van de FBI te spreken. Hij zou ervan verdacht kunnen worden dat hij een tipgever was, en Cilke zou er door de Dienst van verdacht kunnen worden dat hij zich liet omkopen.

Portella was de man die de telefoonnummers leverde die moesten worden afgetapt, de zwakkelingen noemde die onder druk zouden bezwijken, aanwees welke moordenaars het milieu kon inhuren en uitlegde hoe bepaalde gangsters te werk gingen. En het was Portella die wel eens een akkevietje opknapte dat de FBI volgens de wet niet mocht doen.

Met de jaren hadden ze een code ontwikkeld voor het arrangeren van ontmoetingen. Cilke had een sleutel van de deur van de suite aan de overkant van het halletje, zodat hij zonder door Portella's lijfwachten gezien te worden kon binnenkomen om in de kleinere suite te wachten. Dan zorgde Portella dat hij zijn meisje kwijtraakte, zodat het gesprek kon beginnen. Die bewuste avond wachtte Portella op Cilke.

Cilke zag altijd wat tegen die gesprekken op. Hij wist dat zelfs Portella niet de moed zou hebben iets tegen een FBI-agent te beginnen, maar diens opvliegendheid grensde aan waanzin. Cilke was gewapend, maar om zijn identiteit als tipgever te verhullen kon hij geen lijfwacht meenemen.

Portella had een wijnglas in zijn hand, en zijn eerste woorden bij hun begroeting waren: 'Wat is er verdomme nóú weer mis?' Maar hij glimlachte stralend en omhelsde Cilke terloops. Portella's enorme buik ging schuil in de chique Chinese kimono die hij over zijn witte pyjama droeg.

Cilke sloeg een drankje af, ging op de bank zitten en zei kalm: 'Een paar weken geleden, toen ik na mijn werk thuiskwam, vond ik mijn honden. Hun harten waren eruit gesneden. Ik dacht dat jij misschien iets zou weten.' Hij observeerde Portella oplettend.

Portella's verbazing leek oprecht. Hij had in een fauteuil gezeten en het leek wel of hij uit zijn stoel werd geblazen. Woede verspreidde zich op zijn gezicht. Cilke was niet onder de indruk; in zijn ervaring kon de schuldige met de zuiverste argeloosheid reageren. Hij zei: 'Als je me ergens voor had willen waarschuwen, had je het me toch rechtstreeks kunnen zeggen?'

Waarop Portella bijna met tranen in de ogen zei: 'Kurt, je bent gewapend naar me toe gekomen; ik voelde je revolver. Ik ben niet gewapend. Je zou me kunnen doden en beweren dat ik me verzette bij mijn arrestatie. Ik vertrouw je. Ik heb ruim een miljoen dollar op je Kaaiman Eiland-rekening gestort. We zijn partners. Waarom zou ik je zo'n oude Siciliaanse streek leveren? Iemand probeert ons uit elkaar te drijven. Dat snap je toch wel?'

'Wie dan?' vroeg Cilke.

Portella keek peinzend. 'Misschien die Astorre. Hij lijdt aan grootheidswaan omdat hij me één keer te vlug af was. Trek hem eens na, dan zet ik intussen een prijs op zijn hoofd.'

Uiteindelijk was Cilke overtuigd. 'Goed,' zei hij, 'maar ik denk dat we heel voorzichtig moeten zijn. Je moet die vent niet onderschatten.'

'Maak je geen zorgen,' zei Portella. 'Zeg, heb je al gegeten? Ik heb nog kalfsvlees en spaghetti, salade en een goede wijn.'

Cilke lachte. 'Ik geloof je graag. Maar ik heb geen tijd om te eten.'

Eerlijk gezegd had hij geen zin om het brood te breken met een man die hij binnenkort naar de bajes zou sturen.

Astorre beschikte nu over voldoende informatie om een gevechtsplan te trekken. Hij was ervan overtuigd dat de FBI de hand had in de dood van de don. En dat Cilke de operatie had geleid. Hij wist nu wie de contactpersoon was. Hij wist dat Timmona Portella de opdrachtgever was. En toch bleven er een paar raadsels. De ambassadeur had via Nicole voorgesteld samen met buitenlandse investeerders de banken te kopen. Cilke had hem een deal voorgesteld om Portella in een criminele situatie te lokken. Dat waren verontrustende, gevaarlijke varianten. Hij besloot met Craxxi in Chicago te overleggen en Mr. Pryor mee te nemen.

Astorre had Mr. Pryor al verzocht naar Amerika te komen om de Aprile-banken te runnen. Mr. Pryor was op het voorstel ingegaan, en het was ongelooflijk hoe snel hij van een Engelse gentleman was veranderd in een oppermachtige Amerikaanse bankdirecteur. In plaats van een bolhoed droeg hij een slappe vilthoed; hij had zijn ingeklapte paraplu ingeruild voor een dubbelgevouwen krant, en hij had zijn vrouw en twee neven meegebracht. Zijn vrouw had haar Engelse matrone ingewisseld voor een chiquere – behoorlijk modieuze – manier van kleden. Zijn twee neven waren Sicilianen die perfect Engels spraken en gediplomeerde accountants waren. Het waren beiden fervente jagers, die hun jachttenue in de achterbak van een limousine bewaarden, die een van hen bestuurde. Eigenlijk fungeerden ze als Mr. Pryors lijfwachten.

De Pryors hadden hun intrek genomen in een bungalow in Upper West Side, die werd bewaakt door beveiligingsmensen van een particulier bureau. Nicole, die zich tegen zijn aanstelling had verzet, raakte algauw gecharmeerd van Mr. Pryor, vooral toen hij haar vertelde dat hij een verre neef van haar was. Het viel niet te betwijfelen dat hij een zekere vaderlijke aantrekkingskracht voor vrouwen had; zelfs Rosie was dol op hem geweest. En het viel niet te betwijfelen dat hij de banken kon runnen – zelfs Nicole was onder de indruk van zijn kennis van het internationale bankwezen. Louter door valutahandel had hij zijn winstmarge weten te vergroten. En Astorre wist dat Mr. Pryor een heel goede vriend van don Aprile was geweest. Mr. Pryor was ook degene die de don er indertijd toe had overgehaald achtereenvolgens de banken in Engeland en Italië over te nemen. Mr. Pryor had hun relatie beschreven.

'Ik heb tegen je oom gezegd,' zei Mr. Pryor, 'dat banken met minder risico meer rijkdom kunnen vergaren dan de zaken waarmee hij zich toen bezighield. Die ouderwetse ondernemingen zijn passé; de regering is te sterk en ze houden ons soort mensen daar veel te veel in het oog. Het werd tijd om ermee te kappen. Banken zijn dé weg om geld te maken als je de ervaring, het personeel en politieke contacten hebt. Zonder op te scheppen mag ik zeggen dat ik bij de politici in Italië met geld een goede naam heb. Iedereen wordt rijk en niemand wordt er minder van of draait de gevangenis in. Ik zou als professor aan de universiteit mensen kunnen leren hoe ze rijk kunnen worden zonder de wet te overtreden en hun toevlucht te zoeken tot geweld. Je moet er alleen voor zorgen dat de juiste wetten worden aangenomen. Uiteindelijk is scholing de sleutel tot een hogere beschaving.'

Mr. Pryor deed wel luchtig, maar toch meende hij het serieus. Astorre voelde zich diep met hem verbonden en schonk hem zijn volledige vertrouwen. Don Craxxi en Mr. Pryor waren mannen van wie je op aan kon. Niet alleen uit vriendschap: beiden hadden een fortuin vergaard via de tien banken die de don bezat.

Toen Astorre en Mr. Pryor bij don Craxxi's huis in Chicago kwamen, zag Astorre tot zijn verbazing dat Pryor en Craxxi elkaar uiterst hartelijk omhelsden. Kennelijk kenden ze elkaar.

Craxxi offreerde een lunch van fruit en kaas en babbelde onder het eten met Mr. Pryor. Astorre luisterde met grote nieuwsgierigheid; hij genoot wanneer oude mannen verhalen vertelden.

Craxxi en Mr. Pryor waren het erover eens dat bij de ouderwetse manier van zakendoen vele gevaren op de loer lagen. 'Iedereen had hoge bloeddruk, iedereen had het aan zijn hart,' zei Craxxi. 'Het was een vreselijke manier van leven. En de nieuwe garde heeft geen eergevoel. Ik mag graag zien hoe die van de kaart geveegd wordt.'

'Ach,' zei Mr. Pryor. 'Maar we hebben allemaal ergens moeten beginnen. En kijk nou eens naar ons.'

Door dat hele gesprek ging Astorre aarzelen om de huidige kwestie ter tafel te brengen. Waar dachten die twee oude kerels nu mee bezig te zijn? Mr. Pryor grinnikte om Astorres gezicht. 'Kalm maar, wij zijn nog geen heiligen, geen van tweeën. En deze situatie stelt onze eigen belangen op de proef. Vertel dus maar wat je wilt. We zijn bereid om zaken te doen.'

'Ik heb uw advies nodig, maar niet over hoe de banken beheerd moeten worden,' zei Astorre. 'Dat is míjn taak.'

Craxxi zei: 'Als het louter om wraak gaat, zou ik je adviseren om maar weer te gaan zingen. Maar ik begrijp, net als jij hoop ik, dat het erom gaat je familie tegen gevaar te beschermen.'

'Allebei,' zei Astorre. 'Elk van de twee redenen voldoet. Maar mijn oom heeft me júíst op een situatie als deze voorbereid. Ik mag hem niet teleurstellen.'

'Goed,' zei Mr. Pryor. 'Maar bedenk wel: wat je doet, doe je vanuit je hart. Wees voorzichtig met de risico's die je neemt. Laat je niet meeslepen.'

Don Craxxi vroeg vriendelijk: 'Hoe kan ik je helpen?'

'U had gelijk over de Sturzo-broers,' zei Astorre. 'Ze hebben de aanslag bekend, en ze hebben me verteld dat de contactfiguur John Heskow was, van wie ik nog nooit heb gehoord. Dus nu moet ik hem zien te vinden.'

'En de Sturzo-broers?' vroeg Craxxi.

'Die zijn van het toneel verdwenen.'

De twee mannen zwegen. Toen zei Craxxi: 'Ik ken die Heskow. Hij is al twintig jaar contactpersoon. Er gaan wilde verhalen dat hij bemiddeld heeft bij diverse politieke moorden, maar dat geloof ik niet. Kijk, de tactieken waarmee je de Sturzo-broers aan het praten hebt gekregen zullen bij Heskow niet werken. Hij is een uitstekend onderhandelaar, en hij zal begrijpen dat hij alleen met onderhandelen aan de dood kan ontkomen. Hij zal weten dat je informatie nodig hebt die alleen hij je kan geven.'

'Hij heeft een zoon op wie hij dol is,' zei Astorre. 'Die speelt basketbal en betekent alles voor Heskow.'

'Dat is een oude kaart, en die zal hij overtroeven,' zei Mr. Pryor, 'door de allerbelangrijkste informatie achter te houden en je informatie te geven die niet belangrijk is. Je moet weten hoe Heskow werkt. Hij onderhandelt al zijn hele leven over leven en dood. Zoek een andere aanpak.'

'Ik wil nog een heleboel weten voordat ik verder kan gaan,' zei Astorre. 'Wie er achter de moord zat, en vóór alles: waarom? Kijk, ik heb het volgende bedacht. Het moet met de banken te maken hebben. Iemand heeft de banken nodig.'

'Daar zou Heskow iets over kunnen weten,' zei Craxxi.

'Het zit me dwars,' zei Astorre, 'dat er geen surveillance van de politie of de FBI in de kathedraal was bij het vormsel. En de Sturzobroers hebben me verteld dat er garantie was gegeven dat er geen surveillance zou plaatsvinden. Mag ik aannemen dat de politie en de FBI van tevoren op de hoogte waren van de aanslag? Is dat mogelijk?'

'Ja,' zei Craxxi. 'En in dat geval moet je goed oppassen. Vooral met Heskow.'

Mr. Pryor zei nuchter: 'Astorre, je voornaamste doel is de banken te redden en don Apriles kinderen te beschermen. Wraak is een bijkomstig, te verwaarlozen doel.'

'Ik weet het niet,' zei Astorre, die nu twijfelde. 'Daar moet ik over nadenken.' Hij glimlachte oprecht naar de beide mannen. 'Maar we zien wel hoe het allemaal gaan zal.'

De twee oude mannen geloofden hem geen seconde. Ze hadden in hun leven wel meer jonge kerels als Astorre meegemaakt. Ze zagen hem als een reïncarnatie van de grote maffialeiders van weleer, mannen zoals ze zelf niet waren geworden vanwege een zeker gebrek aan het charisma en de wil die slechts de allergrootsten hadden: mannen die respect afdwongen en de gewesten domineerden, de regeringsreglementen aan hun laars lapten en als overwinnaars uit de strijd kwamen. In Astorre herkenden ze die wil, die charme, die vastberadenheid waarvan hij zich niet bewust was. Zelfs zijn dwaasheid, zijn zingen, zijn paardrijden waren zwakheden die zijn bestemming niet in de weg stonden. Dat waren pleziertjes van de jeugd en toonden zijn goede inborst.

Astorre vertelde hun over de consul-generaal, Marriano Rubio en dat Inzio Tulippa de banken wilde kopen. Over Cilke die hem wilde gebruiken om Portella in de val te lokken. De beide mannen luisterden aandachtig.

'Stuur ze de volgende keer maar naar mij,' zei Mr. Pryor. 'Volgens mijn informatie is Rubio de financiële manager van de werelddrugshandel.'

'Ik zal niet verkopen,' zei Astorre. 'Dat heeft de don me opgedragen.'

'Natuurlijk niet,' zei Craxxi. 'Die hebben de toekomst en kunnen je redding worden.' Hij zweeg even en sprak toen verder. 'Ik zal je een verhaaltje vertellen. Voordat ik me terugtrok, had ik een compagnon, een heel keurige zakenman, een parel van de samenleving. Hij vroeg me om op zijn werk te komen lunchen, in zijn privé-eetkamer. Na afloop gaf hij me een rondleiding en liet me die enorme zalen zien met duizend, door jonge mannen en vrouwen bemande computerunits.

Hij zei tegen me: "Die zaal levert me een miljard dollar per jaar op. Er zijn bijna driehonderd miljoen mensen in dit land en wij vullen onze dagen met hen zover te krijgen dat ze onze producten kopen. We organiseren speciale loterijen, prijzen en bonussen, we doen waanzinnige beloften – alles binnen de grenzen van de wet – zolang zij hun geld maar aan onze firma's spenderen. En weet je waar het op aankomt? Dat we banken hebben die die driehonderd miljoen mensen krediet geven om geld uit te geven dat ze niet hebben." Banken, daar draait het om, je moet banken achter de hand houden.'

'Dat is waar,' zei Mr. Pryor. 'En beide partijen profiteren ervan. Al zijn de rentetarieven hoog, die schulden zijn voor mensen een aansporing om meer te bereiken.'

Astorre lachte. 'Ik ben blij dat het slim is om de banken te houden. Maar dat is niet belangrijk. De don heeft me gezegd dat ik niet moet verkopen. Dat is voor mij genoeg. En dat zij hem hebben vermoord verandert de zaak.'

Craxxi zei heel beslist tegen Astorre: 'Je kunt niets tegen die Cilke beginnen. De regering is nu te sterk om er een dergelijke extreme actie tegen te ondernemen. Maar ik ben het met je eens dat hij een gevaar kan zijn. Je moet het slim aanpakken.'

'Je volgende stap is Heskow,' zei Pryor. 'Hij is van cruciaal belang, maar ook hier moet je oppassen. Denk eraan, je kunt rekenen op de hulp van don Craxxi, en zelf heb ik mijn contacten. We zijn niet echt met pensioen. En we hebben een belang in de banken – en dan hebben we het nog niet eens over jouw toewijding aan don Aprile, moge hij in vrede rusten.'

'Goed,' zei Astorre. 'Nadat ik Heskow heb gesproken, kunnen we elkaar opnieuw spreken.'

Astorre was zich terdege bewust van zijn hachelijke positie. Hij wist dat zijn succes gering was, ondanks zijn afstraffing van de moordenaars. Die waren slechts een draadje dat uit het mysterie rond de moord op don Aprile was getrokken. Maar hij vertrouwde op de feilloze paranoia die in hem was gestampt tijdens zijn jaren van training in de nooit aflatende Siciliaanse verraderlijkheden. Hij moest nu bijzonder voorzichtig zijn. Heskow leek een gemakkelijk doelwit, maar hij kon ook een kruitvat blijken.

Eén ding verbaasde hem. Hij had gedacht dat hij zich lekker in zijn vel had gevoeld als kleine zakenman en amateurzanger, maar nu voelde hij een vervoering die hij nog nooit had ervaren. Een gevoel dat hij terug was in een wereld waar hij hoorde. En dat hij een missie had. De kinderen van don Aprile beschermen, de dood wreken van de man van wie hij hield. Hij moest alleen maar de wil van de vijand zien te breken. Aldo Monza had uit zijn dorp op Sicilië tien goede mannen meegenomen. Op Astorres instructies had hij het levensonderhoud van hun families voor het leven zeker gesteld, wat hen ook zou mogen overkomen.

'Reken niet op de dankbaarheid voor wat je in het verleden voor mensen hebt gedaan,' herinnerde hij zich de wijze les van de don. 'Je moet zorgen dat ze dankbaar zijn voor wat je in de toekomst voor hen zult doen.' De banken waren de toekomst voor de Aprilefamilie, Astorre en zijn groeiende mensenleger. Een toekomst die het vechten waard was, wat het ook ging kosten.

Don Craxxi had hem voorzien van nog zes mannen voor wie hij volledig kon instaan. En met die mannen en de nieuwste beveiligingsapparatuur had Astorre van zijn huis een fort gemaakt. Hij had ook een geheim huis ingericht waar hij zich zou kunnen verschuilen, mochten de autoriteiten hem om de een of andere reden willen pakken.

Hij bediende zich niet van lijfwachten. In plaats daarvan vertrouwde hij op zijn eigen snelheid en gebruikte hij zijn bewakers als spoorzoekers op de paden die hij ging betreden.

Hij zou Heskow even laten zitten. Astorre zette zijn vraagtekens bij Cilkes reputatie als man van eer, zoals zelfs don Aprile hem had beschreven.

'Er zijn mannen van eer die hun hele leven broeden op een extreem verraad,' had Pryor hem verteld. Maar desondanks voelde Astorre zich zeker van zijn zaak. Het enige wat hem te doen stond was in leven blijven, terwijl de stukjes van de puzzel op hun plaats vielen.

De vuurproef zou komen van mannen als Heskow, Portella, Tulippa en Cilke. Dan zou hij hoogstpersoonlijk weer bloed aan zijn handen moeten krijgen.

Het duurde een maand voordat Astorre had bedacht hoe hij John Heskow precies moest aanpakken. Die man mocht dan geducht en verraderlijk zijn, gemakkelijk te doden, maar het zou niet meevallen informatie uit hem te krijgen. Zijn zoon als lokaas gebruiken werd te gevaarlijk – daardoor zou Heskow zich gedwongen voelen tegen hem samen te zweren terwijl hij veinsde mee te werken. Hij besloot Heskow niet te laten weten dat de Sturzobroers hem hadden verteld dat Heskow bij de aanslag de auto bestuurde. Dat zou hem te veel afschrikken.

Intussen verzamelde hij de nodige informatie over Heskows dagelijkse gewoonten. Het leek een rustige man, met als grootste passie het kweken van bloemen, die hij allemaal aan bloemenhandelaars en ook zelf in een kraam langs de weg in de Hamptons verkocht. Zijn enige uitjes waren de basketbalwedstrijden van het team van zijn zoon, en hij volgde Villanova's basketbalrooster op de voet.

Op een zaterdagavond in januari ging Heskow naar de wedstrijd Villanova-Temple in Madison Square Garden in New York. Toen hij zijn huis uitging, schakelde hij zijn moderne alarmsysteem in. Hij was altijd nauwkeurig in de gewone alledaagse handelingen, in de volle overtuiging dat hij zich te allen tijde tegen elk mogelijk incident had ingedekt. En juist dat vertrouwen zou Astorre al voor hun gesprek begon het liefst de bodem in slaan.

John Heskow reed naar de stad en at in alle eenzaamheid in een Chinees restaurant in de buurt van de Garden. Hij ging altijd naar de Chinees als hij buiten de deur at, omdat dat het enige was wat hij thuis zelf niet kon klaarmaken. Hij genoot van de zilveren stolpen over elke schotel, alsof er een heerlijke verrassing in zat. Hij mocht die Chinezen wel. Ze deden hem denken aan zijn eigen werk, omdat ze geen smoesjes verkochten of kruiperig familiair deden. En nog nooit had hij een fout bemerkt in zijn rekening, die hij altijd nauwkeurig natelde omdat hij diverse gerechten bestelde.

Die avond liet hij zich volledig gaan. Hij was vooral gek op Pekingeend en rivierkreeftjes in Kantonese kreeftensaus. Hij nam een speciaal soort gebakken witte rijst en natuurlijk wat loempiaatjes en pikante spareribs. Hij sloot af met ijs van groene thee. Hij had aan de smaak moeten wennen, maar er bleek uit dat hij een kenner van de oriëntaalse keuken was.

Toen hij bij de Garden aankwam, was de arena maar voor de helft gevuld, al beschikte Temple over een eersteklas team. Heskow nam zijn favoriete plaats in – daar had zijn zoon voor gezorgd – aan het speelvlak, halverwege het veld. Dat gaf hem een trots gevoel over Jocko.

Het spel hield niet over. Temple maakte Villanova in, maar Jocko was topscorer van de wedstrijd. Na afloop ging Heskow de kleedruimte in.

Zijn zoon omarmde hem ter begroeting. 'Hallo, pap, ik ben blij dat je bent gekomen. Heb je zin om met ons te gaan eten?'

Heskow was zeer voldaan. Zijn zoon was een echte gentleman. Natuurlijk wilden die jongens op hun avondje uit in de stad een ouwe bok als hij er niet bij hebben. Ze wilden doorzakken, lol maken, en zo mogelijk een meid versieren.

'Nee, dank je,' zei Heskow. 'Ik heb al gegeten en ik moet nog een heel eind terugrijden. Je hebt fantastisch gespeeld vanavond. Ik ben trots op je. Ga nu maar lekker uit, veel plezier.' Hij gaf zijn zoon een afscheidszoen en vroeg zich af waar hij hem aan verdiend had. Tja, zijn zoon had een goede moeder, al was ze een klote-echtgenote geweest.

Heskow reed in slechts een uur terug naar zijn huis in Brightwaters – de snelwegen op Long Island waren op dat uur zo goed als uitgestorven. Hij was moe toen hij thuiskwam, maar voor hij het huis in ging, ging hij nog even in de bloemkassen kijken of de temperatuur en de vochtigheidsgraad goed waren.

In het maanlicht dat door het glazen dak weerkaatste, hadden de bloemen een wilde, nachtmerrieachtige schoonheid: het rood leek bijna zwart, het wit had een spookachtige, doorzichtige stralenkrans. Hij keek er graag naar, vooral vlak voordat hij ging slapen.

Hij liep over het grind van de oprit naar zijn huis en deed de deur van het slot. Toen hij binnen was, drukte hij snel op de nummers op het paneel zodat het alarm niet af zou gaan en ging toen naar de zitkamer.

Zijn hart stond bijna stil. Twee mannen zaten hem op te wachten. Hij herkende Astorre. Hij wist genoeg van de dood om die in één oogopslag te herkennen. Dit waren de voorboden.

Maar hij reageerde met het perfecte afweermechanisme. 'Hoe zijn jullie hier in godsnaam binnengekomen, en wat willen jullie verdomme?'

'Niet in paniek raken,' zei Astorre. Hij stelde zich voor en voegde eraan toe dat hij de neef was van de overleden don Aprile.

Heskow dwong zichzelf tot kalmte. Hij had eerder voor hete vuren gestaan en had zich na de eerste adrenalinestoot altijd weten te herstellen. Hij ging op de bank zitten, met zijn hand op de houten armleuning, terwijl die naar zijn verborgen revolver tastte. 'En wat willen jullie?'

Astorre had een geamuseerde glimlach op zijn gezicht, die Heskow irriteerde. Eigenlijk had hij het juiste moment willen afwachten. Nu klapte hij de armleuning open en tastte naar zijn revolver. De holte was leeg.

Op dat moment reden er over de oprit drie auto's, waarvan de koplampen in de kamer schenen. Nog twee mannen kwamen het huis binnen.

Astorre zei vriendelijk: 'Ik onderschatte je niet, John. We hebben het huis doorzocht. We hebben de revolver in de koffiekan gevonden, nog een die je met tape onder je bed had geplakt, nog een in die zogenaamde brievenbus en een achter de pot in de wc. Hebben we er een over het hoofd gezien?'

Heskow gaf geen antwoord. Zijn hart begon opnieuw te bonzen. Hij voelde het in zijn keel.

'Wat kweek je in godsnaam in die kassen?' vroeg Astorre lachend. 'Diamanten, hennep, coke of zo? Ik dacht dat je nooit binnen zou komen. Trouwens, dat is een heel kruitvat voor iemand die azalea's kweekt.'

'Hou op met je geintjes,' zei Heskow zacht.

Astorre ging op de stoel naast Heskow zitten en gooide twee portefeuilles – van Gucci: een goudkleurige en een bruine – op de salontafel tussen hen in. 'Kijk eens goed,' zei hij.

Heskow stak zijn hand uit en maakte ze open. Als eerste zag hij de rijbewijzen van de Sturzo-broers met de geplastificeerde foto's. De brok in zijn keel was zo zuur dat hij bijna overgaf.

'Ze zijn doorgeslagen,' zei Astorre. 'Dat jij de contactpersoon was bij de aanslag op don Aprile. Ze zeiden ook dat jij hen hebt gegarandeerd dat er geen surveillance van de NYPD of de FBI zou zijn bij de kerkdienst.'

Heskow zette alle gebeurtenissen op een rij. Ze hadden hem niet ter plekke gedood, al waren de Sturzo-broers ongetwijfeld wél dood. Hij voelde een steekje van teleurstelling vanwege het verraad. Maar Astorre scheen niet te weten dat hij de auto had bestuurd. Hier viel nog te onderhandelen, de allerbelangrijkste onderhandeling van zijn leven.

Heskow haalde zijn schouders op. 'Ik weet niet waar je het over hebt.'

Aldo Monza had aandachtig zitten luisteren zonder dat zijn ogen Heskow loslieten. Nu ging hij naar de keuken en kwam terug met twee koppen zwarte koffie, waarvan hij er één aan Astorre gaf en de andere aan Heskow. Hij zei: 'Hé, je hebt Italiaanse koffie – fantastisch.' Heskow keek hem minachtend aan.

Astorre dronk zijn koffie op en zei toen, met opzet langzaam, tegen Heskow: 'Ze zeggen dat je zo intelligent bent, dat dat de enige reden is dat je nog niet dood bent. Dus luister naar me en denk heel goed na. Ik ben de puinruimer van don Aprile. Ik beschik over alle contacten die hij had vóór hij zich terugtrok. Jij hebt hem gekend, je weet wat dat inhoudt. Je had nooit de tussenpersoon durven zijn als hij zich niet had teruggetrokken. Klopt dat?'

Heskow zei niets. Bleef Astorre aankijken, in een poging hem te peilen.

'De Sturzo's zijn dood,' ging Astorre verder. 'Je mag ze achterna. Maar ik heb een voorstel, en nu moet je erg goed opletten. De komende dertig minuten zul je mij ervan moeten overtuigen dat je aan mijn kant staat, dat jij als mijn agent wilt optreden. Zo niet, dan word je begraven onder de bloemen in je kas. Goed, laat ik je gunstiger nieuws vertellen. Ik zal nooit je zoon bij deze zaak betrekken. Zo ben ik niet, en afgezien daarvan zou zoiets jou tot mijn vijand maken waardoor je mij maar al te graag zou verraden. Maar je moet je realiseren dat ik degene ben die je zoon in leven houdt. Mijn vijanden willen mijn dood. Als ze daarin slagen, zullen mijn vrienden je zoon niet sparen. Zijn lot hangt af van het mijne.'

'Wat wil je dan?' vroeg Heskow.

'Ik wil informatie,' zei Astorre. 'Dus ga jij praten. Als ik tevreden ben, hebben wij een deal. Zo niet, dan ben je dood. Dus is je allereerste probleem deze avond levend door te komen. Start.'

Heskow hield minstens vijf minuten zijn mond. Om te beginnen probeerde hij Astorre te peilen – zo'n leuke knul, helemaal niet agressief of intimiderend. Toch waren de gebroeders Sturzo dood. En dan ondanks de beveiliging zijn huis binnendringen en de wapens vinden... Het onheilspellendst was dat Astorre wachtte tot hij naar zijn niet-bestaande revolver greep. Dit was dus geen bluf, en zeker niet het soort bluf dat hij zou kunnen tarten. Uiteindelijk dronk Heskow zijn koffie op en nam een besluit, onder voorbehoud.

'Ik moet wel met jóú mee,' zei hij tegen Astorre. 'Ik móét er wel op vertrouwen dat je weet wat je doet. De man die mij heeft ingehuurd om bij de deal te bemiddelen en die me het geld gaf is Timmona Portella. Ik heb de NYPD omgekocht om niet te surveilleren. Ik was de geldloper van Timmona en heb het hoofd Recherche van de NYPD, Di Benedetto, vijftig mille en zijn assistent Aspinella Washington vijfentwintig mille gegeven. En wat die garantie van de FBI betreft, die kreeg ik van Portella. Toen ik vroeg om referenties, zei hij dat hij ene Cilke, chef van de Dienst New York, in zijn zak had. Cilke was de man die zijn fiat gaf aan de aanslag op de don.'

'Had je al eerder voor Portella gewerkt?'

'Wat heet,' zei Heskow. 'Hij controleert de drugs in New York, dus hij had zat van die karweitjes voor me. Nooit in de orde van die van de don. Ik heb de connectie nooit begrepen. Punt uit.'

'Juist,' zei Astorre. Hij leek oprecht. 'Nu wil ik dat je heel goed oplet. In je eigen belang. Is er nog iets wat je me kunt vertellen?'

En opeens wist Heskow dat hij nog maar een paar seconden te leven had. Dat het hem niet was gelukt Astorre te overtuigen. Hij glimlachte flauwtjes naar Astorre. 'Nog één ding,' zei hij uiterst langzaam. 'Ik heb op dit moment een opdracht van Portella. Over jou. Ik betaal de detectives elk een half miljoen om jou uit de weg te ruimen. Zij komen je arresteren, jij verzet je tegen de arrestatie, en dan schieten ze je dood.'

Astorre leek enigszins in verwarring gebracht. 'Waarom zo ingewikkeld en duur?' vroeg hij. 'Waarom huren ze niet meteen een huurmoordenaar in?'

Heskow schudde zijn hoofd. 'Ze schatten je blijkbaar hoger in. En na de don zou een huurmoordenaar te veel aandacht trekken. De media zouden op tilt slaan. Op hun manier zijn ze gedekt.'

'Heb je ze al betaald?' vroeg Astorre.

'Nee,' zei Heskow. 'We moeten er nog over praten.'

'Goed,' zei Astorre. 'Regel dat gesprek op neutraal terrein. Laat me de details van tevoren weten. Eén ding. Ga na het overleg niet tegelijk met hen weg.'

'O, shit,' zei Heskow. 'Is het zover? Daar komt enorme heibel van.'

Astorre zakte achterover in zijn stoel. 'Het is zover,' zei hij. Hij stond op en sloeg quasi-vriendschappelijk zijn armen om Heskow heen. 'Denk eraan,' zei hij, 'dat we elkaar in leven moeten zien te houden.'

'Kan ik wat van het geld achterhouden?' vroeg Heskow.

Astorre lachte. 'Nee. Dat is juist het mooie. Hoe moet de politie het half miljoen verklaren dat ze bij zich hebben?'

'Niet meer dan twintig,' zei Heskow.

'Oké,' zei Astorre toegeeflijk. 'Maar niet meer. Als douceurtje.'

Nu werd het voor Astorre hoog tijd opnieuw een gesprek te hebben met don Craxxi en Mr. Pryor in verband met hun advies voor het uitgebreide plan de campagne dat hij moest uitvoeren.

Maar de omstandigheden waren veranderd. Mr. Pryor stond erop dat hij zijn twee neven naar Chicago mocht meenemen om als lijfwacht te fungeren. En toen ze in de buitenwijk van Chicago aankwamen, zagen ze dat don Craxxi's bescheiden landgoed in een fort was veranderd. De oprijlaan naar het huis werd geblokkeerd door groene hutjes die door zeer taaie jongemannen werden bemand. In de boomgaard stond een bestelwagen met radioapparatuur geparkeerd. En er waren drie mannen die na het aanbellen opendeden, de telefoon opnamen en identiteitsbewijzen van bezoekers controleerden.

Mr. Pryors neven Erice en Roberto waren mager en atletisch, experts in vuurwapens en ze verafgoodden hun oom duidelijk. Ze bleken eveneens op de hoogte van Astorres geschiedenis op Sicilië en behandelden hem met diep respect, terwijl ze hem alle mogelijke persoonlijke diensten verleenden. Ze droegen zijn bagage. Ze schonken hem bij het eten wijn in, waarna ze hem met hun servetten afschuierden, ze betaalden zijn fooien en hielden deuren voor hem open, waarmee ze duidelijk lieten zien dat ze hem als een belangrijk man beschouwden. Hoewel Astorre probeerde hen goedmoedig op hun gemak te stellen, vervielen ze nooit tot familiair gedrag.

De mannen die Craxxi bewaakten, waren minder beleefd. Die waren voorkomend maar stug: bezadigde mannen van in de vijftig die zich alleen met hun werk bemoeiden. En allen gewapend.

Die avond, toen don Craxxi, Mr. Pryor en Astorre na het diner fruit als dessert aten, zei Astorre tegen de don: 'Vanwaar al die bewaking?'

'Gewoon uit voorzorg,' antwoordde zijn gastheer kalm. 'Ik heb verontrustend nieuws gekregen. Een van mijn oude vijanden, Inzio Tulippa, is in Amerika aangekomen. Die man is erg opvliegend en erg hebzuchtig, dus daar kunnen we maar beter op verdacht zijn. Hij komt met onze Timmona Portella praten. Ze delen hun drugswinsten en knijpen hun vijanden uit. Je kunt er maar beter op voorbereid zijn. Maar waar denk jij nu aan, mijn beste Astorre?'

Astorre vertelde hun zowel wat hij aan informatie had ingewonnen als hoe hij Heskow had bewerkt. Hij vertelde hun over Portella en Cilke en de twee detectives.

'Nu moet ik in actie komen,' zei hij. 'Ik heb een specialist in explosieven nodig en ten minste tien bekwame mannen. Ik weet dat u tweeën daarvoor kunnen zorgen, dat u op de oude vrienden van de don kunt rekenen.' Hij schilde met zorg de groenig gele peer die hij aan het eten was. 'U begrijpt hoe gevaarlijk dit zal zijn en u wilt er niet al te nauw bij betrokken raken.'

'Onzin,' zei Mr. Pryor ongeduldig. 'We hebben aan don Aprile te danken wat we hebben bereikt. Natuurlijk zullen we helpen. Maar denk eraan, dit is geen wraak. Het is zelfverdediging. Je kunt Cilke niets maken. De federale regering zal ons het leven zuur maken.'

'Maar die man moet uitgeschakeld worden,' zei don Craxxi. 'Hij zal altijd een gevaar blijven. Maar denk eens over het volgende. Verkoop de banken, dan is iedereen tevreden.'

'Iedereen behalve ik, mijn nicht en mijn neven,' zei Astorre.

'Toch zou je het moeten overwegen,' zei Mr. Pryor. 'Ik ben bereid samen met don Craxxi mijn aandeel in de banken op te offeren, al weet ik dat het tot een enorm fortuin kan uitgroeien. Maar er valt veel te zeggen voor een rustig leven.'

'Ik verkoop de banken niet,' zei Astorre. 'Ze hebben mijn oom gedood en ze moeten de prijs betalen: dat ze niet hun doel bereiken. En ik kan niet leven in een wereld waarin mijn plaats afhangt van hun genade. Dat heeft de don me geleerd.'

Astorre was verbaasd dat don Craxxi en Mr. Pryor opgelucht keken bij zijn besluit. Ze deden hun best hun glimlach te verbergen. Hij besefte dat deze twee oude mannen, zo machtig als ze waren, respect voor hem hadden, in hem zagen wat ze zelf nooit zouden kunnen bereiken.

Craxxi zei: 'We kennen onze plicht jegens don Aprile, hij ruste in vrede. En we kennen onze plicht jegens jou. Maar één voorzichtige opmerking: als je te roekeloos te werk gaat en je iets overkomt, zijn wij gedwongen de banken te verkopen.'

'Ja,' zei Mr. Pryor. 'Wees voorzichtig.'

Astorre lachte. 'Maakt u zich geen zorgen. Als ik geveld word, is er niemand meer over.'

Ze aten hun peren en perziken op. Don Craxxi leek in gedachten verzonken. Toen zei hij: 'Tulippa is de hoogste drugsbaron ter wereld. Portello is zijn Amerikaanse vennoot. Ze willen vast dat de banken het drugsgeld witwassen.'

'Wat voor rol speelt Cilke hier dan in?' vroeg Astorre.

'Ik weet het niet,' zei Craxxi. 'Maar nogmaals: je kunt Cilke niet aanvallen.'

'Dat zou een ramp worden,' zei Mr. Pryor.

'Dat zal ik onthouden,' zei Astorre.

Maar als Cilke schuldig was, wat moest hij dan?

Detective Aspinella Washington zag erop toe dat haar dochter van acht 's avonds goed at, haar huiswerk maakte en haar gebedje opzei voordat ze haar instopte. Ze was dol op het meisje en had haar vader lang geleden uit haar leven gebannen. De babysit, de tienerdochter van een politieagent, kwam om acht uur. Aspinella instrueerde haar over de medicatie van de kleine en zei dat ze vóór middernacht terug zou zijn.

Toen even later de zoemer in de hal overging, rende Aspinella de trappen af en de straat op. Ze gebruikte nooit de lift. Paul Di Benedetto wachtte in zijn burgerauto, een lichtbruine Cadillac. Ze stapte in en maakte haar veiligheidsgordel vast. Hij reed 's avonds verrekte slecht.

Di Benedetto rookte een lange sigaar, dus draaide Aspinella haar raampje neer. 'Het is ongeveer een uur rijden,' zei hij. 'We moeten erover nadenken.' Hij wist dat het voor hen allebei een grote stap was. Je laten omkopen en drugsgeld waren één ding; een aanslag plegen iets heel anders.

'Wat valt er na te denken?' vroeg Aspinella. 'We krijgen een half miljoen om een vent van kant te maken die de elektrische stoel verdient. Weet je wat ik met een kwart miljoen kan doen?'

'Nee,' zei Di Benedetto. 'Maar ik weet wél wat ík ermee kan. Een appartement in Miami kopen als ik met pensioen ga. Denk eraan dat we hiermee moeten leven.'

'Drugsgeld aannemen gaat al te ver,' zei Aspinella. 'Laat ze allemaal de pest krijgen.'

'Zo is dat,' zei Di Benedetto. 'Laten we eerst maar zien of die Heskow vanavond het geld heeft, of hij ons niet belazert.'

'Hij is altijd betrouwbaar geweest,' zei Aspinella. 'Het is mijn kerstmannetje. En als hij niet een grote zak vol voor ons heeft, is het een dooie kerstman.'

Di Benedetto lachte. 'Zo mag ik het horen. Weet jij waar die Astorre uithangt, zodat we hem meteen uit de weg kunnen ruimen?'

'Jazeker. Ik heb hem laten volgen. Ik weet dé plek om hem te grazen te nemen – zijn macaronipakhuis. Meestal werkt hij tot 's avonds laat.'

'Heb je dat wegwerpding bij je om in zijn handen te stoppen?' vroeg Di Benedetto.

'Natuurlijk,' zei Aspinella. 'Voor mij is die badge geen reet waard zonder wegwerpding in m'n tengels.'

Tien minuten reden ze zwijgend door. Toen zei Di Benedetto, terwijl hij zich dwong om kalm en emotieloos te klinken: 'Wie is straks de schutter?'

Aspinella keek hem geamuseerd aan. 'Paul,' zei ze, 'je hebt de laatste tien jaar achter een bureau gezeten. Je hebt meer tomatensap gezien dan bloed. Ik ga schieten.' Ze zag dat hij opgelucht keek. Mannen – je had er geen zak aan.

Ze vielen weer stil omdat ze allebei in beslag werden genomen door de gedachte aan hoe het zo ver met hen was gekomen. Di Benedetto was ruim dertig jaar geleden als jongeman bij de politie komen werken. Langzaam maar zeker was hij corrupt geworden. Hij was begonnen met grootheidswaan – hij zou respect en bewondering afdwingen door zijn leven te wagen voor zijn medemens. Maar met de jaren was dat gesleten. Eerst ging het om kleine omkoopsommen van de straathandelaars en kleine winkels. Vervolgens valse getuigenissen om een maat te helpen een misdrijf rond te krijgen. Het leek een kleine stap om geld aan te nemen van belangrijke drugsdealers. Daarna uiteindelijk van Heskow, die klaarblijkelijk optrad namens Timmona Portella, de grootste maffiabaas die New York nog had.

Natuurlijk, er was altijd een goed excuus. Je hersens kunnen zichzelf alles verkopen. Hij zag de hogere politiemensen rijker worden aan afkoopsommen van drugs, en wie lager in rang was, was nog corrupter. En uiteindelijk moest hij drie kinderen laten studeren. Maar het kwam vooral door de ondankbaarheid van de mensen die hij moest beschermen. Voorvechters van burgerrechten protesteerden al wegens hardhandig politieoptreden als je een zwarte overvaller een paar tikken gaf. De nieuwsmedia lieten geen kans voorbijgaan om op de politie af te geven. Burgers die agenten aanklaagden. Agenten die na jaren trouwe dienst werden ontslagen, van hun pensioen beroofd of zelfs de gevangenis indraaiden.

Zelf was hij een keer disciplinair gestraft omdat hij ervan werd beschuldigd dat hij het op zwarte criminelen had gemunt, terwijl hij wist dat hij niet aan rassendiscriminatie deed. Kon híj het helpen dat de meeste criminelen in New York zwart waren? Wat verwachtte men dán van je – dat je ze een vergunning gaf om te stelen, als blijk van goedkeuring? Hij had gezorgd dat zwarte agenten promotie kregen. Hij was op het departement Aspinella's mentor geweest, die haar de promotie had gegeven die ze had verdiend door diezelfde zwarte criminelen het leven zuur te maken. En haar kon je niet van racisme beschuldigen. Kort en goed: de samenleving scheet op de agenten door wie zij werd beschermd. Tenzij ze natuurlijk tijdens het uitoefenen van hun plicht om het leven kwamen. Dan kreeg je allerlei gelul over je heen. Als je het echt wilde weten: het loonde niet om een eerlijke politieman te zijn. En toch... en toch had hij nooit gedacht dat het tot moord zou komen. Maar uiteindelijk was hij onkwetsbaar; hij liep geen risico, er was ontzettend veel geld en het slachtoffer was een moordenaar. En toch...

Aspinella vroeg zich eveneens af hoe het kwam dat haar leven zo in het slop was geraakt. God wist dat ze tegen de criminele onderwereld had gevochten met een vuur en volharding die haar legendarisch hadden gemaakt in New York. Zeker, ze had zich laten omkopen, misdrijven verdoezeld. Ze was het spel pas laat gaan meespelen, toen Di Benedetto haar had overgehaald drugsgeld aan te nemen. Hij was jarenlang haar mentor geweest en een paar maanden haar minnaar – niet slecht, maar een onhandige beer die seks als slaapmiddel gebruikte.

Maar haar corruptie was pas echt begonnen op de eerste dag dat ze na haar promotie als detective aan de slag ging. In de kantine van het politiebureau had een macho witte agent, ene Gangee, haar goedmoedig gedold. 'Zeg, Aspinella,' had hij gezegd, 'met jouw poesje en mijn kracht zullen wij de misdaad in de beschaafde wereld uitroeien.' De agenten, onder wie een paar zwarte, hadden gelachen.

Aspinella had hem ijskoud aangekeken en gezegd: 'Jij wordt nooit mijn partner. Een man die een vrouw beledigt is een lafaard met een klein lulletje.'

Gangee had geprobeerd het op een vriendschappelijk niveau te houden. 'Mijn kleine lulletje laat zich te allen tijde in jouw poesje proppen, wanneer je maar wilt. Ik ben toch al van plan mijn geluk elders te beproeven.'

Aspinella draaide hem haar ijzige gezicht toe. 'Liever zwart dan zo'n schijterd,' zei ze. 'Ga je maar afrukken, stom stuk stront.'

Iedereen in het vertrek leek te bevriezen van verbazing. Nu had ze Gangee een bloedrode kop bezorgd. Zo'n vileine minachting kon niet geduld worden zonder een knokpartij. Hij liep op haar af, waarbij hij met zijn enorme gestalte ruimte maakte.

Aspinella was erop gekleed. Ze trok haar revolver zonder die te richten. 'Waag het niet, of ik schiet je ballen eraf,' zei ze, en niemand in die kamer twijfelde eraan dat ze de trekker zou overhalen. Gangee stond stil en schudde vol walging zijn hoofd.

Het incident werd echter gerapporteerd. Het was een ernstig vergrijp van de kant van Aspinella. Maar Di Benedetto was uitgekookt genoeg om te weten dat een proces binnen het departement een politieke afgang zou betekenen voor de NYPD. Hij suste de hele zaak en was zo onder de indruk van Aspinella dat hij haar in zijn persoonlijke staf aanstelde en haar mentor werd.

Wat Aspinella zich het allermeest had aangetrokken was dat er minstens vier zwarte smerissen in de kamer aanwezig waren en dat niet één van hen haar had verdedigd. Ze hadden zelfs gelachen om de grappen van de witte smeris. Loyaliteit van de eigen sekse was sterker dan loyaliteit van het eigen ras.

Ze had daarna carrière gemaakt als de beste smeris van de divisie. Ze maakte korte metten met drugsdealers, overvallers en gewapende dieven. Voor hen was ze genadeloos, zwart of blank. Ze schoot ze neer, sloeg ze in elkaar en vernederde ze. De aanklachten tegen haar konden nooit hardgemaakt worden en haar staat van dienst sprak qua moed voor zich. Maar vanwege de aanklachten werd haar woede tegen de samenleving aangewakkerd. Hoe haalden ze het in hun hoofd aan haar te twijfelen, terwijl ze hen tegen het grootste schorem van de stad beschermde? Di Benedetto stond steevast achter haar.

Er had zich één penibele situatie voorgedaan toen ze twee overvallers, tieners, had doodgeschoten toen die haar in een helverlichte straat in Harlem vlak voor haar appartement probeerden te beroven. De ene jongen had haar in haar gezicht gestompt en de andere had haar tas gegrepen. Toen Aspinella haar pistool trok, bleven de jongens stokstijf staan. Heel bewust had ze hen allebei neergeschoten. Niet slechts voor de stomp in haar gezicht, maar om de boodschap te laten rondgaan dat men in haar buurt niet moest proberen mensen te overvallen. Burgerrechtenactivisten hadden een protestdemonstratie georganiseerd, maar het bureau had vastgesteld dat ze terecht geweld had gebruikt. Ze wist dat ze in die zaak schuldig was.

Di Benedetto was degene geweest die haar had omgepraat toen ze voor het eerst geld aannam bij een heel belangrijke transactie. Hij had haar als een liefhebbende oom toegesproken. 'Aspinella,' had hij gezegd. 'Een smeris maakt zich vandaag de dag niet zozeer zorgen om kogels. Dat hoort bij de deal. Die burgerrechtenactivisten, daar maakt hij zich zorgen over, over burgers en criminelen die hun schade willen verhalen. De politieke bazen van het district die je de bak in smijten om stemmen te krijgen. Vooral iemand als jij. Je bent een geboren slachtoffer, dus wil je eindigen als die andere arme sukkels op straat die worden verkracht, beroofd, vermoord? Of ben je van plan jezelf te beschermen? Luister goed. Je zult meer bescherming krijgen van de hoge pieten in het district die al zíjn gekocht. Over vijf of zes jaar kun je met een pak geld met pensioen gaan. En dan hoef jij je geen zorgen te maken dat je de bak indraait omdat je de haren van een overvaller in de war hebt gemaakt.'

Dus was ze gezwicht. En langzaamaan had ze er lol in gekregen het omkoopgeld op geheime bankrekeningen onder te brengen. Niet dat ze de misdadigers uit het oog verloor.

Maar dit was andere koek. Dit was een complot om een moord te begaan, en ja: die Astorre was een grote maffia-meneer die ze met plezier koud zou maken. Raar maar waar, maar ze deed haar plicht. Maar het doorslaggevende argument was dat het zo weinig risico met zich meebracht en zo goed betaalde. Een kwart miljoen.

Nadat Di Benedetto de Southern State Parkway was afgereden, reed hij een paar minuten later de parkeerplaats op van een klein winkelcentrum. Alle winkels, een stuk of vijf, waren gesloten, zelfs de pizzatent met de felrode neonletters in de etalage. Ze stapten uit. 'Ik heb nog nooit een pizzatent gezien die zo vroeg sloot,' zei Di Benedetto. Het was pas tien uur.

Hij bracht Aspinella naar een zijdeur van de pizzatent. Die zat niet op slot. Na een zestal trappen belandden ze op een overloop. Met links een uit twee kamers bestaande suite en rechts een kamer. Toen hij wenkte, doorzocht Aspinella de suite terwijl hij de wacht hield. Vervolgens gingen ze naar de kamer aan de rechterkant. Heskow zat op hen te wachten.

Hij zat op een punt van een lange houten tafel waaromheen vier rieten stoelen stonden. Op de tafel stond een sporttas ter grootte van een boksbal, en die zat zo te zien barstensvol. Heskow schudde Di Benedetto de hand en knikte naar Aspinella. Ze bedacht dat ze nog nooit een witte man had gezien die zo wit zag. Uit zijn gezicht, en zelfs uit zijn hals, was alle kleur weggetrokken.

De kamer had alleen een gedempt gloeipeertje en geen ramen. Ze gingen om de tafel zitten, waarna Di Benedetto zijn hand uitstrekte en op de tas klopte. 'Zit alles erin?' vroeg hij.

'Reken maar,' zei Heskow nerveus. Goed, een man met een half miljoen dollar in een sporttas mócht ook wel nerveus zijn, dacht Aspinella. Desondanks liet ze haar ogen door de kamer glijden op zoek naar afluisterapparatuur.

'Even kijken,' zei Di Benedetto.

Heskow trok het koord van de tas los en schudde hem half leeg. Een stuk of twintig stapeltjes biljetten met een elastiekje eromheen tuimelden op de tafel. De meeste stapeltjes waren biljetten van honderd, geen vijftigjes, en er waren twee pakjes met twintigjes.

Di Benedetto zuchtte. 'Kuttwintigjes,' zei hij. 'Oké, stop maar terug.'

Heskow propte de stapeltjes terug in de tas en trok het koord weer aan. 'Mijn cliënt vraagt of het zo vlug mogelijk kan gebeuren,' zei hij.

'Binnen twee weken,' zei Di Benedetto.

'Goed,' zei Heskow.

Aspinella hing de sporttas over haar schouder. Helemaal niet zwaar, dacht ze. Zo zwaar was een half miljoen dus niet.

Toen ze zag hoe Di Benedetto handen schudde met Heskow werd ze ongedurig. Ze wilde daar zo snel mogelijk weg. Ze begon, met de tas over haar schouder die ze met een hand in evenwicht hield, de trappen af te lopen, terwijl ze haar andere hand vrijhield om haar pistool te trekken. Ze hoorde dat Di Benedetto achter haar aan liep.

Vervolgens waren ze buiten in de koele nacht. Ze dropen allebei van het zweet.

'Zet die tas in de achterbak,' zei Di Benedetto. Hij ging achter het stuur zitten en stak een sigaar op. Aspinella liep om en stapte in.

'Waar gaan we de boel verdelen?' vroeg Di Benedetto.

'Niet bij mij. Ik heb een babysit.'

'Niet bij mij,' zei Di Benedetto. 'Mijn vrouw zit thuis. Zullen we een kamer in een motel huren?'

Aspinella trok een grimas, en Di Benedetto zei: 'Mijn kantoor.

We doen de deur op slot.' Ze moesten allebei lachen. 'Controleer nog even de achterbak. Kijk of die goed op slot zit.'

Aspinella sprak hem niet tegen. Ze stapte uit, deed de kofferbak open en haalde de tas eruit. Op dat moment schakelde Paul de motor in.

Door de explosie regende het scherven in het winkelcentrum. Het leek of de auto in de lucht zweefde en neerkwam in een hagel van staalsplinters die Di Benedetto's lichaam doorzeefden. Aspinella Washington kwam bijna tien meter verderop terecht, met een gebroken arm en een gebroken been. Maar door de pijn van haar uitgerukte oog verloor ze het bewustzijn.

Heskow, die via de achterdeur de pizzatent uit kwam, voelde hoe zijn lichaam door de luchtdruk tegen het gebouw werd gedrukt. Toen sprong hij in zijn auto en was twintig minuten later weer thuis in Brightwaters. Hij schonk zich snel een borrel in en telde de twee stapels met biljetten van honderd dollar na die hij uit de tas had gepakt. Veertig ruggen – een lekkere bonus. Hij zou zijn kinderen een paar duizend dollar zakgeld geven. Nee, duizend. En de rest opzijleggen.

Hij keek naar het late journaal op de tv, dat de explosie terloops meldde. Eén detective gedood, de andere ernstig gewond. En op de plaats van misdaad een sporttas met een enorm geldbedrag. De tv-omroeper zei niet hoeveel.

Toen Aspinella Washington twee dagen later in het ziekenhuis weer bij bewustzijn kwam, was ze niet verbaasd dat ze stevig aan de tand werd gevoeld over het geld en waarom het maar veertigduizend dollar minder was dan een half miljoen. Ze ontkende dat ze iets van het geld af wist. Ze ondervroegen haar over waarom een hoofd Recherche samen met een assistent op pad was. Ze weigerde te antwoorden omdat dat een persoonlijke zaak was. Maar ze was boos toen ze maar bleven ondervragen, terwijl het toch duidelijk was dat haar toestand ernstig was. Het district gaf geen reet om haar. Er was geen enkel respect voor haar staat van dienst. Maar de afloop viel mee. Het district zou haar niet vervolgen en draaide het zo dat het onderzoek naar het geld op niets was uitgelopen.

Aspinella had nog een week nodig om te herstellen en alles op een rijtje te zetten. Ze waren erin geluisd. En de enige die hen erin had kunnen luizen, was Heskow. En het feit dat er veertigduizend dollar van het geld ontbrak, betekende dat dat hebberige zwijn het

niet kon laten zijn eigen mensen te naaien. Oké, ze zou beter worden, dacht ze, en daarna zou ze Heskow nog weleens tegenkomen.

10

Astorre was nu heel voorzichtig met wat hij deed. Niet slechts om een aanslag te ontlopen, maar ook omdat hij niet het risico mocht lopen om de een of andere reden gearresteerd te worden. Hij bleef dicht in de buurt van zijn zwaarbewaakte huis, waar vierentwintig uur per dag vijf man de wacht hielden. Hij had in de bossen en op het terrein rond het huis sensoren laten installeren en infrarood licht voor bewaking in het donker. Als hij zich buiten waagde, was dat met zes bodyguards in drie teams van twee. Soms reisde hij alleen en vertrouwde dan maar op zijn goede gesternte en zijn eigen kracht, mocht hij niet meer dan één of twee moordenaars tegenkomen. Het opblazen van de twee detectives was nodig geweest, maar had veel stof doen opwaaien. En als Aspinella Washington herstelde, zou ze erachter komen dat Heskow degene was geweest die haar had verraden. En als Heskow ging praten, zou ze Astorre vanzelf op het spoor komen.

Maar zo langzamerhand wist hij hoe onoverzichtelijk zijn probleem was. Hij kende alle mannen die schuldig waren aan de dood van de don en de ernstige problemen waar hij voor stond. Zoals Kurt Cilke, absoluut onaantastbaar; Timmona Portella die opdracht had gegeven tot de moord; maar ook Inzio Tulippa, Grazziella en Michael. De enigen die hij had kunnen afstraffen waren de Sturzo-broers, en dat waren eigenlijk alleen maar pionnen geweest.

Alle informatie had hij van John Heskow, Mr. Pryor, don Craxxi en Octavius Bianco op Sicilië. Zo mogelijk moest hij al zijn vijanden op hetzelfde moment op dezelfde plek zien te krijgen. Ze stuk voor stuk te pakken krijgen zou helemáál onmogelijk zijn. Bovendien hadden Mr. Pryor en Craxxi hem al gewaarschuwd dat hij van Cilke moest afblijven.

190

En dan had je nog Marriano Rubio, consul van Peru en Nicoles aanbidder. Hoe ver ging haar loyaliteit aan hem? Wat had ze weggekrast in het FBI-dossier wat Astorre niet van haar mocht zien? Wat hield ze voor hem verborgen?

In zijn ledige momenten droomde Astorre van de vrouwen die hij had liefgehad. De eerste was Nicole geweest: zo jong en zo gretig, dat ze hem met alle passie in haar frêle lichaam had gedwongen haar te beminnen. Wat was ze veranderd, nu haar passie alleen nog maar uitging naar politiek en haar carrière.

Hij dacht terug aan Buji op Sicilië: niet echt een callgirl, maar het scheelde niet veel, met een spontaan en lief karakter dat om het minste geringste kon omslaan in woede. Hij herinnerde zich hoe verrukkelijk ze in bed was, in die zachte Siciliaanse nachten, als ze zwommen en olijven aten uit de vaten met olijfolie. Maar het allerdierbaarst aan zijn herinnering was dat ze nooit had gelogen; ze was volkomen eerlijk over haar leven, haar andere mannen. En hoe zorgzaam ze was geweest toen hij was neergeschoten, hoe ze hem uit de zee had gesleurd, waarbij het bloed uit zijn hals op haar lichaam lekte. Hoe ze hem daarna de gouden halsband met de hanger had gegeven om zijn lelijke wond te bedekken.

Daarna dacht hij aan Rosie, zijn verraderlijke Rosie: zo lief, zo mooi, zo sentimenteel, die altijd beweerde dat ze oprecht van hem hield, terwijl ze hem bedroog. Toch maakte ze hem altijd gelukkig als hij bij haar was. Hij had een eind aan zijn gevoelens voor haar willen maken door haar tegen de Sturzo-broers te gebruiken, een rol waar ze tot zijn verbazing in zwolg omdat dat afwisseling bracht in haar schijnleven.

En toen flitste, als een geest, het beeld van Cilkes vrouw door zijn hoofd: Georgette. Wat een stommiteit. Hij had één avond naar haar gekeken, geluisterd naar haar onzin die hij niet geloofde: dat elke menselijke ziel goud waard was. Toch kon hij haar niet vergeten. Waarom was ze in godsnaam met een vent als Kurt Cilke getrouwd?

Af en toe reed Astorre 's avonds naar de wijk waar Rosie woonde en belde haar dan op via zijn autotelefoon. Ze was nooit bezet, wat hem verbaasde, maar legde uit dat ze het te druk had met studeren om uit te gaan. Wat hem uitstekend uitkwam, omdat hij te voorzichtig was om in een restaurant te eten of met haar naar de bioscoop te gaan. In plaats daarvan ging hij op West Side bij Zabar's langs om delicatessen mee te nemen die een verrukte lach op Rosies gezicht toverden. Intussen bleef Monza buiten in de auto wachten.

Dan stalde Rosie het eten uit en trok een fles wijn open. Onder het eten legde Rosie familiair haar benen op zijn schoot en gloeide haar gezicht van blijdschap omdat hij bij haar was. Het leek wel of ze al zijn woorden met een blije glimlach begroette. Dat talent had ze, en Astorre wist dat ze dat bij alle mannen deed. Maar dat was niet erg.

En als ze daarna naar bed gingen, was ze vurig maar ook lief en aanhankelijk. Geen plekje van zijn gezicht liet ze onberoerd, ze kuste hem en zei: 'We zijn echt zielsverwanten.' En die woorden bezorgden Astorre koude rillingen. Hij wilde niet dat ze een zielsverwant was van een man als hij. Op die momenten verlangde hij naar ouderwetse degelijkheid, maar desondanks bleef hij haar opzoeken.

Hij bleef vijf, zes uur. Om drie uur 's morgens ging hij weg. Soms, als ze sliep en hij naar haar stond te kijken, zag hij een trieste kwetsbaarheid en verbetenheid in haar nu ontspannen gezicht, alsof de demonen die ze in het diepst van haar ziel had opgesloten worstelden om vrij te komen.

Op een avond ging hij na een bezoek aan Rosie vroeg weg. Toen hij in de wachtende auto stapte, zei Monza dat er een dringende boodschap was om Mr. Juice te bellen. Dat was een codenaam die hij en Heskow gebruikten, dus greep hij meteen de autotelefoon.

Heskows stem klonk gespannen. 'Ik kan niet via de telefoon spreken. We moeten elkaar onmiddellijk spreken.'

'Waar?' vroeg Astorre.

'Ik zorg dat ik vlak voor Madison Square Garden sta,' zei Heskow. 'Pik me onderweg op. Over een uur.'

Toen Astorre langs de Garden reed, zag hij Heskow op het trottoir staan. Monza had zijn revolver op zijn schoot toen hij de auto voor Heskow stilzette. Astorre trok het portier open, en Heskow sprong bij hen op de voorbank. Op zijn wangen zaten traansporen van de kou. Hij zei tegen Astorre: 'Je zit diep in de puree.'

Astorre voelde nu een huivering. 'De jongens?' vroeg hij.

Heskow knikte. 'Portella heeft je neef Marcantonio te pakken en ergens verborgen. Ik weet niet waar. Morgen nodigt hij je uit voor een gesprek. Hij wil iets in ruil voor zijn gijzelaar. Maar als je niet oppast, laat hij je door een team van vier huurmoordenaars onder schot nemen. Hij gebruikt zijn eigen mensen. Hij wilde mij die taak in de schoenen schuiven, maar ik heb bedankt.'

Ze waren in een donkere straat. 'Bedankt,' zei Astorre. 'Waar kan ik je droppen?'

'Hier. Mijn wagen staat een straat verder.'

Astorre wist genoeg. Heskow wilde liever niet met hem gezien worden.

'Nog iets,' zei Heskow. 'Weet jij van Portella's suite in zijn privé-hotel? Zijn broer Bruno is daar vanavond met een of ander mokkel. En zonder bodyguards.'

'Nogmaals bedankt,' zei Astorre. Hij opende het portier, en Heskow verdween in de duisternis.

Marcantonio Aprile was bezig met zijn laatste bespreking van die dag en hij wilde het kort houden. Het was nu zeven uur 's avonds en om negen uur had hij een eetafspraak.

De vergadering was met zijn favoriete producent en boezemvriend in de filmwereld, ene Steve Brody, die nooit zijn budget overschreed, een fijne neus voor dramatische verhalen had en Marcantonio dikwijls voorstelde aan veelbelovende actrices die wat hulp bij hun carrière konden gebruiken.

Maar die avond stonden ze lijnrecht tegenover elkaar. Brody had een van de machtigste agenten in de business meegenomen, ene Matt Glazier, die als een leeuw opkwam voor zijn cliënten. Hij zat een romanschrijver aan te prijzen wiens laatste boek hij voor de televisie had bewerkt tot een dramaserie van acht uur. Nu wilde Glazier de drie vorige boeken van de auteur slijten.

'Marcantonio,' zei Glazier, 'Die andere drie boeken zijn fantastisch, maar ze hebben niet verkocht. Je weet hoe uitgevers zijn – die kunnen nog niet eens een pot kaviaar voor een kwartje verkopen. Brody is bereid te produceren. Kijk, je hebt ontzettend veel geld verdiend aan zijn laatste boek, dus wees niet gierig, laten we een deal sluiten.'

'Ik zie er niets in,' zei Marcantonio. 'We hebben het over oude boeken. Het zijn nooit bestsellers geweest. En nu worden ze niet meer gedrukt.'

'Dat geeft niet,' zei Glazier met het overdreven zelfvertrouwen van alle agenten. 'Zodra we de deal hebben, zullen de uitgevers ze herdrukken.'

Marcantonio had dat argument al vele malen gehoord. Jawel, de uitgevers zouden ze herdrukken, maar in feite had dat weinig nut voor de tv-presentatie. De uitgevers van het boek zouden meer

193

gebaat zijn bij de tv-uitzending. Het was een ontzettend lulargument.

'Afgezien daarvan,' zei Marcantonio. 'Ik heb de boeken gelezen. Niets voor ons. Veel te literair. Ze drijven op de taal, niet op gebeurtenissen. Ik vond ze boeiend. Ik zeg niet dat het niets kan worden, ik zeg alleen dat ze het risico en al die moeite niet waard zijn.'

'Je moet me niet in de maling nemen,' zei Glazier. 'Je hebt een leesrapport gelezen. Je bent hoofd programmering – je hebt geen tijd om te lezen.'

Marcantonio lachte. 'Je vergist je. Ik ben gek op lezen en ik ben gek op die boeken. Maar ze zijn niet geschikt voor de televisie.' Zijn stem klonk warm en vriendelijk. 'Het spijt me, maar wij kunnen er niets mee. Maar blijf aan ons denken. We zouden dolgraag voor je werken.'

Nadat die twee waren vertrokken nam Marcantonio een douche in zijn directiesuite en verkleedde hij zich voor zijn dinerafspraak. Hij wenste zijn secretaresse, die altijd bleef tot hij wegging, goedenavond en nam de lift naar de lobby.

Hij had afgesproken in de Four Seasons, een paar straten verderop, en hij wilde gaan lopen. In tegenstelling tot de meeste bonzen had hij geen wagen met chauffeur voor zichzelf, maar bestelde er een in noodgevallen. Hij ging prat op zijn zuinigheid en wist dat hij dat van zijn vader had geleerd, die sterk gekant was geweest tegen geldverspilling en rare fratsen.

Toen hij het trottoir op stapte, voelde hij een kille wind en hij huiverde. Een zwarte limo kwam tot stilstand, waarop de chauffeur uitstapte en uitnodigend het portier voor hem opende. Had zijn secretaresse een auto voor hem besteld? De chauffeur was een grote, potige man, wiens pet raar op zijn hoofd stond, een maat te klein. Hij boog en zei: 'Mr. Aprile?'

'Ja,' zei Marcantonio. 'Ik heb u vanavond niet nodig.'

'Jawel,' zei de chauffeur met een montere glimlach. 'Stap in, anders wordt u neergeschoten.'

Plotseling was Marcantonio zich bewust van de drie mannen achter hem. Hij aarzelde. De chauffeur zei: 'Kalm maar, een vriend zou graag een babbeltje met u maken.'

Marcantonio stapte achter in de limo, en de drie mannen propten zich naast hem op de achterbank.

Toen ze bijna twee straten verder waren, gaf een van de mannen Marcantonio een zonnebril, met de woorden dat hij hem op moest zetten. Marcantonio gehoorzaamde – en het leek wel of hij blind was geworden. De glazen waren zo donker dat ze al het licht weg-filterden. Dat vond hij handig, en in gedachten noteerde hij dat hij het ooit in een verhaal moest gebruiken. Het was een gunstig teken. Als ze niet wilden dat hij zag waar hij heen ging, betekende dat dat ze niet van plan waren hem te doden. En toch leek het allemaal even onwerkelijk als zijn tv-dramaproducties. Tot hij plotseling aan zijn vader dacht. Dat hij zich eindelijk in het milieu van zijn vader bevond, waar hij nooit volledig in had geloofd.

Na ongeveer een uur hield de auto stil en hielpen twee lijfwachten hem bij het uitstappen. Hij voelde de bakstenen van het pad onder zijn voeten, waarna hij na vier treden omhoog een huis binnen werd geleid. Een trap op naar een kamer, waar de deur achter hem werd gesloten. Pas toen werd zijn zonnebril afgezet. Hij stond in een kleine slaapkamer waar zware gordijnen voor de ramen hingen. Een van de bewakers ging op een stoel naast het bed zitten.

'Ga liggen, doe een tukje,' zei de bewaker tegen hem. 'Je hebt een zware dag voor de boeg.' Marcantonio keek op zijn horloge. Bijna middernacht.

Even na vier uur 's morgens, de wolkenkrabbers lichtten als spoken op in het donker, werden Astorre en Aldo Monza voor het Lyceum Hotel afgezet. De chauffeur bleef ervoor wachten. Monza rinkelde met zijn sleutelring toen ze na drie trappen op de deur van Portella's suite af liepen.

Monza maakte met zijn sleutels de deur van de suite open, waarna ze de zitkamer binnengingen. Ze zagen de tafel, bezaaid met dozen van een afhaal-Chinees, lege glazen en wijn- en whiskyflessen. Er stond een enorme, half opgegeten slagroomtaart, waarvan de bovenkant bij wijze van verjaarskaars versierd was met een uitgedrukte sigaret. Toen ze naar de slaapkamer gingen, knipte Astorre met een schakelaartje het licht aan. Daar, slechts gehuld in een onderbroek, lag Bruno Portella.

Er hing een zwaar parfum, maar Bruno lag alleen in het bed. Geen fraaie aanblik. Zijn gezicht, log en slap, glom van het nachtzweet, en uit zijn mond steeg een verschaalde vislucht op. Met zijn omvangrijke borst leek hij op een beer, en hij had zelfs de uitstraling van een zoet beertje, dacht Astorre. Aan het voeteneinde van het bed stond een geopende fles rode wijn die op zichzelf een eiland van ranzige lucht creëerde. Omdat het bijna zonde leek hem wakker te maken, deed Astorre dat door zachtjes op zijn voor-hoofd te kloppen.

Bruno deed eerst zijn ene oog open, toen het andere. Hij was zo te zien niet bang, niet eens verbaasd. 'Wat doe jij hier verdomme?' Zijn stem was schor van de slaap.

'Bruno, je hoeft je nergens ongerust over te maken,' zei Astorre vriendelijk. 'Waar is de vrouw?'

Bruno kwam overeind zitten. Hij lachte. 'Ze moest vroeg naar huis om haar kind naar school te helpen. Ik had haar al drie keer geneukt, dus van mij mocht ze.' Dat zei hij trots, vanwege zowel zijn viriliteit als zijn begrip voor de problematiek van een wer-kende vrouw. Hij stak terloops zijn hand uit naar het nachtkastje. Toen Astorre die voorzichtig beetgreep, trok Monza de la open en haalde er een revolver uit.

'Luister, Bruno,' zei Astorre sussend. 'Er zal je niets ergs overko-men. Ik weet dat je broer je niet in vertrouwen neemt, maar hij heeft gisteravond mijn neef Marc te pakken gekregen. Dus nu moet ik jou inruilen om hem terug te krijgen. Je broer houdt van je, Bruno; die ruil zal hij wel aangaan. Dat geloof je toch, hè?'

'Natuurlijk,' zei Bruno. Hij keek opgelucht.

'Haal alleen geen gekke dingen uit. Ga je nu aankleden.'

Toen Bruno daarmee klaar was, leek hij moeite te hebben met het strikken van zijn schoenveters. 'Wat is er?' vroeg Astorre.

'Die schoenen had ik voor het eerst aan,' zei Bruno. 'Meestal draag ik instappers.'

'Je weet niet hoe je veters moet strikken?' vroeg Astorre.

'Dit zijn mijn eerste schoenen met veters.'

Astorre lachte. 'Jezus Christus. Oké, ik zal ze wel strikken.' En hij liet Bruno zijn voet op zijn schoot zetten.

Toen hij klaar was, reikte Astorre hem de telefoon op het nacht-kastje aan. 'Bel je broer op,' zei hij.

'Om vijf uur 's morgens?' vroeg Bruno. 'Timmona zal me afma-ken.'

Astorre begreep dat het niet de slaap was die Bruno's hersens benevelde; hij was sowieso niet goed bij z'n hoofd.

'Vertel hem alleen dat ik jou te pakken heb,' zei Astorre, 'Dan zal ik daarna met hem praten.'

Bruno nam de telefoon aan en zei met een klagerig stemmetje: 'Timmona, je hebt me in de nesten gewerkt, vandaar dat ik je zo vroeg bel.'

Astorre hoorde een gebrul uit de hoorn komen, waarna Bruno

haastig zei: 'Astorre Viola heeft me te pakken en hij wil je spreken.' Snel gaf hij de hoorn aan Astorre.

Astorre zei: 'Timmona, het spijt me dat ik je wakker moest maken. Maar ik was gedwongen Bruno te pakken te nemen omdat jij mijn neef hebt.'

Portella's stem kwam als een kwaad gebrul door de telefoon. 'Daar weet ik niks van. Luister, wat wil je verdomme?'

Bruno hoorde dat en schreeuwde: 'Jij hebt me dit geflikt, lul die je bent! Haal me er nu uit.'

Astorre zei rustig: 'Timmona, doe die ruil nu maar, dan kunnen we praten over de deal die je wilt. Ik weet dat je vindt dat ik me koppig heb opgesteld, maar als we elkaar spreken, zal ik je vertellen waarom en dan zul je weten dat ik je een dienst bewijs.'

Portella's stem klonk nu rustig. 'Oké,' zei hij. 'Hoe organiseren we de ontmoeting?'

'Ik zie je vanmiddag om twaalf uur in restaurant Paladin,' zei Astorre. 'Ik heb daar een eigen vertrek. Dan breng ik Bruno mee, en jij neemt Marc mee. Als je het niet vertrouwt, kun je je bodyguards meenemen, maar we willen geen bloedbad in een openbare gelegenheid. We overleggen en doen de ruil.'

Er viel een lange stilte, waarna Portella zei: 'Ik zal er zijn, maar probeer geen geintjes uit te halen.'

'Wees maar niet bang,' zei Astorre opgewekt. 'Na deze ontmoeting worden we makkers.'

Astorre en Monza zetten Bruno tussen hen in, waarbij Astorre vriendschappelijk zijn arm door die van Bruno haakte. Ze leidden hem de trap af naar de straat. Er stonden nog twee auto's met Astorres mannen te wachten. 'Neem Bruno in een van de auto's mee,' zei Astorre tegen Monza. 'Zorg dat jullie om twaalf uur in het Paladin zijn. Ik zie jullie daar.'

'Wat moeten we in godsnaam tot die tijd met hem doen?' vroeg Monza. 'Dat duurt nog uren.'

'Ga met hem ontbijten,' zei Astorre. 'Hij houdt van eten. Daar zijn jullie vást wel een paar uur mee zoet. Ga daarna met hem wandelen in Central Park. Ga naar de dierentuin. Ik neem een van de auto's en een chauffeur. Als hij probeert weg te lopen, schiet hem dan niet dood. Probeer hem dan te vangen.'

'Maar dan ben jij alleen,' zei Monza. 'Is dat wel verstandig?'

'Ik red me wel.' In de auto belde Astorre met zijn GSM Nicoles privé-nummer. Het was nu zes uur 's ochtends, en in het eerste licht zag de stad eruit als een reeks lange smalle stenen repen.

Nicoles stem klonk slaperig toen ze opnam. Astorre bedacht dat ze net zo klonk als toen ze een jong meisje en zijn geliefde was. 'Nicole, word wakker,' zei hij. 'Weet je wie dit is?'

Die vraag irriteerde haar kennelijk. 'Natuurlijk weet ik wie dit is. Wie anders zou op dit uur bellen?'

'Luister goed,' zei Astorre. 'Geen vragen. Dat papier dat je voor me in bewaring hebt, dat ik voor Cilke heb getekend, weet je nog dat je zei dat ik niet moest tekenen?'

'Ja,' zei Nicole kortaf. 'Natuurlijk weet ik dat nog.'

'Heb je dat thuis of in de kluis op je werk?' vroeg Astorre.

'Op mijn werk natuurlijk,' zei Nicole.

'Goed,' zei Astorre. 'Over een halfuur ben ik bij je thuis. Dan bel ik aan. Sta klaar en kom naar beneden. Neem al je sleutels mee. We gaan naar je werk.'

Toen Astorre bij Nicole aanbelde, kwam ze meteen naar beneden, gekleed in een blauwe leren jas en ze had een grote tas onder haar arm. Ze kuste hem op de wang, maar durfde geen woord te zeggen tot ze in de auto zaten en toen moest ze de chauffeur instructies geven. Daarna volhardde ze in haar stilte tot ze in haar kantoorsuite waren.

'Oké, vertel me waarom je dat papier wilt,' zei ze.

'Dat hoef je niet te weten,' zei Astorre.

Hij zag dat dat antwoord haar kwaad maakte, maar ze ging naar de safe die in haar bureau zat en haalde daar een map uit.

'Hou de safe nog maar open,' zei Astorre. 'Ik wil de tape die je van onze bespreking met Cilke hebt gemaakt.'

Nicole gaf hem de map. 'Je hebt het recht op deze papieren,' zei ze, 'maar niet op de tape, mocht die al bestaan.'

'Lang geleden heb je me verteld dat je elke bespreking in je kantoor opnam, Nicole,' zei Astorre. 'En ik heb je wel gezien bij die bespreking. Je was wat al te erg met jezelf in je nopjes.'

Nicole lachte met een neerbuigende zoetsappigheid. 'Je bent veranderd,' zei ze. 'Vroeger was je nooit zo'n klootzak die dacht dat hij andermans gedachten kon lezen.'

Astorre schonk haar een schampere grijns en zei verontschuldigend: 'Ik dacht dat je nog altijd op me gesteld was. Vandaar dat ik je nooit heb gevraagd wat je in je vaders dossier onleesbaar hebt gemaakt voordat je het me liet zien.'

'Ik heb niets onleesbaar gemaakt,' zei Nicole koeltjes. 'En ik geef je de tape niet voordat je me vertelt waar dit allemaal om gaat.'

Astorre zweeg een moment, waarna hij zei: 'Goed, je bent nu een grote meid.' Hij lachte toen hij zag hoe kwaad ze was, met haar flitsende ogen en haar minachtend neergetrokken lippen. Het deed hem denken aan hoe ze keek toen ze lang geleden voor een confrontatie zorgde tussen hem en haar vader.

'Kijk, je hebt altijd met de grote jongens willen spelen,' zei Astorre. 'En nu doe je niet anders. Als advocaat heb je bijna net zoveel mensen bang gemaakt als je vader.'

'Hij was niet zo erg als de pers en de FBI hem afschilderden,' zei Nicole kwaad.

'Oké,' zei Astorre sussend. 'Marc is gisteravond door Portella gekidnapt. Rustig maar. Ik heb toen zijn broer Bruno te pakken gekregen. Nu kunnen we onderhandelen.'

'Jij hebt iemand gekidnapt?' vroeg Nicole vol ongeloof.

'Net als zij,' zei Astorre. 'Ze willen echt dat wij de banken verkopen.'

Nicole krijste bijna. 'Geef ze die verdomde banken dan!'

'Je snapt het niet,' zei Astorre. 'We geven hun niets. Wij hebben Bruno. Als ze Marc iets aandoen, doe ik Bruno iets.'

Nicoles ogen stonden vol afschuw. Astorre keek haar kalm aan, en zijn ene hand ging omhoog om met de gouden band om zijn hals te spelen. 'Jazeker,' zei hij. 'Dan zou ik hem moeten doden.'

Nicoles gave gezicht werd één massa zorgenrimpels. 'Jij niet, Astorre, niet jij ook.'

'Het is maar dat je het weet,' zei Astorre. 'Bij mij moeten ze niet aankomen om de banken te verkopen nadat ze jullie vader, mijn oom, hebben vermoord. Maar ik moet de tape en het document hebben om ervoor te zorgen dat de overeenkomst wordt nageleefd en we Marc zonder bloedvergieten terugkrijgen.'

'Verkoop hun die banken nou maar,' fluisterde Nicole. 'Dan worden we rijk. Is dat zo erg?'

'Vind ik wel,' zei Astorre. 'Dat zou de don ook gevonden hebben.'

Zwijgend stak Nicole haar hand in de safe en haalde er een pakje uit dat ze op de map legde.

'Speel het nu voor me af,' zei Astorre.

Nicole pakte een klein cassettedeck van haar bureau. Ze legde de tape erin, en ze luisterden hoe Cilke zijn plan ontvouwde om Portella in de val te laten lopen. Waarna Astorre alles bij zich stak en zei: 'Ik zal het straks allemaal bij je terugbrengen, en Marc ook.

Er gebeurt niets. En zo ja, dan kan het beter erger voor hén zijn dan voor ons.'

Even na twaalven namen Astorre, Aldo Monza en Bruno Portella plaats in een aparte eetzaal van restaurant Paladin in de East Sixty's.

Bruno scheen er allerminst mee te zitten dat hij werd gegijzeld. Hij praatte vrolijk met Astorre. 'Weet je, ik woon al mijn hele leven in New York en ik heb nooit geweten dat er een dierentuin in Central Park was. Dat zouden meer mensen moeten weten.'

'Dus je hebt je vermaakt,' zei Astorre vriendelijk, terwijl hij bedacht dat als de hele zaak slecht zou aflopen, Bruno althans een leuke herinnering had voor hij doodging. De deur naar de eetzaal zwaaide open, en de eigenaar van het restaurant verscheen met Timmona Portella en Marcantonio. Portella's forse, in een goedgesneden pak gestoken gestalte onttrok Marcantonio achter hem bijna aan het zicht. Bruno rende Timmona in de armen en kuste hem op beide wangen, en Astorre keek stomverbaasd naar de uitdrukking van liefde en blijdschap op het gezicht van Portella.

'Wat een broer,' schreeuwde Bruno uit. 'Wat een broer.'

Astorre en Marcantonio, daarentegen, schudden elkaar de hand, waarna Astorre hem even tegen zich aan drukte en zei: 'Alles is geregeld, Marc.'

Marcantonio wendde zich van hem af en ging zitten. Zijn benen begaven het, deels van opluchting omdat hij veilig was en deels vanwege Astorres verschijning. De jongen die graag zong, de felle maar vrolijke puber die zo onbezorgd en hartelijk was, verscheen nu in zijn ware gedaante van de Engel des Doods. Zijn sterke aanwezigheid domineerde de bange Portella en zijn poeha.

Astorre ging naast Marcantonio zitten en klopte hem op de knie. Hij gaf zijn beminnelijke glimlach ten beste alsof dit zomaar een vriendschappelijke lunch was. 'Alles goed met je?' vroeg hij.

Marcantonio keek Astorre recht in de ogen. Hij had nooit eerder gezien hoe helder en genadeloos die waren. Hij keek naar Bruno, de man die voor zijn leven had moeten betalen. De man die druk met zijn broer zat te kletsen, over de dierentuin in Central Park of zoiets.

Astorre zei tegen Portella: 'We hebben iets te bespreken.'

'Goed,' zei Portella. 'Bruno, lazer op. Buiten wacht een auto. Ik spreek je wel wanneer ik thuiskom.'

Monza kwam de eetzaal binnen. 'Breng Marcantonio thuis,' zei Astorre tegen hem. 'Marc, wacht daar op mij.'

Portella en Astorre zaten nu alleen tegenover elkaar aan de tafel. Portella trok een fles wijn open en schonk zijn glas vol. Zonder Astorre een glas aan te bieden.

Astorre stak zijn hand in zijn zak, haalde een bruine envelop te voorschijn en schudde die leeg op de tafel. Daar was het vertrouwelijke document dat hij voor Cilke had ondertekend en waarin hem werd verzocht Portella te verraden.

Vervolgens was daar de kleine cassetterecorder waarin het bandje zat.

Portella keek naar het document met het FBI-logo en las het. Hij wierp het opzij. 'Dat kan een vervalsing zijn,' zei hij. 'En waarom zou je zo stom zijn om het te ondertekenen?'

Als antwoord zette Astorre de cassetterecorder aan en Cilkes stem klonk, die Astorre vroeg te helpen om Portella in de val te laten lopen. Portella luisterde en deed zijn best zijn opkomende verbazing en woede te beheersen, maar zijn gezicht kreeg een dieprode blos en zijn lippen bewogen in stille vloeken. Astorre klikte het apparaat uit.

'Ik weet dat je de afgelopen zes jaar met Cilke hebt samengewerkt,' zei Astorre. 'Je hebt hem geholpen de families in New York uit te roeien. En ik weet dat je in ruil daarvoor door Cilke werd beschermd. Maar nu heeft hij het op jou gemunt. Lui met *badges* zijn nooit tevreden. Geef ze een vinger... Jij dacht dat hij je vriend was. Voor hem heb je *omertà* verbroken. Jij hebt hem beroemd gemaakt, en nu wil hij dat je de gevangenis indraait. Hij heeft je niet meer nodig. Hij zal je te grazen nemen zodra je de banken overneemt. Vandaar dat ik geen deal kon sluiten. Ik zou nooit *omertà* verbreken.'

Portella was heel stil, maar scheen toen tot een besluit te komen. 'Als ik het probleem-Cilke oplos, wat zou jij dan voor deal voor de banken willen maken?'

Astorre stopte alles terug in zijn attachékoffer. 'Totale verkoop,' zei hij. 'Behalve wat mij betreft – ik heb een aandeel van vijf procent.'

Portella leek over zijn schrik heen. 'Oké,' zei hij. 'Dat regelen we wel nadat het probleem is opgelost.'

Daarop schudden ze elkaar de hand en ging Portella als eerste weg. Astorre merkte dat hij grote trek had en bestelde een dikke rode biefstuk voor de lunch. Eén probleem minder, dacht hij.

Om middernacht ging Portella op het Peruviaanse consulaat in conferentie met Marriano Rubio, Inzio Tulippa en Michael Grazziella.

Rubio had zich voor Tulippa en Grazziella een uitmuntend gastheer betoond. Hij was met hen naar toneel, opera en ballet geweest en had gezorgd voor discrete, mooie jonge vrouwen die enige roem hadden verworven op kunstgebied. Tulippa en Grazziella genoten van hun bezoek en zagen op tegen de terugkeer naar hun eigen omgeving, waar het veel minder stimulerend was. Ze waren ondergeschikte grootheden die in de watten werden gelegd door de heerser boven hen die alles in het werk stelde om hen gunstig te stemmen.

Die avond overtrof de consul-generaal zichzelf in zijn gastvrijheid. De conferentietafel kreunde onder exotische gerechten, fruit, kazen en enorme bonbons en naast elke stoel stond een fles champagne in een ijsemmer. Op fragiele laddertjes van gesponnen suiker stonden sierlijke gebakjes. Er dampte een reusachtige koffiepot en dozen Havanna-sigaren – van donkerbruin tot lichtgroen – stonden nonchalant her en der op de tafel.

Hij opende de besprekingen door tegen Portella te zeggen: 'Hoor eens, wat is er zo belangrijk dat we onze afspraken voor deze vergadering moesten afzeggen?' Ondanks zijn voorbeeldige hoffelijkheid lag er een lichte verontwaardiging in zijn stem die Portella razend maakte. Bovendien wist hij dat hij in hun achting zou dalen als ze van Cilkes dubieuze rol hoorden. Hij diste hun het hele verhaal op.

'Ik kon mijn broer niet laten sterven,' zei Portella. 'Bovendien, als ik die deal niet had gesloten, zouden wij in Cilkes val zijn gelopen.'

'Dat is waar,' zei Tulippa. 'Maar die beslissing was niet aan jou.'

'Jawel,' zei Portella, 'Maar wie...'

'Wij met ons allen!' blafte Tulippa. 'We zijn je partners.'

Terwijl Portella naar hem keek, vroeg hij zich af wat hem ervan weerhield dat vette zwijn af te maken. Maar hij herinnerde zich de vijftig panamahoeden die in de lucht vlogen.

De consul-generaal leek zijn gedachten te lezen. Hij zei sussend: 'We komen allemaal uit verschillende culturen en we hebben ver-

202

schillende waarden. We moeten ons aan elkaar aanpassen. Timmona is een Amerikaan, sentimenteel.'

'Zijn broer is een stom stuk vreten,' zei Tulippa.

Rubio stak zijn vinger naar Tulippa op. 'Inzio, ga niet dwarsliggen voor je eigen lol. We hebben allemaal het recht in onze privézaken zelf onze beslissingen te nemen.'

Grazziella glimlachte fijntjes. 'Dat is waar. Inzio, jij hebt ons nooit in vertrouwen genomen over je geheime laboratoria. Je bent liever baas over je eigen wapens. Wat een dwaze gedachte. Denk je echt dat de regering zo'n bedreiging zal pikken? Ze zullen daar alle wetten aanpassen die ons nu beschermen en waar wij de vruchten van plukken.'

Tulippa lachte. Hij had wel mindere vergaderingen meegemaakt. 'Ik ben patriot,' zei hij. 'Ik wil dat Zuid-Amerika in een positie komt waarin het zich mag verdedigen tegen landen als Israël, India en Irak.'

Rubio glimlachte hem minzaam toe. 'Ik heb nooit geweten dat je een nationalist was.'

Portella kon dat niet waarderen. 'Ik sta voor een groot probleem. Ik dacht dat Cilke een vriend van me was. Ik heb een hoop geld in hem geïnvesteerd. En nu wil hij mij en jullie allemaal vervolgen.'

Grazziella sprak direct en krachtig. 'We moeten het hele project laten varen. We moeten het met minder doen.' Hij was niet langer de aimabele man die ze hadden gekend. 'We moeten een andere oplossing zien te vinden. Vergeet Kurt Cilke en Astorre Viola. Die zijn te gevaarlijk als vijanden. We moeten niet een koers volgen die ons allemaal de kop gaat kosten.'

'Daarmee is mijn probleem niet opgelost,' zei Portella. 'Cilke zal me niet met rust laten.'

Tulippa liet eveneens zijn innemende masker vallen. Hij zei tegen Grazziella: 'Dat jíj voorstander bent van zo'n vreedzame oplossing is in strijd met alles wat we van je weten. Je hebt politiemannen en magistraten op Sicilië gedood. Je hebt de gouverneur en zijn vrouw vermoord. Jij en je Corleonesi-*cosca* hebben de legergeneraal gedood die jullie organisatie moest uitroeien. En nu zeg je: laat een project varen dat ons miljarden zal opleveren. En laat onze vriend Portella in de steek.'

'Ik zal me van Cilke ontdoen,' zei Portella. 'Wat je ook zegt.'

'Dat is een heel gevaarlijke koers,' zei de consul-generaal. 'Dan zal de FBI een vendetta beginnen. Ze zullen al hun bronnen inzetten om zijn moordenaar op te sporen.'

'Ik ben het met Timmona eens,' zei Tulippa. 'De FBI opereert binnen wettelijke marges, die kunnen we best aan. Ik zal zorgen voor een overvalteam dat binnen enkele uren na de actie op het vliegtuig naar Zuid-Amerika zal zitten.'

Portella zei: 'Ik weet dat het gevaarlijk is, maar het is de enige mogelijkheid.'

'Dat vind ik ook,' zei Tulippa. 'Voor miljarden dollars moet men risico's nemen. Waarvoor doen we anders zaken?'

Rubio zei tegen Inzio: 'Jij en ik lopen het minste risico vanwege onze diplomatieke status. Michael, ga jij voorlopig terug naar Sicilië. Timmona, jij zult degene zijn die de volle laag krijgt van wat er gaat komen.'

'In het allerergste geval,' zei Tulippa, 'kan ik je in Zuid-Amerika laten onderduiken.'

Portella stak in een hulpeloos gebaar zijn handen in de lucht. 'Ik mag kiezen,' zei hij. 'Maar ik heb jullie steun nodig. Michael, ben jij het ermee eens?'

Grazziella's gezicht stond kil. 'Ja,' zei hij. 'Maar ik zou me eerder zorgen maken over Astorre Viola dan over Kurt Cilke.'

11

Toen Astorre de boodschap in code ontving dat Heskow een gesprek wilde, nam hij voorzorgsmaatregelen. Het gevaar bestond altijd dat Heskow zich tegen hem zou keren. Dus in plaats van de boodschap te beantwoorden dook hij plotseling om middernacht bij Heskows huis in Brightwaters op. Hij had Aldo Monza bij zich en een extra auto met nog vier mannen. Ook droeg hij een kogelvrij vest. Hij riep Heskow toen hij op de oprit stond, zodat die de deur kon opendoen.

Heskow scheen niet verbaasd te zijn. Hij zette koffie voor Astorre en zichzelf. Toen glimlachte hij naar Astorre en zei: 'Ik heb goed nieuws en slecht nieuws. Wat wil je het eerst?'

'Vertel het maar,' zei Astorre.

'Het slechte nieuws is dat ik voorgoed het land uit moet, en dat is vanwege het goede nieuws. En ik wil je vragen je aan je belofte te houden. Dat mijn zoon niets zal overkomen, ook als ik niet meer voor je kan werken.'

'Dat is beloofd,' zei Astorre. 'Maar waarom moet je het land uit?'

Heskow schudde quasi-spijtig zijn hoofd. Hij zei: 'Omdat die stomme lul van een Portella niet te stuiten is. Hij is van plan Cilke, die vent van de FBI, uit de weg te ruimen. En hij wil dat ik de leiding van het uitvoerende team op me neem.'

'Je kunt toch weigeren?' zei Astorre.

'Nee,' zei Heskow. 'Zijn hele syndicaat staat achter de aanslag en als ik weiger, is het afgelopen met mij en misschien ook met mijn zoon. Dus zal ik die aanslag op touw zetten, maar ik doe niet daadwerkelijk mee in het team. Dan ben ik al weg. En als Cilke de pijp uit is, laat de FBI honderd man los in de stad om het op te lossen. Dat heb ik hun verteld, maar het kan ze geen fluit schelen. Cilke heeft ze verraden of zo. Ze denken dat ze hem voldoende zwart kunnen maken, zodat er niet zo'n heibel van komt.'

Astorre deed zijn best zijn vreugde te verbergen. Het had gewerkt. Cilke zou dood zijn zonder dat hijzelf daarbij gevaar liep. En als het even meezat zou de FBI zorgen dat ze van Portella afkwamen.

Hij zei tegen Heskow: 'Zou je een adres voor me willen achterlaten?'

Heskow glimlachte bijna smalend van wantrouwen. 'Dat denk ik niet,' zei hij. 'Niet dat ik je niet vertrouw. Maar ik weet je altijd te bereiken.'

'Nou, bedankt voor de mededeling,' zei Astorre, 'maar wie heeft die beslissing nou werkelijk genomen?'

'Timmona Portella,' zei Heskow. 'Maar Inzio Tulippa en de consul-generaal hebben hun zegen daaraan gegeven. Die Coleonesi-figuur, Grazziella, heeft zijn handen ervan afgetrokken. Hij distantieert zich van de actie. Volgens mij vertrekt hij naar Sicilië. Wat raar is, omdat hij daar praktisch iedereen vermoord heeft. Ze hebben geen idee hoe Amerika in elkaar zit, en Portella is gewoon dom. Hij zegt dat hij dacht dat hij en Cilke echt vrienden waren.'

'En jij gaat bij de aanslag het team leiden,' zei Astorre. 'Dat is ook niet slim.'

'Nee, ik vertelde je dat ik allang weg zou zijn als ze bij hem thuis komen.'

'Bij hem thuis?' vroeg Astorre, en op dat moment vreesde hij wat hij te horen zou krijgen.

'Jazeker,' zei Heskow. 'Een enorm aantal paratroopers vliegt terug naar Zuid-Amerika en verdwijnt.'

'Heel professioneel,' zei Astorre. 'Wanneer gebeurt dat allemaal?'

'Overmorgenavond. Je hoeft alleen maar aan de kant te staan kijken en zij lossen al je problemen op. Dat is het goede nieuws.'

'Zo is dat,' zei Astorre. Hij hield zijn gezicht emotieloos, maar in zijn hoofd was het beeld van Georgette Cilke: haar schoonheid en haar hartelijkheid.

'Ik vond dat jij het moest weten, zodat je voor een goed alibi kunt zorgen,' zei Heskow. 'Dus je staat bij me in het krijt, dus pas op mijn jongen.'

'Wat je zegt,' zei Astorre. 'Maak je over hem maar geen zorgen.'

Voordat hij wegging, gaf Astorre Heskow een hand. 'Volgens mij is het heel slim van je om het land uit te gaan. De hel zal losbreken.'

206

'Reken maar,' zei Heskow.

Even vroeg Astorre zich af wat hij aan Heskow zou doen. Uiteindelijk had die man aan het stuur gezeten bij de aanslag op de don. Daar moest hij voor boeten, ondanks al zijn hulp. Maar Astorres felheid was enigszins gezakt toen hij hoorde dat Cilkes vrouw en kind samen met hem vermoord zouden worden. Laat hem gaan, dacht hij. Misschien kon hij ooit nog van pas komen. Dán zou de tijd komen om hem te doden. Toen keek hij naar Heskows glimlachende gezicht en glimlachte terug.

'Je bent een heel intelligente vent,' zei hij tegen Heskow.

Heskows gezicht kleurde van genoegen. 'Dat weet ik,' zei hij. 'Vandaar dat ik nog leef.'

De volgende morgen om elf uur kwam Astorre in gezelschap van Nicole Aprile, die een afspraak had geregeld, aan bij het hoofdkwartier van de FBI.

Hij had een lange nacht liggen nadenken over de koers die hij moest varen. Hij had dit allemaal bedacht zodat Portella Cilke zou doden. Maar hij wist dat hij niet kon toestaan dat Georgette of haar dochter gedood zouden worden. Hij wist ook dat don Aprile in deze zaak het lot zijn loop zou hebben laten nemen. Maar hij herinnerde zich een verhaal over de don dat hem deed aarzelen.

Op een avond, toen Astorre twaalf jaar was en zoals elk jaar samen met de don op Sicilië verbleef, diende Caterina hun het eten op in het prieel. Astorre had in zijn typische naïviteit kort en bondig aan hen gevraagd: 'Hoe hebt u elkaar leren kennen? Bent u samen opgegroeid?' De Don en Caterina wisselden een blik, waarna ze lachten om de ernst en intensiteit van zijn belangstelling.

De Don had zijn vingers op zijn lippen gelegd en ironisch gefluisterd: '*Omertà*. Dat is een geheim.'

Caterina had met de pollepel een roffel op Astorres hand gegeven. 'Dat gaat je helemaal niets aan, kleine duivel,' zei ze. 'Bovendien ben ik daar helemaal niet trots op.'

Don Aprile had Astorre vol genegenheid aangekeken. 'Waarom zou hij het niet mogen weten? Hij is tot in zijn merg Siciliaan. Vertel het hem maar.'

'Nee,' had Caterina gezegd. 'Maar vertel jíj het hem maar als je wilt.'

Na het eten had don Aprile zijn sigaar opgestoken, zijn glas gevuld met anisette en Astorre het verhaal verteld.

'Tien jaar geleden was de belangrijkste man van de stad ene pater Sigismundo, een heel gevaarlijke maar toch aardige man. Als ik op Sicilië kwam, kwam hij vaak bij mij thuis om met mijn vrienden te kaarten. In die tijd had ik een andere huishoudster.

Maar pater Sigismundo was niet van religie gespeend. Hij was een gelovige en hardwerkende priester. Hij gaf mensen die niet naar de mis gingen een standje en is op een keer zelfs op de vuist gegaan met een weerspannige atheïst. Hij stond erom bekend dat hij slachtoffers van de maffia op hun sterfbed het laatste oliesel gaf. Hij nam hun de biecht af en reinigde hen voor hun reis naar de hemel. Dat respecteerde men in hem, maar het gebeurde te vaak en de mensen begonnen erover te kletsen: dat hij altijd zo snel ter plaatse was omdat hij een van de beulen was – dat hij verraad pleegde aan de geheimen van de biechtstoel om zichzelf te spekken.

Caterina's toenmalige man was een politieman die sterk tegen de maffia was. Hij had zelfs een moordzaak vervolgd nadat het provinciale maffiahoofd had gezegd dat hij zich er niet mee mocht bemoeien, destijds een ongehoorde daad van ongehoorzaamheid. Een week na die bedreiging was Caterina's man in een hinderlaag gelokt en lag in een steeg van Palermo te sterven. En toevallig verscheen pater Sigismundo om hem het laatste oliesel toe te dienen. De misdaad werd nooit opgelost.

Caterina, de treurende weduwe, ging het jaar dat ze in de rouw was vaak naar de kerk. Maar op een zaterdag ging ze biechten bij pater Sigismundo. Toen de priester uit de biechtstoel kwam, heeft ze hem, ten overstaan van iedereen, met de dolk van haar man door het hart gestoken.

De politie gooide haar de gevangenis in, maar daarmee was het nog niet afgelopen. De maffiabons sprak een doodstraf over haar uit.'

Astorre keek Caterina met grote ogen aan. 'Hebt u dat echt gedaan, tante Caterina?'

Caterina keek hem geamuseerd aan. Hij was een en al nieuwsgierigheid, zonder een greintje angst. 'Maar je moet begrijpen waarom. Niet omdat hij mijn man had gedood. Mannen maken elkaar altijd dood op Sicilië. Maar vader Sigismundo was een valse priester, een heilloze moordenaar. Hij was niet bevoegd om het laatste oliesel toe te dienen. Waarom zou God luisteren? Dus was mijn man niet alleen vermoord, maar was hem ook de toegang tot de hemel onthouden en werd hij naar de hel gestuurd. Ach, mensen weten van geen ophouden. Er zijn nu eenmaal dingen die je niet mag doen. Daarom heb ik de pater gedood.'

'Maar hoe komt het dan dat u hier bent?' vroeg Astorre.

'Omdat don Aprile zich met die hele geschiedenis ging bemoeien,' zei Caterina. 'Dus werd alles natuurlijk geregeld.'

De don zei ernstig tegen Astorre: 'Ik genoot in de stad een zekere standing, een zeker respect. De autoriteiten waren snel tevreden, en de kerk wilde niet dat het publiek te horen zou krijgen over een corrupte pater. De maffia-baas was minder fijngevoelig en weigerde af te zien van zijn terdoodveroordeling. Die vonden ze op het kerkhof waar Caterina's man begraven lag, met een doorgesneden keel, en zijn *cosca* werd weggevaagd en verloor alle macht. Tegen die tijd was ik van Caterina gaan houden, en ik stelde haar aan als het hoofd van dit huishouden. En de afgelopen negen jaar zijn mijn zomermaanden op Sicilië de dierbaarste van mijn leven geweest.'

Voor Astorre was dat toen nog allemaal magie. Hij at een handvol olijven en spoog de pitten uit. 'Is Caterina uw vriendinnetje?' had hij gevraagd.

'Natuurlijk,' had Caterina gezegd. 'Jij bent een jongen van twaalf, jij kunt het begrijpen. Ik leef onder zijn protectie alsof ik zijn vrouw was, en ik doe alles wat een vrouw hoort te doen.'

Don Aprile leek ietwat in verlegenheid gebracht, de enige keer dat Astorre hem zo had gezien. Astorre zei: 'Waarom trouwt u dan niet?'

Caterina zei: 'Ik zou nooit weg kunnen van Sicilië. Ik leef hier als een vorstin en je oom is goed voor me. Hier heb ik mijn vrienden, mijn familie, mijn zusters en broers, neven en nichten. En je oom zou niet op Sicilië kunnen wonen. Dus maken we er het beste van.'

Astorre had tegen don Aprile gezegd: 'Oom, u kunt met Caterina trouwen en hier gaan wonen. Dan kom ik bij u wonen. Ik wil nooit weg van Sicilië.' Daar moesten ze beiden om lachen.

'Luister naar me,' zei de don. 'Het heeft heel wat moeite gekost de vendetta tegen haar een halt toe te roepen. Als we trouwden, zou er geroddel en ellende van komen. Ze kunnen leven met het feit dat ze mijn maîtresse is, maar ze zouden Caterine nooit accepteren als mijn vrouw. Dus met deze regeling zijn we allebei gelukkig en allebei vrij. Bovendien wil ik geen vrouw die weigert mijn beslissingen te accepteren, en als ze weigert Sicilië te verlaten, ben ik haar man niet.'

'En dat zou een *infamità* zijn,' zei Caterina. Ze liet haar hoofd even hangen, sloeg toen haar ogen op naar de zwarte Siciliaanse hemel en begon te huilen.

Astorre begreep er niets van. Hem als kind ontging de logica. 'O ja, maar waarom? Waarom?' vroeg hij.

Don Aprile zuchtte. Hij pafte aan zijn sigaar en nam een teug anisette. 'Je moet weten,' zei de don, 'dat vader Sigismundo mijn broer was.'

Astorre herinnerde zich nu dat hun verklaring hem niet had overtuigd. Met de halsstarrigheid van een romantisch kind had hij geloofd dat de hele wereld open lag voor twee mensen die van elkaar hielden. Pas nu begreep hij de afschuwelijke beslissing die zijn oom en tante hadden genomen. Dat als hij met Caterina zou trouwen alle bloedverwanten van de don zijn vijanden zouden worden. Niet dat ze niet wisten dat vader Sigismundo een schurk was. Maar hij was een broer en daarmee waren al zijn zonden vergeven. En iemand als de don kon niet trouwen met de moordenares van zijn broer. Caterina kon zo'n offer niet vragen. En als Caterina ook nog had geloofd dat de don op enige manier betrokken was geweest bij de moord op haar man? Wat een enorm vertrouwen hadden ze allebei moeten hebben, en misschien: wat hadden ze een verraad moeten plegen aan alles waarin ze geloofden.

Maar dit was Amerika, niet Sicilië. In die lange nacht had Astorre zijn besluit genomen. 's Morgens had hij Nicole opgebeld.

'Ik kom je ophalen om te gaan ontbijten,' had hij gezegd. 'Daarna gaan jij en ik bij Cilke op bezoek in het hoofdkwartier van de FBI.'

Nicole had gezegd: 'Dit is vast dringend, hè?'

'Jazeker. Ik vertel het je onder het ontbijt.'

'Heb je een afspraak met hem gemaakt?' had Nicole gevraagd.

'Nee, dat mag jij doen.'

Een uur later zaten nicht en neef samen te ontbijten in een chic hotel, waar uit oogpunt van privacy de tafels ver van elkaar af stonden, omdat hier op dit vroege uur de politieke bonzen van de stad kwamen vergaderen.

Nicole zwoer bij een stevig ontbijt om energie op te doen voor haar twaalfurige werkdag. Astorre hield het bij jus d'orange en koffie, wat hem – met een mandje broodjes – twintig dollar kostte. 'Wat een afzetters,' zei hij grijnzend tegen Nicole.

Nicole werd daar kribbig van. 'Je betaalt voor de ambiance,' zei ze. 'Het geïmporteerde tafellinnen, het servies. Wat is er nú weer mis?'

'Ik doe mijn burgerplicht,' zei Astorre. 'Ik heb informatie uit onfeilbare bron dat Kurt Cilke en zijn gezin morgenavond worden vermoord. Ik wil hem waarschuwen. Ik wil dat hij me dankbaar is dat ik hem waarschuw. Maar dan zal hij mijn bron willen weten en die kan ik hem niet vertellen.'

Nicole schoof haar bord van zich af en ging achterover zitten. 'Wie zou er zo verrekte stom zijn?' vroeg ze aan Astorre. 'Jezus, ik hoop dat jij er niet bij betrokken bent.'

'Waarom denk je dat?'

'Ik weet het niet,' zei Nicole. 'De gedachte kwam zomaar in me op. Waarom laat je het hem niet anoniem weten?'

'Ik wil dankbaarheid voor mijn goede daden. Ik krijg het gevoel dat tegenwoordig niemand van me houdt.' Hij glimlachte.

'Ik hou van je,' zei Nicole, terwijl ze zich naar hem toe boog. 'Oké, dit wordt ons verhaal. Toen we het hotel binnen kwamen, bleef een onbekende man staan en fluisterde de informatie in je oor. Hij had een grijs gestreept pak aan, een wit overhemd en een zwarte das. Hij was van gemiddelde lengte, had een getinte huid, mogelijk Italiaans of Latijns-Amerikaans. Daarna mag je improviseren. Ik zal je verhaal als getuige bevestigen, en hij weet dat hij me niet kan naaien.'

Astorre lachte. Ontwapenend als altijd, met de ongecontroleerde pret van een kind. 'Dus is hij banger voor jou dan voor mij,' zei hij.

Nicole glimlachte. 'En ik ken de directeur van de FBI. Dat is een politiek dier, dat moet ook wel. Ik zal Cilke opbellen en zeggen dat hij ons kan verwachten.' Ze haalde haar telefoon uit haar tas en belde op.

'Mr. Cilke,' zei ze in de telefoon. 'Met Nicole Aprile. Mijn neef Astorre Viola zit hier naast me, en hij heeft belangrijke informatie die hij u wil doorgeven.'

Na een stilte zei ze: 'Dat is te laat. We zijn er binnen een uur.' Ze hing op voor Cilke iets kon zeggen.

Een uur later werden Astorre en Nicole in Cilkes kantoor binnengelaten. Een ruim L-vormig kantoor met kogelvrij vensterglas waardoorheen je niet naar buiten kon kijken, dus er was geen uitzicht.

Cilke stond hen achter een enorm bureau op te wachten. Drie zwarte leren stoelen stonden tegenover zijn bureau. Daarachter hing raar genoeg een schoolbord. Op een van de stoelen zat Bill Boxton, die geen aanstalten maakte hun de hand te schudden.

'Ga je dit opnemen?' vroeg Nicole.

'Natuurlijk,' zei Cilke.

Boxton zei geruststellend: 'Jezus, we nemen alles op, zelfs onze bestellingen van koffie met donuts. We nemen ook iedereen op van wie we denken dat we ze misschien in de bajes moeten smijten.'

'Je bent wel een érg stomme grapjurk,' zei Nicole met een uitgestreken gezicht. 'Zelfs op je beste dag van je leven krijg je míj de bajes niet in. Je moet het omdraaien. Mijn cliënt Astorre Viola komt vrijwillig bij jullie om een belangrijk stukje informatie aan te reiken. Ik ben hier om hem te behoeden voor misstanden nadat hij dat heeft gedaan.'

Kurt Cilke was niet zo voorkomend als bij hun vorige ontmoetingen. Hij gebaarde dat ze konden plaatsnemen en ging zelf achter zijn bureau zitten. 'Goed,' zei hij. 'Laat maar horen.'

Astorre voelde diens vijandige houding, alsof op zijn eigen terrein zijn gewoonlijke zakelijke vriendelijkheid niet nodig was. Hoe zou hij reageren? Hij keek Cilke recht in de ogen en zei: 'Ik heb informatie gekregen dat er morgen een aanslag op je huis zal worden gepleegd. Laat in de avond. Het doel is je om een of andere reden te vermoorden.'

Cilke reageerde niet. Hij zat verstijfd op zijn stoel, maar Boxton sprong op en kwam achter Astorre staan. Tegen Cilke zei hij: 'Kurt, kalm blijven.'

Cilke stond op. Zijn hele lichaam scheen op te zwellen van woede. 'Dat is een oude maffia-truc,' zei hij. 'Hij heeft die actie opgezet, om hem vervolgens te saboteren. En dan denkt-ie dat ik dankbaar zal zijn. Vertel, hoe ben je aan die vervloekte informatie gekomen?'

Astorre vertelde hem het verhaal dat hij met Nicole had voorbereid. Cilke richtte zich tot Nicole en vroeg: 'Jij was getuige van dit incident?'

'Ja,' zei Nicole, 'maar ik hoorde niet wat de man zei.'

Cilke zei tegen Astorre: 'Je staat nu onder arrest.'

'Waarvoor?' vroeg Nicole.

'Voor het bedreigen van een federale agent,' zei Cilke.

'Ik denk dat je beter je directeur kunt bellen,' zei Nicole.

'Die beslissing is aan mij,' zei Cilke tegen haar.

Nicole keek op haar horloge.

Cilke zei zacht: 'Uit naam van de president ben ik gemachtigd jou en je cliënt achtenveertig uur vast te houden zonder raadsman, als bedreiging voor de staatsveiligheid.'

Astorre was verbluft. Op zijn naïeve manier vroeg hij met grote ogen: 'Is dat echt waar? Kun je dat doen?' Hij was werkelijk onder de indruk van zo veel macht. Hij wendde zich weer tot Nicole en zei opgewekt: 'Goh, dit gaat steeds meer op Sicilië lijken.'

'Als je die stap zet, staat de FBI de komende tien jaar voor de rechter en kun jíj het schudden,' zei Nicole tegen Cilke. 'Je hebt de tijd om je familie ergens anders onder te brengen en de aanvallers in de val te laten lopen. Die komen niet te weten dat er over hen getipt is. Als je een van hen te pakken krijgt, kun je die ondervragen. Wij zullen niet praten. Of hen waarschuwen.'

Cilke leek dat te overdenken. Hij zei vol minachting tegen Astorre: 'Voor je oom had ik tenminste respect. Hij zou nooit gepraat hebben.'

Astorre glimlachte gegeneerd naar hem. 'Dat was toen, zo was dit land toen. Bovendien ben jij niet veel anders, met je geheime orders van de president.' Hij was benieuwd wat Cilke zou zeggen als hij hem de ware reden vertelde. Dat hij de man alleen maar had gered omdat hij een avond in de aanwezigheid van zijn vrouw had doorgebracht en, romantisch als hij was, hopeloos verliefd was geworden op zijn beeld van haar.

'Ik geloof jullie lulverhaal niet, maar daar hebben we het nog wel over als er morgenavond werkelijk sprake is van een aanval. Als er iets gebeurt, sluit ik je op, en jou misschien ook, raadsmevrouw. Maar waarom ben je het me eigenlijk komen vertellen?'

Astorre glimlachte. 'Omdat ik je mag,' zei hij.

'Schiet nou toch gauw op,' zei Cilke. Hij wendde zich tot Boxton. 'Ga de commandant van de speciale tactische eenheid halen en zeg tegen mijn secretaresse dat ze een telefoongesprek aanvraagt met de directeur.'

Ze bleven nog twee uur om zich te laten ondervragen door Cilkes staf. Intussen voerde Cilke in zijn kantoor een gesprek met de directeur via de *scramble*-telefoon.

'Arresteer hem onder geen beding,' zei de directeur tegen hem. 'Anders lekt alles uit in de media, en dan staan wij voor paal. En haal geen gekkigheid uit met Nicole, tenzij je haar iets kunt maken. Hou alles strikt geheim, dan zullen we zien wat er morgenavond gebeurt. Bewakers bij je huis zijn gewaarschuwd en op dit moment wordt je gezin al geëvacueerd. Geef me nu Bill aan de lijn. Hij zal de operatie leiden om ze in de hinderlaag te lokken.'

'Dat zou ík moeten doen, *sir*,' wierp Cilke tegen.

'Jij helpt bij de planning,' zei de directeur, 'maar je neemt in geen geval deel aan de tactische operatie. De Dienst opereert onder zeer strikt omlijnde orders om onnodig geweld te voorkomen. Als het foutloopt, kom jíj onder verdenking te staan. Begrijp je mij?'

'Ja, *sir*.' Cilke begreep hem volkomen.

12

Na een maand werd Aspinella Washington uit het ziekenhuis ontslagen, maar ze moest nog verder genezen voordat men een kunstoog kon inbrengen. Haar lichaam, een schitterend staaltje van fysiek, leek haar verwondingen in te kapselen. Toegegeven, haar linkervoet sleepte een beetje en haar oogkas was een gruwel om te zien. Maar ze droeg een vierkante groene ooglap in plaats van een zwarte, en het donkergroen accentueerde de schoonheid van haar mokkakleurige huid. Ze meldde zich weer op haar werk in een outfit van een zwarte broek, een groen poloshirt en een groene leren jas. Toen ze zichzelf in de spiegel bekeek, vond ze dat ze er schitterend uitzag.

Hoewel ze met ziekteverlof was, ging ze af en toe naar het hoofdkwartier van de Recherche om bij verhoren te assisteren. Haar letsel gaf haar een gevoel van vrijheid – dat ze alles voor elkaar kon krijgen – en ze speelde haar macht uit.

Bij haar eerste verhoor waren twee verdachten: een ongebruikelijk paar in die zin, dat de ene wit was en de andere zwart. De witte verdachte, rond de dertig, was meteen bang voor haar. Maar de zwarte partner viel als een blok op de grote, mooie vrouw met de groene ooglap en de koele strakke blik. Dit was pas een *cool sister*.

'*Holy shit*,' riep hij met een verrukt gezicht uit. Het was zijn eerste arrestatie, hij had geen strafblad en hij wist echt niet dat hij diep in de nesten zat. Hij en zijn partner hadden ergens ingebroken, de man en de vrouw vastgebonden en vervolgens het huis geplunderd. Ze waren door een informant aangegeven. Het zwarte joch had de Rolex van de eigenaar van het huis nog om gehad. Hij zei monter tegen Aspinella, zonder kwade bedoelingen maar met een stem vol bewondering: 'Hé, kapitein Kidd, ga je ons aan de haaien voeren?'

De andere rechercheurs in de kamer lachten besmuikt om die grap. Maar Aspinella reageerde niet. Het joch had handboeien om en kon haar klappen niet ontwijken. Als een slang kwam haar stok op zijn gezicht terecht, waardoor zijn neus brak en zijn jukbeen werd gespleten. Hij ging niet neer. Zijn knieën begaven het en hij keek haar verwijtend aan. Zijn gezicht was één bloederige massa. Toen knakten zijn benen en viel hij voorover op de grond. Nog zeker tien minuten bleef Aspinella onbarmhartig op hem inhakken. Als uit een verse bron begon bloed uit de oren van de jongen te vloeien.

'Jezus,' zei een van de rechercheurs. 'Hoe kunnen we hem nú nog ondervragen?'

'Ik wilde niet met hem praten,' zei Aspinella. 'Ik wil met déze vent praten.' Ze richtte haar stok op de witte verdachte. 'Zeke, is het niet? Ik wil met jou praten, Zeke.' Ze pakte hem ruw bij de schouder en smakte hem in een stoel tegenover haar bureau. Hij staarde haar aan, doodsbang. Ze merkte dat haar ooglap was verschoven en dat Zeke in die lege holte keek. Ze trok de ooglap weer over haar weke oogkas heen.

'Zeke,' zei ze. 'Ik wil dat je goed luistert. Ik wil hier niet te lang over doen. Ik wil weten hoe je die jongen hierbij betrokken hebt. Hoe jij hierbij betrokken bent. Begrepen? Zul je meewerken?'

Zeke werd lijkbleek. Hij aarzelde niet. 'Ja, *ma'am*,' zei hij. 'Ik zal u alles vertellen.'

'Oké,' zei Aspinella tegen de rechercheur. 'Breng dat joch naar de medische afdeling en laat de video-mensen komen om Zekes vrijwillige verklaring op te nemen.'

Toen de monitoren waren opgesteld zei Aspinella tegen Zeke: 'Wie was de heler van je spullen? Van wie had je de informatie over je slachtoffers? Geef me de exacte details van de inbraak. Je partner is zo te zien een goeie jongen. Hij heeft geen strafblad en hij is niet zo slim. Vandaar dat ik hem niet te hard aanpakte. Maar jij, Zeke, hebt een heel uitgebreid strafblad, dus volgens mij ben jij de slechte genius die hem hierin heeft meegesleept. Begin dus maar te repeteren voor de video.'

Toen Aspinella het bureau verliet, reed ze via de Southern State Parkway naar Brightwaters op Long Island.

Vreemd genoeg merkte ze dat ze met één oog rijden haar best beviel. De omgeving was boeiender omdat de focus scherper was,

216

als een futuristisch schilderij dat aan de randen in dromen overging. Het leek alsof de halve wereld, de aardbol zelf, in tweeën was verdeeld en dat de helft die ze kon zien meer aandacht opeiste.

Ten slotte reed ze door Brightwaters en kwam ze langs John Heskows huis. Ze zag zijn auto op de oprit en een man die met een enorme azalea van de bloemkas naar het huis liep. Toen kwam een andere man uit de kas met een doos met gele bloemen. Dat was opmerkelijk, dacht ze. Ze waren de bloemkas aan het leeghalen.

Toen ze in het ziekenhuis lag, had ze wat speurwerk naar Heskow gedaan. Ze had de lijsten met kentekens van de auto's in New York nageplozen en zijn adres achterhaald. Vervolgens had ze alle computergegevens over criminaliteit nagelopen en was ze erachter gekomen dat John Heskow in werkelijkheid Louis Ricci heette; de zak was een Italiaan, al leek hij op een Duitse pudding. Maar zijn strafblad was duidelijk. Hij was diverse keren gearresteerd wegens afpersing en aanslagen, maar nooit veroordeeld. De bloemkas kon onmogelijk de hoeveelheid geld opleveren om er zijn leefstijl van te bekostigen.

Ze had dat allemaal gedaan, omdat ze had bedacht dat alleen hij de vinger had kunnen leggen op Di Benedetto en haar. Het enige waar ze niet uitkwam, was dat hij hun het geld had gegeven. Dat geld had het bureau Interne Zaken weliswaar op haar aangetroffen, maar ze had al snel van hun weinig geanimeerde ondervragingen weten af te komen, aangezien ze blij waren dat ze zelf het geld mochten houden. Nu was ze bezig met voorbereidingen om van Heskow af te komen.

Vierentwintig uur vóór de geplande aanslag op Cilke reed Heskow naar Kennedy Airport voor zijn vlucht naar Mexico City, waar hij met valse paspoorten die hij al jaren geleden had geregeld uit de beschaafde wereld zou verdwijnen.

De details waren uitgewerkt. De bloemkassen waren leeggehaald, zijn ex-vrouw zou zorgen dat het huis werd verkocht en de opbrengst op de bank zetten voor de studiekosten van hun zoon. Heskow had haar wijsgemaakt dat hij twee jaar zou wegblijven. Zijn zoon had hij hetzelfde verhaal verteld toen ze samen bij Shun Lee aten.

Het was vroeg in de avond toen hij bij de luchthaven aankwam. Hij gaf twee koffers af, meer had hij niet nodig, afgezien van de honderdduizend dollar in coupures van één dollar die hij in kleine zakjes over zijn hele lichaam had geplakt. Hij was behangen met geld voor directe kosten en hij had een geheime rekening op de Kaaiman Eilanden, waar bijna vijf miljoen dollar op stond. Goddank, want hij zou vást niet bij de Sociale Dienst kunnen aankloppen. Hij was er trots op dat hij voorzichtig had geleefd en zijn salaris niet had verkwanseld aan gokken, vrouwen of andere idiotie.

Heskow checkte in voor zijn vlucht en *boarding pass*. Het enige wat hij nu bij zich had was een aktetas met zijn valse identiteitspapieren en zijn paspoort. Hij had zijn auto bij langparkeren laten staan; zijn ex-vrouw zou die ophalen en voor hem beheren.

Hij was ruim een uur te vroeg voor zijn vlucht. Hij voelde zich niet echt op zijn gemak nu hij ongewapend was, maar hij moest de detectoren passeren om bij zijn vliegtuig te komen, en van zijn contacten in Mexico City zou hij desnoods een heel wapenarsenaal kunnen krijgen.

Om de tijd te doden kocht hij wat tijdschriften in de kiosk en ging daarna naar de cafetaria bij de terminal. Hij laadde koffie met taart op een blad en ging aan een tafeltje zitten. Hij bladerde de tijdschriften door en at zijn stuk taart, een zogenaamde aardbeienpunt met nepslagroom. Opeens werd hij zich ervan bewust dat iemand aan zijn tafeltje kwam zitten. Toen hij opkeek, zag hij rechercheur Aspinella Washington. Zoals iedereen werd hij geboeid door de vierkante, donkergroene ooglap. Die bezorgde hem een flits van paniek. Ze was veel mooier dan hij zich herinnerde.

'Hallo, John,' zei ze. 'Je bent me niet eens komen opzoeken in het ziekenhuis.'

Hij was zo beduusd dat hij haar serieus nam. 'Je weet dat ik dat niet kon maken, detective. Maar ik vond het vreselijk toen ik hoorde van je pech.'

Aspinella schonk hem een enorme glimlach. 'Ik maakte maar een grap, John. Maar ik wilde nog wél even met je babbelen voor je vlucht.'

'Natuurlijk,' zei Heskow. Hij had wel verwacht dat hij zou moeten dokken, en voor dergelijke verrassingen had hij tienduizend dollar in zijn aktetas. 'Ik ben blij dat je er zo goed uitziet. Ik heb me zorgen over je gemaakt.'

'Je méént het,' zei Aspinella, waarbij haar ene oog glom als het oog van een havik. 'Jammer van Paul. We waren goed bevriend, weet je, behalve dat hij mijn baas was.'

'Het was zonde,' zei Heskow. Zijn stem sloeg zelfs even over, wat Aspinella een glimlach ontlokte.

'Ik hoef je toch niet mijn badge te laten zien?' vroeg Aspinella. 'Toch?' Ze zweeg even. 'Ik wil dat je met me meegaat naar een verhoorkamertje dat we hier bij de terminal hebben. Geef me een paar interessante antwoorden, en je mag met je vliegtuig mee.'

'Oké,' zei Heskow. Hij stond op, terwijl hij zijn aktetas stevig vasthield.

'En geen geintjes of ik schiet je dood. Raar, maar ik schiet beter met één oog.' Ze stond op, pakte zijn arm en leidde hem naar een trap naar de entresol, waar zich de administratiekantoren van de vliegmaatschappijen bevonden. Ze leidde hem door een lange gang en stak de sleutel in de deur van een kantoor. Heskow was niet alleen verbaasd over de grootte van het vertrek, maar ook over het aantal tv-monitoren aan de muur, minstens twintig, die werden bediend door twee mannen die in fauteuils zaten en ze in de gaten hielden terwijl ze sandwiches aten en koffie dronken. Een van hen stond op en zei: 'Hé, Aspinella, wat nu?'

'Ik ga even in de verhoorkamer onder vier ogen babbelen met deze vent. Sluit ons op.'

'Natuurlijk,' zei de man. 'Wil je dat een van ons daarbij is?'

'Welnee. Het is alleen maar een vriendschappelijk babbeltje.'

'O, een van je fameuze vriendschappelijke babbeltjes,' zei de man, en hij moest lachen. Hij keek Heskow aandachtig aan. 'Jou heb ik op de schermen beneden in de terminal gezien. Aardbeientaart, klopt dat?' Hij ging hen voor naar een deur achter in het vertrek en deed die van het slot. Nadat Heskow en Aspinella de verhoorkamer waren binnengegaan, deed hij hem achter hen op slot.

Heskow voelde zich geruster nu bleek dat er nog meer mensen bij betrokken waren. De verhoorkamer oogde vriendelijk, met een bank, een bureau en drie zo te zien gemakkelijke stoelen. In een hoek stond een waterkoeler met kartonnen bekertjes. Aan de roze wanden hingen foto's en schilderijen van vliegtuigen.

Aspinella liet Heskow plaatsnemen op een stoel tegenover het bureau, waar zij op ging zitten en vanwaar ze op hem neerkeek.

'Kunnen we van start gaan?' vroeg Heskow. 'Ik kan me niet permitteren die vlucht te missen.'

Aspinella gaf geen antwoord. Ze pakte Heskows aktetas van zijn schoot. Heskow schrok op. Ze maakte de tas open en liet haar handen door de inhoud gaan, inclusief de stapels honderddollarbiljetten. Ze bekeek aandachtig een van de valse paspoorten, deed alles toen weer in de aktetas en gaf die aan hem terug.

'Je bent een slimme vent,' zei ze. 'Je wist dat het tijd werd om te vluchten. Wie heeft je verteld dat ik achter je aan zat?'

'Waarom zou je achter me aan zitten?' vroeg Heskow. Hij was zekerder van zijn zaak nu ze zijn aktetas had teruggegeven.

Aspinella tilde de ooglap op zodat hij de gruwelijke krater kon zien. Maar Heskow gaf geen krimp; hij had wel erger gezien.

'Jij hebt me dat oog gekost,' zei ze. 'Alleen jij zou gelekt kunnen hebben om Paul en mij erin te luizen.'

Heskow sprak met de grootst mogelijke oprechtheid, wat in zijn beroep een van zijn beste wapens was geweest. 'Je vergist je, absoluut. Als ik dat had gedaan, zou ik het geld gehouden hebben – dat snap je toch wel? Luister, ik moet echt die vlucht halen.' Hij knoopte zijn overhemd open en trok een stuk plakband los. Twee pakjes geld verschenen op de tafel. 'Dat is voor jou, plus het geld in de aktetas. Dat is dertigduizend.'

'Goh,' zei Aspinella. 'Dertigduizend. Dat is een hoop geld voor één oog. Oké. Maar je moet me de naam vertellen van de kerel die je heeft betaald om ons erin te luizen.'

Heskow nam een besluit. Zijn enige kans was die vlucht te halen. Hij wist dat ze niet blufte. Hij had in zijn werk met te veel moordlustige maniakken te maken gehad om zich in haar te vergissen.

'Luister, geloof me,' zei hij. 'Ik had nooit gedacht dat die kerel twee hoge dienders zou afmaken. Ik had alleen maar een deal gemaakt met Astorre Viola zodat hij erbuiten zou blijven. Ik had nooit gedacht dat hij zoiets zou doen.'

'Fijn,' zei Aspinella. 'Maar wie heeft je betaald voor de aanslag op hem?'

'Paul wist ervan,' zei Heskow. 'Heeft hij het je niet verteld? Timmona Portella.'

Nu voelde Aspinella zich plotseling razend worden. Die vette partner van haar was niet alleen een sof geweest met neuken, maar ook nog een leugenachtig stuk verdriet.

'Sta op,' zei ze tegen Heskow. Opeens lag er een revolver in haar hand.

Heskow was doodsbang. Hij had die uitdrukking eerder gezien, alleen was hij toen niet het slachtoffer geweest. Heel even dacht hij aan de verborgen vijf miljoen dollar die mét hem zouden sterven, nooit opgevraagd, en die vijf miljoen dollar leken een levend wezen. Wat een drama. 'Nee,' riep hij uit, en hij dook nog verder in de stoel weg. Aspinella greep hem met haar vrije hand bij zijn haar en sleurde hem overeind. Ze hield de revolver een eindje van zijn hals en vuurde. Het leek wel of Heskow uit haar greep opvloog en op de grond neerstortte. Ze knielde bij zijn lichaam neer. Zijn halve keel was weggeschoten. Toen haalde ze haar wegwerprevolver uit de enkelholster, plaatste hem in Heskows hand en stond op. Ze hoorde hoe de deur van het slot werd gedraaid, waarna de twee mannen van de monitoren met getrokken pistolen naar binnen stoven.

'Ik heb hem moeten doodschieten,' zei ze. 'Hij wilde me omkopen en trok toen een revolver. Roep de ambulance van de terminal, dan bel ik zelf Moordzaken. Nergens aankomen, en verlies me niet uit het oog.'

De volgende avond voerde Portella zijn aanslag uit. Cilkes vrouw en dochter waren al weggegoocheld naar een afgelegen, zwaarbewaakt FBI-station in Californië. Cilke was op bevel van de directeur op het FBI-hoofdkwartier in New York, waar hij samen met zijn voltallige staf dienst had. Bill Boxton had het algehele commando over het speciale team gekregen dat de val bij Cilkes huis moest laten dichtklappen. De reglementen waren echter strikt. De Dienst wenste geen bloedbad dat klachten zou opleveren van liberale groeperingen. De mensen van het FBI-team zouden niet vuren, tenzij er op hen gevuurd zou worden. Alles zou in het werk worden gesteld om de aanvallers de kans te geven zich over te geven.

Als assistent van Organisatie vergaderde Cilke met Boxton en de commandant van de Dienst Bijzondere Taken, een relatief jonge man van vijfendertig wiens gezicht al de rigide lijnen droeg van zijn positie. Maar zijn huid was grauw en het kuiltje in zijn kin mocht niet baten. Hij heette Sestak en zijn accent was onvervalst Harvard. Ze kwamen bijeen in Cilkes kantoor.

'Ik verwacht van jullie dat je tijdens de operatie constant in verbinding staat met mij,' zei Cilke. 'De reglementen dienen strikt te worden opgevolgd.'

'Maak je geen zorgen,' zei Boxton. 'We hebben honderd man met veel meer munitie dan zij. Ze moeten zich wel overgeven.'

Sestak zei met zachte stem: 'Ik heb nog honderd man om er een cordon omheen te leggen. We laten ze erin maar we laten ze er niet uit.'

'Goed,' zei Cilke. 'Als jullie hen te pakken hebben, brengen jullie ze over naar ons verhoorcentrum in New York. Het is mij niet toegestaan bij de ondervraging aanwezig te zijn, maar ik wil zo spoedig mogelijk informatie.'

'En als er iets misgaat en ze gedood worden?' vroeg Sestak.

'Dan volgt een intern onderzoek en zal de directeur hoogst ontevreden zijn. Luister, zo ziet de realiteit eruit: ze zullen gearresteerd worden wegens samenzwering voor het plegen van een moord en op borgtocht vrijkomen. Vervolgens verdwijnen ze naar Zuid-Amerika. Dus we hebben maar een paar dagen om hen te ondervragen.'

Boxton keek Cilke met een glimlachje aan. Sestak zei met zijn geaffecteerde stem tegen Cilke: 'Ik denk dat dat jou hoogst ontevreden zou maken.'

'Natuurlijk, het zit me niet lekker,' zei Cilke. 'Maar de directeur moet denken aan politieke verwikkelingen. Tenlasteleggingen wegens samenzwering zijn altijd link.'

'Aha,' zei Sestak. 'Dus je handen zijn gebonden.'

'Dat klopt,' zei Cilke.

Boxton zei kalmpjes: 'Het is verdomde jammer: zij kunnen een poging doen een federale agent te vermoorden en ermee wegkomen.'

Sestak bekeek hen allebei met een geamuseerde glimlach. Zijn grauwe huid kreeg een rosse tint. 'Je spreekt voor dovemansoren,' zei hij. 'Hoe dan ook, dergelijke operaties lopen altijd uit de hand. Een vent met een pistool in zijn hand denkt altijd dat er op hem niet geschoten kan worden. Heel raar is dat bij mensen.'

Die avond ging Boxton in gezelschap van Sestak naar het strijdtoneel rond Cilkes woning in New Jersey. In het huis waren lichten aangelaten zodat het leek of er iemand thuis was. Ook stonden er drie auto's op de oprit geparkeerd om de schijn te wekken dat de bewakers binnen waren. De auto's zaten vol munitie, dus als ze werden gestart, zouden ze exploderen. Voor de rest kon Boxton niets zien.

'Waar zijn jouw honderd man in godsnaam?' vroeg hij aan Sestak.

Sestak grijnsde breed. 'Goed, hè? Ze zijn overal, en zelfs jíj ziet ze niet. Ze hebben al vuurlinies gevormd. Als de aanvallers oprukken, wordt de route achter hen potdicht afgesloten. Dan hebben we een mand vol ratten.'

Boxton week op een commandopost zo'n vijftig meter van het huis niet van Sestaks zijde. Daar was ook een communicatieteam van vier mannen, in camouflagepakken om niet op te vallen in de bossen. Sestak en zijn mannen waren gewapend met geweren, maar Boxton had slechts zijn pistool.

'Ik wil niet dat je in het gevecht verwikkeld raakt,' zei Sestak tegen Boxton. 'Bovendien is dat wapen in je hand hier nutteloos.'

'Waarom niet?' vroeg Boxton. 'Ik wacht al mijn hele carrière tot ik de slechteriken mag neerknallen.'

Sestak lachte. 'Vandaag niet. Mijn team blijft op bevel van de president verschoond van juridische ondervraging of vervolging. Jij niet.'

'Maar ik voer het bevel,' zei Boxton.

'Niet als we tot actie overgaan,' deelde Sestak hem koeltjes mede. 'Dan ben ik de enige die bevelen geeft. Ik neem de beslissingen. Zelfs de directeur kan me niet overtroeven.'

Samen wachtten ze in het donker. Iemand van Communicatie fluisterde Sestak toe: 'Vijf auto's met mannen naderen het huis. De weg achter hen zit potdicht. Geschatte tijd van aankomst is over vijf minuten.'

Sestak droeg een infrarode duikbril zodat hij in het donker kon zien. 'Oké,' zei hij. 'Zegt het voort. Niet vuren, tenzij zelf onder vuur of op mijn bevel.'

Ze wachtten. Opeens reden vijf auto's in volle vaart op de oprit af. Er kwamen mannen uit. Een van hen gooide onmiddellijk een vuurbom in Cilkes huis, waardoor de glazen pui brak en een smalle straal rood vuur de kamer in schoot.

Daarop was het hele gebied plotseling één zee van felle zoeklichten waaronder de groep van twintig belagers verstijfde. Op hetzelfde moment klapwiekte erboven een helikopter met verblindende lichten. Uit luidsprekers galmde een boodschap door het donker. 'Dit is de FBI. Gooi uw wapens neer en ga op de grond liggen.'

Verblind door de lichten en verdoofd door de helikopters verstijfden de in de val gelopen mannen. Boxton zag tot zijn opluchting dat ze stuk voor stuk elke neiging tot verzet hadden opgegeven.

Dus was hij verbaasd toen Sestak zijn geweer omhoog bracht en op de groep belagers vuurde. Onmiddellijk begon de aanvallende groep terug te vuren. Vervolgens werd Boxton doof van het geraas van machinegeweren die over de oprit veegden en de aanvallers neermaaiden. Een van de met munitie uitgeruste auto's explodeerde. Het leek of een orkaan van lood de oprit volkomen vernielde. Glas versplinterde en viel als een zilveren regen neer. De andere auto's zegen op de grond, zo doorzeefd met kogels dat ze aan de buitenkant geen kleur meer hadden. De oprit leek een bron van bloed dat kolkend om de auto's heen stroomde. De twintig aanvallers waren met bloed doordrenkte hopen lompen die eruitzagen als zakken wasgoed die men alvast buiten had gezet.

Boxton wist niet wat hij meemaakte. 'Je vuurde voordat ze zich konden overgeven,' zei hij beschuldigend tegen Sestak. 'Dat komt in mijn rapport.'

'Dat zie ik anders.' Sestak grijnsde hem toe. 'Toen ze een vuurbom naar het huis smeten, was dat poging tot moord. Ik kon mijn mannen niet in gevaar brengen. Dat komt in míjn rapport. Ook dat zij als eersten vuurden.'

'Nou, dat komt niet in het mijne,' zei Boxton.

'Schei toch uit,' zei Sestak. 'Denk jij dat de directeur jóúw rapport wil? Je komt op zijn zwarte lijst. Voorgoed.'

'Hij zal jou aan je ballen trekken omdat jij je niet aan de bevelen hebt gehouden,' zei Boxton. 'Dan gaan we samen in vlammen op.'

'Fijn,' zei Sestak. 'Maar ik ben de commandant. Ik heb niemand boven me. Hebben ze mij er eenmaal bij gehaald, dan is daarmee de kous af. Ik wil niet dat criminelen denken dat ze zomaar een federale agent kunnen aanvallen. Dat is de realiteit, en jij en de directeur kunnen me aan m'n reet roesten.'

'Twintig doden,' zei Boxton.

'Dat ruimt lekker op,' zei Sestak. 'Jij en Cilke wilden ze opblazen, maar jullie hadden de kloten niet om daar rond voor uit te komen.'

Opeens wist Boxton dat dat waar was.

Kurt Cilke bereidde zich voor op de zoveelste bespreking met de directeur in Washington. Hij had zijn aantekeningen met een richtlijn van wat hij zou gaan zeggen en een rapport over alle invalshoeken van de aanslag op zijn huis.

Zoals altijd zou Boxton met hem meegaan, maar ditmaal gebeurde dat op uitdrukkelijk verzoek van de directeur.

Cilke en Boxton zaten in het kantoor van de directeur voor een rij tv-monitoren waarop verslagen van de activiteiten van het plaatselijke FBI-kantoor. De immer hoffelijke directeur schudde beide mannen de hand en liet hen plaatsnemen, al keek hij Boxton met koude vissenogen aan. Twee van zijn ondergeschikten wachtten af.

'Heren,' zei hij, waarbij hij zich tot de hele groep richtte. 'We moeten deze rotzooi opruimen. We kunnen een dergelijke waan-zinsactie niet over onze kant laten gaan zonder er met al ons ver-nuft iets tegenover te stellen. Cilke, wil je in dienst blijven of met pensioen gaan?'

'Ik blijf,' zei Cilke.

De directeur wendde zich tot Boxton, en zijn tanige, aristocrati-sche gezicht stond streng. 'Jij had de leiding. Hoe komt het dat alle belagers zijn gedood en we niemand hebben om te ondervragen? Wie gaf je het bevel om te vuren? En om welke redenen?'

Boxton ging stram overeind op zijn stoel zitten. 'De aanvallers gooiden een bom in het huis en openden het vuur,' zei hij. 'We hadden geen keus.'

De directeur zuchtte. Een van zijn assistenten gromde van woe-de.

'Kapitein Sestak is een van onze sterren,' zei de directeur. 'Heeft hij ten minste geprobeerd één gevangene te maken?'

'*Sir*, het was in twee minuten voorbij,' zei Boxton. 'Sestak is in het veld tactisch een heel efficiënt man.

'Welnu, er is in de media of onder het publiek weinig ophef over gemaakt,' zei de directeur. 'Maar in mijn ogen was het een bloed-bad.'

'Dat was het zeker,' riep een van de assistenten spontaan.

'Enfin, er is niets aan te doen,' zei de directeur. 'Cilke, heb jij een strategie kunnen bedenken?'

Cilke had zich kwaad zitten maken om hun kritiek, maar hij antwoordde kalm: 'Ik wil dat honderd man worden ingezet op mijn sectie. Ik wil dat u een volledige inzage in de boeken van de Aprile-banken aanvraagt. Ik ga van iedereen die bij deze zaak be-trokken is zijn achtergrond navlooien.'

De directeur zei: 'Je hebt niet het gevoel dat je bij die Astorre Viola in het krijt staat omdat hij jou en je gezin heeft gered?'

'Nee,' zei Cilke. 'Je moet die mensen kennen. Eerst brengen ze je in moeilijkheden, vervolgens helpen ze je eruit.'

De directeur zei: 'Denk eraan, een van onze primaire belangen is het ons toeëigenen van de Aprile-banken. Niet alleen omdat we daar beter van worden, maar omdat die banken in de toekomst zullen dienen als centrum voor het witwassen van drugsgeld. En via de banken krijgen we Portella en Tulippa. We moeten dit breed zien. Astorre Viola weigert de banken te verkopen en het syndicaat probeert hem te elimineren. Tot dusver is dat hun niet gelukt. We hebben vernomen dat de twee huurmoordenaars die de don neerschoten zijn verdwenen. Twee rechercheurs van de NYPD zijn opgeblazen.'

'Astorre is sluw en ongrijpbaar, en hij is niet bij een of andere zwendel betrokken,' deelde Cilke hem mede, 'dus kunnen we hem eigenlijk niets maken. Maar als het syndicaat hem kwijt weet te raken, zullen de kinderen de banken aan hen verkopen. Dan weet ik zeker dat ze over een paar jaar over de schreef zullen gaan.'

Het was niet ongewoon dat de rijksrecherche een langdurig spel aanging, met name met de drugswereld. Maar daartoe moest men onder ogen zien dat misdaden werden gepleegd.

'Dat spelletje hebben we al lang geleden gespeeld,' zei de directeur. 'Maar dat wil niet zeggen dat je Portella carte blanche geeft.'

'Natuurlijk niet,' zei Cilke. Hij wist dat alles wat er gezegd werd, werd opgenomen.

'Ik zal je vijftig man geven,' zei de directeur. 'En ik zal volledige inzage in de boeken van de banken aanvragen om er wat vaart achter te zetten.'

Een van de gedeputeerden zei: 'We hebben ze al eerder doorgelicht en nog nooit iets gevonden.'

'Je weet maar nooit,' zei Cilke. 'Astorre is geen bankier en misschien heeft hij fouten gemaakt.'

'Ja,' zei de directeur. 'Eén kleine uitglijer, meer heeft de procureur-generaal niet nodig.'

Toen hij in New York terug was, sprak Cilke met Boxton en Sestak om zijn campagne voor te bereiden. 'We krijgen vijftig man extra om de aanslag op mijn huis te onderzoeken,' deelde hij hun mede. 'We moeten heel voorzichtig zijn. Meld me alles wat jullie te weten kunnen komen over Astorre Viola. Ik wil dieper ingaan op het opblazen van de rechercheurs. Ik wil alle ins en outs over de verdwijning van de Sturzo-broers en alle informatie die je maar kunt krijgen over het syndicaat. Neem Astorre onder de loep, en ook detective Washington. Zij staat erom bekend dat ze zich laat omkopen en dat ze agressief is. En haar versie van het verhaal dat zij werd opgeblazen en al dat geld op de plaats van het misdrijf, daar zit allemaal een luchtje aan.'

'En die Tulippa?' vroeg Boxton. 'Hij kan elk moment het land verlaten.'

'Tulippa maakt een tournee met lezingen over legalisering van drugs en ook om zijn chantagegeld bij grote firma's op te halen.'

'Kunnen we hem op grond daarvan niet arresteren?' vroeg Sestak.

'Nee, Sestak,' zei Cilke. 'Hij heeft een verzekeringsmaatschappij en hij verkoopt hun polissen. We zouden wel een zaak kunnen beginnen, maar de zakenlui houden dat tegen. Die hebben het veiligheidsprobleem van hun personeel in Zuid-Amerika opgelost. En Portella kan geen kant op.'

Sestak grijnsde kil. 'Hoe is hierin de beleidslijn?'

Cilke zei glad: 'Op bevel van de directeur geen slachtingen meer, maar jezelf beschermen. Met name tegen Astorre.'

'Met andere woorden: we kunnen Astorre laten verrekken,' zei Sestak.

Cilke leek even in gedachten. 'Eventueel,' antwoordde hij.

Pas een week daarna bogen de rijksaccountants zich massaal over de gegevens van de Aprile-banken en kwam Cilke in hoogst eigen persoon Mr. Pryor in zijn kantoor opzoeken.

Cilke schudde hem de hand en zei hartelijk: 'Ik ontmoet altijd graag mensen die ik wellicht de gevangenis in moet sturen. Dus weet u soms een manier om ons te helpen en het schip te verlaten voor het te laat is?'

Mr. Pryor keek de jongeman met goedgunstige bezorgdheid aan. 'Ach zo?' zei hij. 'U zit volkomen op het verkeerde spoor, gelooft u mij. Ik leid deze banken volmaakt volgens de nationale en internationale wet.'

'Welnu, ik wilde u alleen maar laten weten dat ik uw achtergrond en die van alle anderen aan het natrekken ben,' zei Cilke. 'En ik hoop dat jullie allemaal schoon zijn. Met name de Sturzo-broers.'

Mr. Pryor glimlachte. 'We zijn brandschoon.'

Toen Cilke weg was, leunde Mr. Pryor achterover in zijn stoel. De situatie werd verontrustend. Als ze Rosie maar niet op het spoor kwamen. Hij zuchtte. Wat jammer. Hij zou iets aan haar moeten doen.

Toen Cilke Nicole waarschuwde dat hij haar en Astorre de volgende dag in zijn kantoor wilde spreken, begreep hij nog niet helemaal welke rol Astorre speelde, maar dat vond hij best. Hij voelde voor hen slechts dezelfde minachting die hij voor iedereen voelde die de wet overtrad. Hij wist niet waartoe een echte maffioso in staat is.

Astorre geloofde in de oude traditie. Zijn adepten waren niet alleen op hem gesteld vanwege zijn charisma, maar ook omdat voor hem eer boven alles ging.

De wil van een echte maffioso was sterk genoeg om elke belediging jegens hemzelf of jegens de *cosca* te wreken. Hij kon zich nimmer onderwerpen aan de wil van iemand anders of van een regeringsinstantie. En daarin lag zijn kracht. Zijn eigen wil ging voor alles, rechtvaardig was wat in zíjn ogen rechtvaardig was. Dat hij Cilke en zijn gezin had gered was een zwakte in zijn karakter. Desondanks ging hij met Nicole naar Cilkes kantoor in de vage verwachting een dankjewel te krijgen, enige verzachting van Cilkes vijandige opstelling.

Het was evident dat er strenge maatregelen waren getroffen voor zijn ontvangst. Twee veiligheidsbeambten fouilleerden Astorre en Nicole voor ze Cilkes kantoor betraden. Cilke zelf stond achter zijn bureau en keek hen dreigend aan. Zonder een blijk van vriendelijkheid gebaarde hij dat ze konden gaan zitten. Een van de bewakers deed de deur achter hen op slot en bleef erbuiten wachten.

'Wordt dit opgenomen?' vroeg Nicole.

'Ja,' zei Cilke. 'Audio en video. Ik wens geen enkel misverstand over deze bijeenkomst.' Hij zweeg even. 'Ik wil dat je duidelijk is dat er niets veranderd is. Ik beschouw je als een stuk vuil dat, als het aan mij ligt, niet in dit land hoort te wonen. Kom bij mij niet aan met dat don Aprile-gelul. En ook niet met je verhaal over de tipgever. Volgens mij heb je dat met hem bekokstoofd en vervolgens je handlanger verraden teneinde een mildere behandeling van mij te krijgen. Ik veracht die trucs.'

Astorre was verbijsterd dat Cilke zo dicht tot de waarheid was doorgedrongen. Hij bekeek hem met nieuw respect. En toch was hij gekwetst. Die vent kende geen dankbaarheid, geen respect voor een man die hem en zijn gezin had gered. Hij glimlachte om de tegenstrijdigheden in zichzelf.

'Je vindt het komisch, zo'n maffiagrap van je,' zei Cilke. 'Ik zal zó die glimlach van je smoel vegen.'

Hij wendde zich tot Nicole. 'Om te beginnen eist de Dienst dat je de ware omstandigheden vertelt waaronder jullie die informatie hebben gekregen. Je verbaast me, advocaat. Ik denk erover je aan te klagen wegens samenzwering.'

Nicole zei koeltjes: 'Je kunt het proberen, maar ik stel voor dat

228

eerst aan je baas voor te leggen.'

'Wie heeft jullie verteld over de aanslag op mijn huis?' vroeg Cilke. 'We willen de echte tipgever.'

Astorre haalde zijn schouders op. 'Graag of niet,' zei hij.

'Geen van beide,' zei Cilke kil. 'Laten we dit duidelijk stellen. Je bent niet meer dan het zoveelste stuk vuil. De zoveelste moordenaar. Ik weet dat je Di Benedetto en Washington hebt opgeblazen. We onderzoeken de verdwijning van de twee Sturzo-broers in L.A. Jij hebt drie van Portella's gangsters gedood, en je hebt deelgenomen aan een ontvoering. We krijgen je uiteindelijk wel. En dan ben je niet meer dan het zoveelste stuk stront.'

Voor het eerst leek Astorre iets van zijn zelfbeheersing te verliezen en zijn masker van minzaamheid gleed af. Hij zag dat Nicole met een soort angstig medelijden naar hem keek. En dus liet hij iets van zijn woede ontsnappen.

'Ik verwacht geen gunsten van jou,' zei hij tegen Cilke. 'Je weet niets eens wat eer betekent. Ik heb jou, je vrouw en jullie dochter het leven gered. Als ik er niet was geweest, hadden ze misschien onder de grond gelegen. Nu nodig je me hier uit om me te beledigen. Je vrouw en je dochter leven nog dankzij mij. Toon me ten minste dáárvoor respect.'

Cilke staarde hem aan. 'Ik toon jou niks,' zei hij, en hij voelde een verschrikkelijke woede omdat hij bij Astorre in het krijt stond.

Astorre stond op om het vertrek uit te lopen, maar een bewaker duwde hem terug.

'Ik zal je leven tot een hel maken,' zei Cilke.

Astorre haalde zijn schouders op. 'Doe wat je wilt. Maar laat ik je dit vertellen. Ik weet dat jij don Aprile hebt helpen omleggen. Alleen omdat jij en de Dienst de banken in handen willen krijgen.'

Bij die woorden kwam de bewaker op hem af, maar Cilke wuifde hem weg. 'Ik weet dat jij de aanslagen op mijn familie kunt laten ophouden,' zei hij. 'Ik zal je nu vertellen dat ik jou daar verantwoordelijk voor stel.'

Van de andere kant van de kamer keek Bill Boxton naar Astorre en zei temerig: 'Bedreig jij een ambtenaar in functie?'

Nicole kwam tussenbeide. 'Natuurlijk niet, hij vraagt hem alleen maar om hulp.'

Cilke leek nu wat afgekoeld. 'Dat allemaal voor jullie geliefde don. Nou, kennelijk heb je het dossier niet gelezen dat ik Nicole heb gegeven. Die geliefde don van je was de man die je vader vermoordde toen je pas drie jaar oud was.'

Astorres gezicht vertrok. Hij keek naar Nicole. 'Is dat het gedeelte dat je hebt willen uitwissen?'

Nicole knikte. 'Ik geloofde niet dat dat deel waar was. En als het waar was, vond ik niet dat je het moest weten. Het zou je alleen maar pijn kunnen doen.'

Astorre kreeg het gevoel dat de kamer ronddraaide, maar hij beheerste zich. 'Het maakt niets uit,' zei hij.

Nicole zei tegen Cilke: 'Nu alles duidelijk is, kunnen we gaan?'

Cilke had een imposante gestalte, en toen hij achter zijn bureau vandaan kwam, gaf hij Astorre een speelse tik op zijn hoofd. Wat Cilke evenzeer verbaasde als Astorre, want zoiets had hij nog nooit gedaan. Het was een mep om zijn minachting te tonen, wat zijn daaronder sluimerende haat maskeerde. Hij besefte dat hij nooit zou kunnen vergeten dat Astorre zijn gezin had gered. En Astorre, Astorre keek Cilke rustig in de ogen. Hij begreep precies wat Cilke voelde.

Nicole en Astorre gingen terug naar Nicoles flat, waar Nicole haar best deed Astorre te laten zien dat ze met hem meeleefde in zijn vernedering, wat hem alleen maar razender maakte. Nicole bereidde een lichte lunch en haalde hem toen over om op haar bed een dutje te doen. Midden in zijn dutje werd hij zich ervan bewust dat Nicole naast hem in het bed lag en hem tegen zich aan trok. Hij duwde haar van zich af.

'Heb je gehoord wat Cilke over me zei?' vroeg hij. 'Wil jij verwikkeld raken in mijn leven?'

'Ik geloof hem niet, en zijn rapporten evenmin,' zei Nicole. 'Astorre, ik geloof echt dat ik nog steeds van je hou.'

'We kunnen niet terug naar onze jeugd,' zei Astorre voorzichtig. 'Ik ben veranderd, en jij ook. Je zou alleen graag willen dat we weer zo jong waren.'

Ze lagen in elkaars armen. Toen zei Astorre slaperig: 'Denk jij dat het waar is wat ze zeggen? Dat de don mijn vader heeft vermoord?'

De volgende dag vloog Astorre samen met Mr. Pryor naar Chicago, waar hij Benito Craxxi om advies vroeg. Hij bracht hun op de hoogte en vroeg daarna: 'Is het waar dat don Aprile mijn vader heeft vermoord?'

Craxxi negeerde de vraag en vroeg aan Astorre: 'Had jij iets te maken met de voorbereidingen van de aanslag op Cilkes gezin?'

'Nee,' loog Astorre. Hij loog hen voor, omdat hij niet wilde dat iemand zou weten hoe sluw hij was. En omdat hij wist dat ze dat niet zouden goedkeuren.

'En toch heb je hen gered,' zei don Craxxi. 'Waarom?'

Opnieuw moest Astorre liegen. Zijn bondgenoten mochten absoluut niet weten dat hij tot dat soort sentimentaliteit in staat was, dat hij niet had kunnen aanzien dat Cilkes vrouw en dochter zouden omkomen.

'Dat heb je goed gedaan,' zei Craxxi.

Astorre zei: 'U hebt mijn vraag niet beantwoord.'

'Omdat het ingewikkeld is,' zei Craxxi. 'Jij was de pasgeboren zoon van de grote maffiabaas van Sicilië, tachtig jaar oud, en hoofd van een heel machtige *cosca*. Je moeder was heel jong toen ze in het kraambed overleed. Toen de don in extremis was, riep hij mij, don Aprile en Bianco aan zijn bed. Zijn *cosca* zou met zijn dood totaal in elkaar vallen en hij maakte zich zorgen over jouw toekomst. Hij liet ons beloven om voor je te zorgen en koos don Aprile uit om je mee te nemen naar Amerika. Daar heeft hij je, omdat zijn vrouw stervende was en hij je nog meer ellende wilde besparen, in het gezin Viola ondergebracht, wat een vergissing was omdat je stiefvader een verrader bleek te zijn en geëxecuteerd moest worden. Don Aprile nam je bij zich in huis zodra zijn zorgen voorbij waren. De don had een macaber gevoel voor humor, en dus heeft hij het zo geregeld, dat de dood van je stiefvader werd bestempeld als zelfmoord in de achterbak van een auto. Naderhand, toen je ouder werd, legde je alle trekjes van je echte vader, de grote don Zeno, aan de dag. En dus nam don Aprile het besluit dat jij de beschermer van zijn familie zou worden. Dus stuurde hij je naar Sicilië om te worden getraind.'

Astorre was niet echt verbaasd. Ergens in zijn herinnering was een beeld van een heel oude man en een rit op een lijkkoets.

'Ja,' zei Astorre langzaam, 'en ik bén getraind. Ik weet hoe ik in de aanval moet gaan. Maar Portella en Tulippa worden goed bewaakt. En ik moet uitkijken voor Grazziella. De enige die ik kan doden is Marriano Rubio, de consul-generaal. Intussen heb ik Cilke achter me aan. Ik weet niet eens waar ik moet beginnen.'

'Je moet echt nooit een vinger uitsteken naar Cilke,' zei don Craxxi.

'Nee,' zei Mr. Pryor. 'Dat wordt een ramp.'

Astorre glimlachte hem geruststellend toe. 'Afgesproken,' zei hij.

'Er is ook goed nieuws,' zei Craxxi. 'Grazziella, in Corleone, heeft Bianco in Palermo gevraagd een ontmoeting met jou te arrangeren. Bianco zal je bericht sturen om binnen een maand te komen. Hij zou je sleutel kunnen zijn.'

Tulippa, Portella en Rubio kwamen bijeen in de vergaderzaal van het Peruviaanse consulaat. Vanuit Sicilië liet Michael Grazziella weten dat hij er tot zijn hartgrondige spijt niet bij kon zijn.

Inzio opende de bespreking zonder zijn gewoonlijke Zuid-Amerikaanse charme. Hij was ongedurig. 'We moeten het probleem oplossen: willen we de banken of niet? Ik heb miljoenen dollars geïnvesteerd en ik ben zeer teleurgesteld in de resultaten.'

'Astorre is net een spook,' zei Portella. 'We kunnen niet tot hem doordringen. Hij wil ons geld niet aannemen. We moeten hem vermoorden. Dan zullen de anderen wel verkopen.'

Inzio richtte zich tot Rubio. 'Weet je zeker dat je liefje dat zal goedvinden?'

'Ik haal haar wel over,' zei Rubio.

'En die twee broers?' vroeg Inzio.

'Ze hebben geen interesse in vendetta,' zei Rubio. 'Dat heeft Nicole me bevestigd.'

'Er zit maar één ding op,' zei Portella. 'Ontvoer Nicole en lok vervolgens Astorre om haar te redden.'

Rubio protesteerde. 'Waarom niet een van de broers?'

'Omdat Marcantonio nu streng bewaakt wordt,' zei Portella. 'En met Valerius kunnen we niets beginnen omdat we anders de militaire inlichtingendienst op ons dak krijgen, en dat is een agressief stelletje.'

Tulippa wendde zich tot Rubio. 'Ik wens dat gelul niet meer van jou te horen. Waarom zouden we miljarden riskeren om jouw vriendinnetje te sparen?'

'Gewoon, omdat we die truc al eerder hebben gebruikt,' zei Rubio. 'En denk erom, ze heeft haar bodyguard.' Hij was zeer op zijn hoede. Het zou een ramp worden als Tulippa kwaad op hem werd.

'De bodyguard vormt geen probleem,' zei Portella.

'Goed, dan doe ik met jullie mee, zolang Nicole niets overkomt,' zei Rubio.

Marriano Rubio legde de basis door Nicole uit te nodigen op het jaarlijkse Peruviaanse bal op het consulaat. De middag vóór het bal kwam Astorre bij haar om te vertellen dat hij voor een kort bezoek naar Sicilië zou gaan. Terwijl Nicole een bad nam en zich aankleedde, pakte Astorre een gitaar die Nicole voor hem bewaarde en kweelde met zijn hese maar aangename stem Italiaanse liefdesliedjes.

Toen Nicole de badkamer uit kwam, was ze helemaal naakt, afgezien van de witte badjas over haar arm. Astorre werd bijna bedwelmd door haar schoonheid, die gewoonlijk onder haar daagse kleren verborgen zat. Toen ze naast hem stond, pakte hij de badjas en hing die om haar heen.

Ze kwam in zijn armen en zuchtte. 'Je houdt niet meer van me.'

'Je weet niet wie ik werkelijk ben,' zei Astorre lachend. 'We zijn geen kinderen meer.'

'Maar ik weet dat je lief bent,' zei Nicole. 'Je hebt Cilke en zijn gezin gered. Wie is je informant?'

Opnieuw lachte Astorre. 'Dat gaat je niets aan.' Toen ging hij naar de zitkamer om verdere vragen te ontlopen.

Die avond ging Nicole naar het bal in gezelschap van haar bodyguard Helène, die zich beter amuseerde dan zij. Ze begreep dat Rubio, als gastheer, haar niet alle aandacht kon geven. Maar hij had voor die avond een limousine gecharterd.

Na afloop van het bal reed de limousine haar tot voor haar appartement. Helène stapte als eerste uit. Maar vóór ze het gebouw in konden, werden ze omringd door vier mannen. Helène bukte zich naar haar enkelholster maar was te laat. Een van de mannen vuurde een kogel in haar hoofd, waardoor haar bloemenkroon in bloed bloeide.

Op dat moment doemde uit het donker nog een groep mannen op. Drie aanvallers vluchtten en Astorre, die Nicole ongemerkt naar het bal was gevolgd, had haar achter zich getrokken. Degene die op Helène had geschoten was ontwapend.

'Zorg dat ze hier wegkomt,' zei Astorre tegen een van de mannen. Hij had de revolver van de moordenaar in zijn hand en vroeg: 'Oké, wie heeft jullie gestuurd?'

De moordenaar was zo te zien niet bang. 'Sodemieter op,' zei hij.

Nicole zag hoe Astorres gezicht, vlak voor hij de man een kogel in zijn borst joeg, ijskoud werd. Hij liep naar hem toe en greep de man, terwijl hij viel, bij zijn haar beet, waarna hij nog een kogel door zijn hoofd schoot. Op dat moment zag ze wat haar vader gezien moest hebben. Ze braakte over Helènes lijk, Astorre draaide zich naar haar om met een schuldbewuste glimlach op zijn lippen. Nicole kon hem niet aankijken.

Astorre bracht haar naar boven. Hij instrueerde haar wat ze de politie moest vertellen: dat ze was flauwgevallen zodra Helène was doodgeschoten en dat ze niets gezien had. Toen hij wegging, belde ze de politie.

De volgende dag, nadat hij voor Nicole een bodyguard voor vierentwintig uur per dag had geregeld, vloog Astorre naar Sicilië voor de ontmoeting met Grazziella en Bianco in Palermo. Hij volgde zijn normale route: eerst vloog hij naar Mexico, waar hij aan boord ging van een privé-vliegtuig naar Palermo, zodat zijn reis nergens geregistreerd zou staan.

In Palermo werd hij opgewacht door Octavius Bianco, nu zo goedverzorgd en elegant in de Palermo-stijl dat men zich hem amper als een baardige, wrede bandiet zou kunnen herinneren. Bianco was dolblij dat hij Astorre zag en omhelsde hem hartelijk. Ze werden per auto naar Bianco's villa aan het strand gereden.

'Je zit in de knoei in Amerika,' zei Bianco toen ze bij de villa op de met beelden uit het Romeinse Keizerrijk gedecoreerde patio zaten. 'Maar ik heb goed nieuws voor je.' Toen dwaalde hij af door te vragen: 'En je wond? Heb je er last van?'

Astorre betastte de gouden ketting. 'Nee,' zei hij. 'Alleen is mijn zangstem erdoor verknald. Nu ben ik een kraai in plaats van een tenor.'

'Beter een bariton dan een sopraan,' zei Bianco lachend. 'Italië heeft tóch al tenoren te over. Eentje minder kan geen kwaad. Jij bent een echte maffioso, en die hebben we nodig.'

Astorre glimlachte en begon te denken aan die dag, zo lang geleden, toen hij was gaan zwemmen. In plaats van de scherpe steek vanwege het verraad herinnerde hij zich nu hoe hij zich had gevoeld toen hij bijkwam. Hij betastte het amulet aan zijn hals en zei: 'Wat is het goede nieuws?'

'Ik heb vrede gesloten met de Corleonesi en Grazziella,' zei Bianco. 'Hij heeft nooit iets te maken gehad met de moord op don Aprile. Hij is pas daarna bij het syndicaat gekomen. Maar nu is hij ontevreden over Portella en Tulippa. Bovendien vindt hij het doldrieste prutsers. Hij keurt de aanslag op die FBI-agent af. En hij heeft een enorm respect voor jou. Hij kent je van toen je bij mij in dienst was. Hij ziet je als iemand die bijzonder moeilijk te doden is. Nu wil hij alle vendetta's van voorheen met jou laten vallen en je helpen.'

Astorre voelde zich opgelucht. Zijn taak zou gemakkelijker zijn als hij niet hoefde uit te kijken voor Grazziella.

'Kom morgen hier in de villa met ons praten,' zei Bianco.

'Heeft hij zo veel vertrouwen in je?' vroeg Astorre.

'Hij moet wel,' zei Bianco. 'Want zonder mij, hier in Palermo, kan hij niet over Sicilië heersen. En tegenwoordig zijn we beschaafder dan toen jij hier de laatste keer was.'

Toen Michael Grazziella de volgende middag naar de villa kwam, zag Astorre dat hij gekleed was op de uiterst keurige manier van een Romeinse politicus – donker pak, wit overhemd en donkere das. Hij werd vergezeld van twee in identieke stijl geklede lijfwachten. Grazziella was een klein mannetje, welgemanierd, met een zachte stem – je zou niet zeggen dat hij de moorden op hoogstgeplaatste maffiamagistraten op zijn geweten had. Hij greep Astorres hand vast en zei: 'Ik ben hier gekomen om je te helpen als blijk van mijn diepe achting voor onze vriend Bianco. Vergeet het verleden alsjeblieft. We moeten opnieuw beginnen.'

'Dank je,' zei Astorre. 'Het is me een eer.'

Op een wenk van Grazziella liepen de lijfwachten naar het strand.

'Zo, Michael,' zei Bianco. 'Wat kun je voor ons doen?'

Grazziella keek Astorre aan en zei: 'Portella en Tulippa zijn naar mijn smaak te roekeloos. En Marriano Rubio te onbetrouwbaar. Terwijl ik jou intelligent en bekwaam vind. Bovendien is Nello mijn neef, en ik heb gehoord dat jij hem gespaard hebt, geen kleinigheid. Dat zijn dus mijn motieven.'

Astorre knikte. Achter Grazziella zag hij de zwart-groene golven van de Siciliaanse zee, waar de meedogenloze stralen van de Siciliaanse zon op afketsten. Hij kreeg een plotseling gevoel van nostalgie, en een steek in zijn hart omdat hij wist dat hij moest vertrekken. Dit was hem allemaal zo vertrouwd als Amerika nooit zou kunnen worden. Hij verlangde naar de straten van Palermo, de klank van Italiaanse stemmen, zijn eigen spraak in een taal die voor hem natuurlijker was dan het Engels. Hij richtte zijn aandacht weer op Grazziella. 'En wat kun je me vertellen?'

'Het syndicaat wil een gesprek met me hebben in Amerika,' zei Grazziella. 'Ik kan je vertellen waar en wat er aan bewaking is. Mocht je drastische stappen ondernemen, dan kan ik je een schuilplaats op Sicilië bieden en als ze je willen uitleveren, heb ik vrienden in Rome die dat proces kunnen tegenhouden.'

'Heb je zo veel macht?' vroeg Astorre.

'Zeker,' zei Grazziella, waarbij hij even zijn schouders ophaalde. 'Hoe kunnen we ons anders handhaven? Maar wees niet al te lichtvaardig.'

Astorre wist dat hij aan Cilke refereerde. Hij glimlachte naar Grazziella. 'Ik zou nooit iets lichtvaardigs doen.'

Grazziella glimlachte beleefd en zei: 'Jouw vijanden zijn mijn vijanden, en ik leg me neer bij je motieven.'

'Ik neem aan dat jij niet bij die bijeenkomst zult zijn,' zei Astorre.

Opnieuw glimlachte Grazziella. 'Op het laatste nippertje zal ik verhinderd zijn: ik zal niet aanwezig zijn.'

'En wanneer gaat dat gebeuren?' vroeg Astorre.

'Binnen een maand,' zei Grazziella.

Toen Grazziella was vertrokken, zei Astorre tegen Bianco: 'Vertel me nou eens: waarom doet hij dit?'

Bianco glimlachte goedkeurend. 'Wat heb je Sicilië snel door. Alle redenen die hij opgaf, waren waterdicht. Maar één motief heeft hij niet genoemd.' Hij aarzelde. 'Tulippa en Portella hebben gesjoemeld met zijn rechtmatige aandeel in het drugsgeld, en daarover zou hij binnenkort in elk geval een gevecht moeten aangaan. Dat zou hij nooit over zijn kant kunnen laten gaan. Hij heeft een hoge pet van je op, en het zou uitstekend uitkomen als je zijn vijanden zou uitschakelen en zijn bondgenoot werd. Hij is heel sluw, die Grazziella.'

Die avond liep Astorre langs het strand en dacht na over wat hij moest doen. Eindelijk kwam het eind in zicht.

Mr. Pryor wond zich niet op over het leiden van de Aprile-banken en dat hij die tegenover de autoriteiten zou moeten verantwoorden. Maar toen de FBI in verband met de moordaanslag op Cilke New York kwam binnenstromen, werd hij toch enigszins bezorgd over wat ze boven tafel zouden krijgen. Vooral na Cilkes bezoek.

In zijn vroege jeugd was Mr. Pryor een van de topmoordenaars van de Palermese maffia. Maar hij was zo verstandig geweest om in bankzaken te gaan, waar met zijn aangeboren charme, intelligentie en criminele connecties zijn succes verzekerd was. *Au fond* werd hij een maffiabankier voor de wereld. Weldra was hij een expert waar het aankwam op hevige schommelingen in de wisselkoersen en het wegwerken van zwart geld. Hij had ook een fijne neus voor de aankoop van legitieme zaken tegen goede prijzen. Uiteindelijk was hij naar Engeland geëmigreerd, omdat het betrouwbare Engelse stelsel een grotere veiligheid voor zijn rijkdom bood dan de omkooppraktijken in Italië.

Echter, zijn lange arm strekte zich uit tot Palermo en de Verenigde Staten. En hij was de voornaamste bankier voor Bianco's *cosca* toen die de opbouw van Sicilië in handen had. Ook was hij de schakel tussen de Aprile-banken en Europa.

Nu, met al die politieactie, moest hij denken aan een potentieel gevaar: Rosie. Zij kon Astorre in verband brengen met de Sturzo-broers. Ook wist Mr. Pryor dat Astorre nog altijd een zwakke plek voor Rosie had en nog wel eens troost zocht in haar armen. Dat deed niets af aan zijn respect voor Astorre; die zwakke plek in mannen bestond al sinds het begin van de jaartelling. En Rosie was nu eenmaal een maffiosovrouw. Wie kon haar weerstaan? Maar hoezeer hij die vrouw ook bewonderde, hij achtte het niet verstandig haar in zijn buurt te hebben.

Dus besloot hij om zich in deze zaak te mengen, zoals hij ooit in Londen had gedaan. Hij wist dat hij voor een dergelijke daad niet op Astorres goedkeuring hoefde te rekenen – hij wist hoe Astorre in elkaar zat en onderschatte diens gevaarlijke kant allerminst. Maar er viel altijd met Astorre te praten. Als Pryor hem achteraf zou weten te overtuigen, zou Astorre de wijsheid die achter zijn daad stak erkennen.

Maar het moest gebeuren. Dus belde Mr. Pryor op een avond Rosie op. Ze was dolblij van hem te horen, met name toen hij haar vertelde dat hij goede berichten had. Toen hij ophing, zuchtte hij van spijt.

Hij nam zijn twee neven mee als chauffeur en lijfwacht. Hij liet er een buiten de flat in de auto wachten en nam de andere mee naar Rosies appartement.

Rosie begroette hem door zich in Mr. Pryors armen te werpen, waar zijn neef van schrok, zodat hij zijn hand in zijn binnenzak stak.

Ze zette koffie voor hen en kwam met een schaal gebakjes die volgens haar speciaal uit Napels waren geïmporteerd. Ze smaakten nergens naar, vond Mr. Pryor, die zichzelf in dergelijke zaken als een expert beschouwde.

'Ach, wat ben je toch een lieve meid,' zei Mr. Pryor. En tegen zijn neef: 'Hier, proef eens.' Maar zijn neef had zich teruggetrokken in een hoek van de kamer en was op een stoel gaan zitten om de komedie die zijn oom opvoerde gade te slaan.

Rosie voelde aan Mr. Pryors slappe vilthoed die naast hem lag en zei ondeugend: 'Ik vond je Engelse bolhoed leuker. Daarmee zag je er niet zo gewichtig uit.'

'Ach,' zei Mr. Pryor welgemutst, 'als men van land verwisselt, moet men altijd van hoed verwisselen. En, mijn waarde Rosie, ik ben hier gekomen om je een gunst te vragen.'

Hij zag haar lichte aarzeling voordat ze enthousiast in haar handen klapte. 'O, je weet dat ik het zal doen,' zei ze. 'Ik ben je zó veel verschuldigd.' Mr. Pryor was vertederd door haar lieve woorden, maar wat gedaan moest worden moest gebeuren.

'Rosie,' zei hij. 'Ik wil dat je je zaken afrondt zodat je morgen naar Sicilië kunt vertrekken, voor korte tijd maar. Astorre wacht daar op je, en je moet hem wat paperassen van me geven, in het striktste vertrouwen. Hij mist je en wil je Sicilië laten zien.'

Rosie bloosde. 'Wil hij me echt graag zien?'

'Natuurlijk,' zei Mr. Pryor.

In werkelijkheid was Astorre van Sicilië op weg naar huis en zou de volgende avond in New York zijn. Rosie en Astorres wegen zouden zich, elk in een ander vliegtuig, boven de Atlantische Oceaan kruisen.

Rosie werd nu zakelijk, op een eigenwijs speelse manier. 'Ik kan zo snel niet weg,' zei ze. 'Ik moet een ticket boeken, naar de bank en nog een heleboel andere dingen.'

'Ik hoop niet dat je me voorbarig vindt,' zei Mr. Pryor. 'Maar ik heb alles geregeld.'

Hij haalde een langwerpige, witte envelop uit zijn binnenzak. 'Hier is je ticket,' zei hij. 'Eerste klas. En ook tienduizend Amerikaanse dollars om nog snel te winkelen en voor reiskosten. Mijn neef, die daar suf in de hoek zit, komt je morgenochtend in zijn limousine ophalen. In Palermo word je opgehaald door Astorre of een van zijn vrienden.'

'Ik moet over een week terug zijn,' zei Rosie. 'Ik heb tentamens voor mijn doctoraal.'

'Maak je niet druk,' zei Mr. Pryor. 'Je hoeft je geen zorgen te maken dat je je tentamens mist. Dat beloof ik. Heb ik je ooit in de steek gelaten?' Zijn stem klonk als die van een lieve oom. Maar hij dacht: wat zonde dat Rosie nooit meer Amerika zal zien.

Ze dronken koffie en aten van de gebakjes. De neef sloeg opnieuw verversingen af, hoe lief Rosie ze ook aanbood. Hun gesprek werd onderbroken toen de telefoon ging. Rosie nam op. 'O, Astorre,' zei ze. 'Bel je van Sicilië? Dat heeft Mr. Pryor me verteld. Hij is hier op de koffie.'

Mr. Pryor bleef langzaam van zijn koffie drinken. Zijn neef stond op uit zijn stoel, maar ging weer zitten toen Mr. Pryor hem gebiedend aankeek.

Rosie zweeg en keek vragend naar Mr. Pryor, die geruststellend naar haar knikte.

'Ja, hij heeft geregeld dat ik een week bij je kan zijn op Sicilië,' zei Rosie. Ze zweeg om te luisteren. 'Ja, natuurlijk ben ik teleurgesteld. Ik vind het rot dat je onverwacht naar huis moest. Dus je wilt hem spreken? Nee? Oké, dat zal ik hem zeggen.' Ze hing op.

'Wat zonde,' zei ze tegen Mr. Pryor. 'Hij moest vroeger terug. Maar hij wil dat u hier op hem wacht. Over een halfuur, zei hij.'

Mr. Pryor pakte nog een gebakje. 'Natuurlijk,' zei hij.

'Hij zal alles uitleggen als hij hier is,' zei Rosie. 'Nog wat koffie?'

Mr. Pryor knikte, waarna hij zuchtte. 'Jullie zouden het zo fijn gehad hebben op Sicilië. Jammer.' Hij stelde zich haar begrafenis voor op een Siciliaans kerkhof, wat zou dat treurig geweest zijn.

'Ga naar beneden en wacht in de auto,' zei hij tegen zijn neef.

Toen de jongeman met tegenzin overeindkwam, maakte Mr. Pryor een schietgebaar. Rosie liet hem uit. Vervolgens schonk hij haar zijn meest bezorgde glimlach en vroeg: 'Ben je de afgelopen jaren gelukkig geweest?'

Astorre was een dag vroeger teruggekomen en was door Aldo Monza van het kleine vliegveld in New Jersey opgehaald. Uiteraard had hij per privé-vliegtuig en met een vals paspoort gereisd. Het was niet meer dan uit een impuls dat hij Rosie had opgebeld. Maar uit verlangen om haar te zien en een nacht met haar door te brengen om bij te komen. Toen Rosie hem vertelde dat Mr. Pryor in haar appartement was, waren er allerlei alarmsignalen in zijn hoofd afgegaan. Wat haar trip naar Sicilië betreft, had hij Mr. Pryors plannen onmiddellijk begrepen. Hij probeerde zijn woede in de hand te houden. Mr. Pryor had willen doen wat volgens zijn principes juist was. Maar dat was een te grote prijs voor veiligheid.

Toen Rosie de deur opendeed, vloog ze in zijn armen. Mr. Pryor stond op en Astorre ging naar hem toe en omhelsde hem. Mr. Pryor wist zijn verbazing te verbergen – gewoonlijk was Astorre niet zo aanhankelijk.

Toen zei Astorre tot Mr. Pryors verbijstering tegen Rosie: 'Ga morgen naar Sicilië, zoals we hebben gepland, dan kom ik daar over een paar dagen naar je toe. We zullen het heerlijk hebben.'

'Fantastisch,' zei Rosie. 'Ik ben nog nooit op Sicilië geweest.'

Tegen Mr. Pryor zei Astorre: 'Bedankt dat u alles hebt geregeld.'

Vervolgens richtte hij zich weer tot Rosie. 'Ik kan niet blijven,' zei hij. 'Ik zie je op Sicilië. Vanavond moet ik belangrijke zaken doen met Mr. Pryor. Dus ga je maar voorbereiden op je reis. En neem niet te veel kleren mee; we kunnen gaan winkelen in Palermo.'

'Goed,' zei Rosie. Ze gaf Mr. Pryor een kus op zijn wang en omhelsde en kuste Astorre uitvoerig. Toen deed ze de deur open om hen uit te laten.

Toen de twee mannen op straat stonden, zei Astorre tegen Mr. Pryor: 'Kom mee naar mijn auto. Zeg tegen uw neven dat ze naar huis gaan – u zult hen vanavond niet nodig hebben.'

Pas toen werd Mr. Pryor enigszins bezorgd. 'Ik heb het voor je eigen bestwil gedaan,' zei hij tegen Astorre.

Op de achterbank van Astorres auto, met Monza aan het stuur, draaide Astorre zich om naar Mr. Pryor. 'Niemand heeft meer waardering voor u als ik,' zei hij. 'Maar ik ben de baas, of niet?'

'Zonder twijfel,' zei Mr. Pryor.

'Het was een probleem dat ík had willen aanpakken,' zei Astorre. 'Ik onderken het gevaar en ik ben blij dat u me tot actie hebt aangezet. Maar ik heb haar nodig. We kunnen best wat risico's nemen. Dus dit zijn mijn instructies. Geef haar op Sicilië de beschikking over een luxueus huis met bedienden. Ze kan zich inschrijven op de universiteit van Palermo. Ze krijgt een ruime toelage, en Bianco kan haar introduceren bij de *crème de la crème* van Sicilië. We zullen zorgen dat ze daar gelukkig is en Bianco kan elk probleem aan dat zich mocht voordoen. Ik weet dat u niet goedkeurt dat ik iets voor haar voel, maar daar kan ik niets aan doen. Ik reken erop dat ze door haar minpunten gelukkig zal worden in Palermo. Ze heeft een zwak voor geld en genot, maar wie niet? Dus stel ik u verantwoordelijk voor haar veiligheid. Geen ongelukken.'

'Ik ben zelf erg dol op die vrouw, dat weet je,' zei Mr. Pryor. 'Ze heeft de maffia in haar bloed. Ga je terug naar Sicilië?'

'Nee,' zei Astorre. 'We hebben belangrijkere dingen te doen.'

13

Zodra Nicole de ober haar bestelling had opgegeven, concentreerde ze zich helemaal op Marriano Rubio. Ze had die dag twee belangrijke missies, en ze wilde er zeker van zijn dat ze die allebei goed zou volbrengen.

Rubio had het restaurant uitgezocht: een chique Franse bistro waar de bediening opgewonden in de weer was met hoge, gelakte pepermolens en langwerpige rieten mandjes met knapperig vers brood. Rubio hield niet van het eten maar hij kende de gerant, dus was hij verzekerd van een goede tafel in een stil hoekje. Hij nam zijn vrouwen hier dikwijls mee naar toe.

'Je bent vanavond stiller dan anders,' zei hij, terwijl hij over de tafel naar haar hand reikte. Nicole voelde een rilling door haar lichaam trekken. Ze realiseerde zich dat ze hem wel kon schieten omdat hij die macht over haar had, en ze trok haar hand terug. 'Alles goed met je?' vroeg hij.

'Het was een zware dag,' zei ze.

'Aha,' zei hij met een zucht, 'dat krijg je als je met slangen werkt.' Rubio had niet veel op met Nicoles advocatenkantoor. 'Wat doe je daar ook? Waarom laat je mij niet liever voor je zorgen?'

Nicole vroeg zich af hoeveel andere vrouwen voor die zin waren gevallen en vervolgens hun carrières opzij hadden gegooid om bij hem te zijn.

'Breng me niet in de verleiding,' zei ze flirterig.

Dat verbaasde Rubio, die wist hoe Nicole aan haar carrière hing. Maar hier had hij op gehoopt. 'Laat mij voor je zorgen,' herhaalde hij. 'Bovendien: hoeveel bedrijven heb je nog géén proces aangedaan?'

Een van de obers maakte een fles koude witte wijn open, hield

Rubio de kurk voor en schonk een scheutje in een sierlijk kristallen wijnglas. Rubio proefde en knikte. Vervolgens richtte hij zijn aandacht weer op Nicole.

'Ik zou onmiddellijk opstappen,' zei ze, 'maar er zijn nog een paar pro-Deo-zaken die ik tot een goed einde wil brengen.' Ze nipte aan haar wijn. 'De laatste tijd denk ik er vaak over om in het bankwezen te gaan.'

Rubio kneep zijn ogen samen. 'Goh,' zei hij, 'bof jij even dat je familie over banken beschikt.'

'Ja,' stemde Nicole in. 'Maar helaas geloofde mijn vader niet dat vrouwen het goed zouden kunnen doen in zaken. Dus moet ik toezien hoe die idiote neef van me de boel verpest.' Ze tilde haar hoofd op om hem aan te kijken toen ze daaraan toevoegde: 'Tussen haakjes: Astorre denkt dat je eropuit bent hem te pakken.'

Rubio deed zijn best geamuseerd te lijken. 'O ja? En hoe zou ik dat voor elkaar moeten krijgen?'

'O, weet ik veel,' zei Nicole verveeld. 'Vergeet niet dat die jongen voor zijn brood macaroni verkoopt. Hij heeft geen hersens, maar meel in zijn hoofd. Hij beweert dat jij de banken wilt gebruiken om geld wit te wassen, en god mag weten waarvoor nog meer. Hij heeft zelfs geprobeerd me ervan te overtuigen dat jij me wilde ontvoeren.' Nicole wist dat ze hier voorzichtig moest zijn. 'Maar dat kan ik niet geloven. Volgens mij zit Astorre achter alles wat er gebeurt. Hij weet dat mijn broers en ik de banken willen beheren, dus probeert hij ons paranoïde te maken. Maar we zijn het zat om naar hem te luisteren.'

Rubio keek aandachtig naar Nicoles gezicht. Hij ging prat op zijn talent waarheid van fictie te onderscheiden. In zijn periode als diplomaat was hij voorgelogen door 's werelds meest gerespecteerde staatslieden. En nu hij Nicole diep in de ogen keek, kwam hij tot de conclusie dat ze hem absoluut de waarheid vertelde.

'Hoe moe ben je precies?' vroeg hij.

'We zijn allemaal uitgeput,' zei Nicole.

Diverse obers deden er ontzettend lang over om met veel poeha hun hoofdgerecht op te dienen. Toen ze eindelijk weg waren, boog Nicole zich voorover naar Rubio en fluisterde: 'Meestal is mijn neef tot diep in de nacht in zijn pakhuis bezig.'

'Wat wil je daarmee zeggen?' vroeg Rubio.

Nicole pakte haar mes en begon dunne plakjes te snijden van haar hoofdgerecht: dieprode eendenmedaillons die rondzwommen in een lichte, glanzende sinaasappelsaus. 'Niets,' zei ze. 'Maar waarom verdoet de voornaamste aandeelhouder van een internationale bank al zijn tijd in een pakhuis vol macaroni? Als ik het voor het zeggen had, zou ik niet weg te branden zijn op de banken, en dan zou ik ervoor zorgen dat mijn partners meer winst zouden vangen van hun investeringen.' Toen proefde Nicole van haar eend. Ze glimlachte naar Rubio. 'Heerlijk,' zei ze.

Een van de vele goede eigenschappen van Georgette Cilke was haar ordelijkheid. Elke dinsdagmiddag schonk ze exact twee uur van haar tijd aan het landelijke hoofdkwartier van de Campagne Tegen de Doodstraf, waar ze de telefoon hielp beantwoorden en pleidooien van advocaten van ter dood veroordeelde gevangenen opnieuw doornam. Vandaar dat Nicole precies wist waar ze moest zijn voor haar tweede belangrijke missie van die dag.

Toen Georgette Nicole het kantoor zag binnenlopen, klaarde haar gezicht op. Ze stond op om haar vriendin te omhelzen. 'Goddank,' zei ze. 'Vandaag was het verschrikkelijk. Ik ben blij dat je er bent. Ik kan wel wat morele steun gebruiken.'

'Ik weet niet of ik wel zo'n grote steun zal zijn,' zei Nicole. 'Ik heb iets vervelends met je te bespreken.'

Gedurende de jaren van hun samenwerking had Nicole Georgette nog nooit in vertrouwen genomen, al onderhielden ze beroepshalve een hartelijke vriendschap. Georgette praatte nooit met iemand over het werk van haar man. En Nicole zag het nut er niet van in met getrouwde vrouwen over haar aanbidders te praten, omdat ze altijd dachten dat ze met adviezen moesten komen over hoe je een man naar het altaar moest slepen, wat ze niet van plan was. Nicole praatte liever over ruige seks, maar ze had gemerkt dat de meeste getrouwde vrouwen zich daar ongemakkelijk bij voelden. Misschien, dacht Nicole, hoorden ze niet graag over iets wat ze misten.

Georgette vroeg Nicole of ze onder vier ogen wilde praten, en toen Nicole knikte, zochten ze een leeg kantoortje op aan het eind van de gang.

'Ik heb hier nog nooit met iemand over gesproken,' begon Nicole. 'Maar je moet weten dat mijn vader Raymonde Aprile was – de man die bekendstond als don Aprile. Heb je wel eens van hem gehoord?'

Georgette ging staan en zei: 'Ik geloof dat ik dit gesprek beter niet met je kan hebben...'

'Ga alsjeblieft zitten,' onderbrak Nicole haar. 'Je moet dit horen.'

Georgette leek niet op haar gemak, maar ze deed wat Nicole vroeg. Eerlijk gezegd, was ze altijd al nieuwsgierig geweest naar Nicoles familie, maar ze wist dat ze er niet over mocht beginnen. Zoals zo veel anderen had Georgette altijd aangenomen dat Nicole via haar pro-Deo-werk de misstappen van haar vader probeerde goed te maken. Wat moest haar jeugd vreselijk voor haar geweest zijn, op te groeien in de schaduw van misdadigers. En wat zou ze zich geschaamd hebben. Georgette dacht aan hun eigen dochter, die zich geneerde om in het openbaar met haar ouders gezien te worden. Ze vroeg zich af hoe Nicole die jaren was doorgekomen.

Nicole wist dat Georgette nooit, hoe dan ook, haar man zou bedriegen, maar ze wist ook dat Georgette een ruimdenkende vrouw was die zich andermans lot aantrok. Iemand die in haar vrije tijd opkwam voor veroordeelde moordenaars. Nu keek Nicole haar recht in de ogen en zei: 'Mijn vader is vermoord door mannen die een hechte relatie hebben met jouw man. En mijn broers en ik hebben bewijzen dat je man steekpenningen heeft aangenomen van die mannen.'

Georgettes eerste reactie was schrik, vervolgens ongeloof. Ze zei niets. Maar binnen enkele seconden laaide de eerste woedevlaag in haar op. 'Hoe durf je,' fluisterde ze. Ze keek Nicole recht aan. 'Mijn man zou liever sterven dan de wet overtreden.'

Nicole was verrast door de felheid van Georgettes reactie. Ze zag nu in dat Georgette werkelijk in haar man geloofde. Nicole ging verder: 'Je man is niet de man die hij zo op het oog lijkt. En ik weet hoe je je voelt. Ik heb net het FBI-dossier van mijn vader gelezen, maar ho veel ik ook van hem houd, ik weet dat hij bepaalde dingen voor me verborgen hield. Net zoals Kurt dingen verborgen houdt voor jou.'

Daarop vertelde Nicole Georgette over de miljoen dollar die Portella telegrafisch had overgemaakt naar Cilkes rekening en over Portella's transacties met drugsbaronnen en huurmoordenaars, die alleen hun werk konden doen met de stilzwijgende zegening van haar man. 'Ik verwacht niet dat je me gelooft,' zei Nicole. 'Ik hoop alleen maar dat jij je man zult vragen of ik je de waarheid vertel. Als hij de man is voor wie hij zich uitgeeft, zal hij niet liegen.'

Georgette liet niets blijken van de tweestrijd waarin ze verkeerde. 'Waarom vertel je me dat allemaal?'

'Omdat,' zei Nicole, 'je man bezig is aan een vendetta tegen mijn familie. Hij gedoogt dat zijn kornuiten mijn neef Astorre gaan vermoorden en onze familiebanken overnemen. Dat gaat morgenavond gebeuren in het macaronipakhuis van mijn neef.'

Bij het woord macaroni moest Georgette lachen en ze zei: 'Ik geloof je niet.' Toen stond ze op en wilde weggaan. 'Het spijt me, Nicole,' zei ze. 'Ik weet dat je boos bent, maar we hebben elkaar niets meer te zeggen.'

Die avond, in de schamel gemeubileerde slaapkamer van de ranch waar zijn gezin naar toe was verhuisd, kwam Cilke oog in oog te staan met zijn nachtmerrie. Hij en zijn vrouw waren uitgegeten en zaten tegenover elkaar, allebei aan het lezen. Opeens legde Georgette haar boek neer en zei: 'Ik moet met je praten over Nicole Aprile.'

In al hun jaren samen had Georgette haar man nooit gevraagd over zijn werk te praten. Ze had geen zin in de verantwoordelijkheid staatsgeheimen te moeten bewaren. En ze wist dat dat een deel van zijn werk was dat hij voor zichzelf moest houden. Soms, als ze 's nachts naast hem in bed lag, vroeg ze zich af hoe hij zijn werk deed – welke tactieken hij gebruikte om informatie te krijgen, de druk die hij op verdachten moest uitoefenen. Maar in gedachten schilderde ze hem altijd af als een federale agent, in zijn keurig geperste pak, met zijn beduimelde exemplaar van de Grondwet in zijn achterzak. Haar man was een doorzetter. Hij zou ver gaan om zijn vijanden uit te schakelen. Maar dat was een realiteit waar ze liever nooit te ver over doordacht.

Cilke had een detective zitten lezen – het derde boek in een reeks over een seriemoordenaar die zijn zoon opvoedt tot priester. Toen Georgette haar vraag stelde, klapte hij ogenblikkelijk het boek dicht. 'Ik luister,' zei hij.

'Nicole zei vandaag een paar dingen – over jou en het onderzoek waar je aan bezig bent,' zei Georgette. 'Ik weet dat je liever niet over je werk praat, maar ze deed een paar ernstige aantijgingen.'

Cilke voelde de woede in zich oplaaien, tot hij blind van drift was. Eerst hadden ze zijn honden doodgemaakt. Vervolgens hadden ze zijn huis vernield. En nu hadden ze zijn puurste relatie aangetast. Eindelijk, toen zijn hart minder hard raasde, vroeg hij Georgette, zo kalm als hij maar kon, precies te vertellen wat er was gebeurd.

246

Georgette herhaalde het hele gesprek met Nicole en observeerde, terwijl hij de informatie in zich opnam, aandachtig het gezicht van haar man. Dat verried geen greintje verbazing of woede. Toen ze was uitgesproken, zei Cilke: 'Dank je, lieverd. Ik weet zeker dat het erg moeilijk voor je was om het me te vertellen. En het spijt me dat je het hebt moeten doen.' Toen stond hij op uit zijn stoel en liep naar de voordeur.

'Waar ga je heen?' vroeg Georgette.

'Ik heb frisse lucht nodig,' zei Cilke. 'Ik moet nadenken.'

'Kurt, schat?' Georgettes stem klonk vragend. Ze had behoefte aan geruststelling.

Cilke had gezworen dat hij nooit tegen zijn vrouw zou liegen. Als ze met alle geweld de waarheid wilde weten, zou hij haar die moeten vertellen en de consequenties aanvaarden. Hij hoopte dat ze begrip zou tonen en zou besluiten dat ze beter net kon doen alsof die geheimen niet bestonden.

'Is er iets wat je me kunt vertellen?' vroeg ze.

Hij schudde zijn hoofd. 'Nee,' zei hij. 'Ik heb alles voor je over. Dat weet je toch, hè?'

'Ja. Maar ik moet het weten. Voor ons en voor onze dochter.'

Cilke zag dat er geen uitweg was. Hij besefte dat ze hem nooit meer met dezelfde ogen zou bekijken als hij haar de waarheid zou vertellen. Op dat moment had hij Astorre Viola de schedel wel willen splijten. Hij dacht aan wat hij zijn vrouw eventueel zou kunnen vertellen: ik heb de steekpenningen alleen aangenomen omdat de FBI dat wilde? We hebben een oogje dichtgeknepen bij de kleine misdrijven om ons op de grote te kunnen concentreren? We hebben enkele wetten overtreden om wetten die belangrijker zijn te kunnen handhaven? Hij wist dat die antwoorden haar alleen maar razend zouden maken, en hij hield te veel van haar, had te veel respect voor haar, om zoiets te doen.

Cilke liep zonder een woord te zeggen het huis uit. Toen hij terugkwam, deed zijn vrouw alsof ze sliep. Op dat moment nam hij een besluit. De volgende avond zou hij de confrontatie aangaan met Astorre Viola en zijn eigen visie van rechtvaardigheid in ere herstellen.

Aspinella Washington had geen hekel aan alle mannen, maar het verbaasde haar steeds weer hoe vaak ze op hen afknapte. Ze waren allemaal zo... nutteloos.

Nadat ze met Heskow had afgerekend was ze bij de beveiliging van het vliegveld kortstondig ondervraagd door twee agenten, die of te stom of te zeer door haar geïntimideerd waren om haar versie van de gebeurtenissen in twijfel te trekken. Toen de politie honderdduizend dollar met plakband op Heskows lijk bevestigd zag, kwam men tot de conclusie dat zijn motief duidelijk was. Ze besloten dat het niet meer dan billijk was dat het hun toekwam als loon voor verleende diensten, omdat ze de rommel die zij had gemaakt hadden opgeruimd voordat de ambulance arriveerde. Ze hadden Aspinella ook een pluk met bloed besmeurde bankbiljetten gegeven, wat ze bij de dertigduizend dollar stopte die ze al van Heskow had gekregen.

Ze had slechts twee doelen voor het geld. Op drieduizend dollar na, borg ze alles op in een bankkluisje. Ze had bij haar moeder instructies achtergelaten dat, mocht haar iets overkomen, al het geld in het kluisje – meer dan driehonderdduizend dollar aan steekpenningen – moest worden vastgezet in een trustfonds voor haar dochter. Met de resterende drieduizend dollar nam ze een taxi naar Fifth Avenue, hoek Fiftythird Street, waar ze de duurste lederwarenwinkel van de stad binnen ging en de lift nam naar een privé-suite op de derde verdieping.

Een in een donkerblauw krijtstreepkostuum geklede vrouw met een designerbril op incasseerde haar betaling en liep met haar mee door een gang, waarna ze een bad nam in geurige, uit China geïmporteerde oliën. Ze bleef er zo'n twintig minuten in weken en luisterde naar een cd met gregoriaanse liederen, terwijl ze wachtte op Rudolfo, een gediplomeerd seksmasseur.

Rudolfo ontving drieduizend dollar voor een sessie van twee uur, wat, zoals hij zijn zeer tevreden cliënten enthousiast duidelijk maakte, meer was dan zelfs de befaamdste advocaten per uur ontvingen. 'Het verschil,' zei hij met een Beiers accent en een sluwe grijns, 'is dat zij je naaien waar je bij staat. Ik naai je de hemel in.'

Aspinella had over Rudolfo gehoord bij een geheim onderzoek in een zedenzaak dat ze in de elitehotels van New York had uitgevoerd. Eén conciërge was bang geweest dat hij zou moeten getuigen, dus in ruil voor het feit dat hij niet zou worden gedaagd, had hij haar de tip over Rudolfo gegeven. Aspinella had met de gedachte gespeeld er een inval te doen, maar toen ze Rudolfo eenmaal had ontmoet en een massage van hem had ondergaan, vond ze het een nog ernstiger misdaad vrouwen het genot van zijn buitengewone talenten te ontzeggen.

Na een paar minuten klopte hij op de deur en vroeg: 'Mag ik binnenkomen?'

'Ik zou niet anders willen, baby,' zei ze.

Hij kwam binnenlopen en bekeek haar van top tot teen. 'Geweldige ooglap,' zei hij.

Tijdens haar eerste sessie had het Aspinella verbaasd dat Rudolfo naakt de ruimte was binnengekomen, maar hij had gezegd: 'Waarom zou ik me aankleden om me uit te kleden?' Hij was een bijzonder specimen: groot en strak in het vel, met een tattoo van een tijger op zijn rechterbiceps en een zijdezachte, blonde vacht op zijn borst. Vooral het borsthaar viel bij haar in de smaak, omdat het Rudolfo onderscheidde van de modellen in tijdschriften die zo zorgvuldig geëpileerd, geschoren en ingevet waren dat je niet wist of het mannen of vrouwen waren.

'Hoe is het jóú vergaan?' vroeg hij.

'Dat wil je niet weten,' zei Aspinella. 'Het enige wat jíj hoeft te weten is dat ik wat seksuele troost zoek.'

Rudolfo begon bij haar rug, waarbij hij veel druk uitoefende om al haar knopen te kunnen bereiken. Vervolgens begon hij zacht haar nek te kneden voordat hij haar omdraaide en lichtjes haar borsten en buik masseerde. Toen hij tussen haar benen begon te strelen was ze al nat en ademde ze zwaar.

'Waarom kunnen andere mannen dit niet bij me doen?' vroeg Aspinella met een zucht van vervoering.

Rudolfo stond op het punt aan de hoofdzaak van zijn service te beginnen, zijn tongmassage, waar hij geniaal in was en wat hij opmerkelijk lang kon volhouden. Maar hij was geraakt door haar vraag die hij al vaker had gehoord. Hij verwonderde zich er altijd over. Het leek wel of de stad bolstond van seksueel nooddruftige vrouwen.

'Het is me een raadsel waarom andere mannen het niet kunnen,' zei hij. 'Wat denk jíj?'

Ze betreurde het in haar seksuele mijmeringen gestoord te worden, maar ze merkte dat Rudolfo voor de grote finale in de stemming gepraat moest worden. 'Mannen zijn watjes,' zei ze. 'Wij zijn degenen die alle belangrijke beslissingen nemen. Wanneer er getrouwd moet worden. Wanneer er kinderen moeten komen. We houden ze in toom en houden ze bij de les.'

Rudolfo glimlachte beleefd. 'Maar wat heeft dat met seks te maken?'

Aspinella wilde dat hij weer aan de slag ging. 'Weet ik veel,' zei ze. 'Het is maar een theorie.'

Rudolfo begon haar opnieuw te masseren – langzaam, stevig, ritmisch. Het leek wel of hij er nooit genoeg van kreeg. En telkens wanneer hij haar tot grote hoogten van genot bracht, zag ze de verschrikkelijke diepten van pijn voor zich waarin ze Astorre Viola en zijn bende moordenaars de komende avond zou storten.

De Viola Macaroni Company was gehuisvest in een groot bakstenen pakhuis aan de Lower East Side van Manhattan. Er werkten ruim honderd mensen, die gigantische jutezakken met geïmporteerde Italiaanse macaroni op lopende banden laadden, die vervolgens automatisch gesorteerd en verpakt werden.

Een jaar geleden had Astorre, geïnspireerd door een tijdschriftartikel over hoe kleine ondernemingen hun werkwijze verbeterden, iemand rechtstreeks van Harvard Business School aangetrokken om veranderingen voor te stellen. De jongeman had tegen Astorre gezegd dat hij zijn prijzen moest verdubbelen, de merknaam van zijn macaroni veranderen in Uncle Vito's Homemade Pasta, en de helft van zijn personeel moest ontslaan en tegen de helft van de prijs vervangen voor tijdelijke hulpkrachten. Na dat voorstel had Astorre zijn adviseur ontslagen.

Astorres kantoor was op de begane grond, pakweg ter grootte van een voetbalveld, waar aan weerskanten glimmende roestvrijstalen apparaten stonden opgesteld. De achterkant van het pakhuis kwam uit op een goederenhaven. Buiten de ingangen en binnen de fabriek hingen videocamera's, zodat hij vanuit zijn kantoor kon zien wie er in- en uitliep en de productie kon bijhouden. Normaliter ging het pakhuis om zes uur 's avonds dicht, maar die avond had Astorre zijn vijf beste personeelsleden en Aldo Monza laten blijven. Hij wachtte.

De avond tevoren, toen Astorre Nicole bij haar thuis zijn plan ontvouwde, was ze er vierkant tegen geweest. Ze had heftig haar hoofd geschud. 'Allereerst zal het nooit lukken. En ten tweede wens ik niet medeplichtig te zijn aan moord.'

'Ze hebben je assistente vermoord en ze hebben je willen ontvoeren,' zei Astorre kalm. 'We lopen allemaal gevaar, tenzij ik actie onderneem.'

Nicole dacht aan Helène en herinnerde zich vervolgens de talrijke ruzies aan tafel met haar vader, die zeker wraak zou hebben willen nemen. Haar vader zou gezegd hebben dat ze dat verplicht was aan de nagedachtenis aan haar vriendin, en hij zou haar voor-

gehouden hebben dat het niet meer dan billijk was – en noodza-
kelijk – om voorzorgsmaatregelen te treffen om de familie te beschermen. 'Waarom gaan we niet naar de autoriteiten?' had ze gevraagd.

Astorres antwoord was kort en bondig geweest: 'Daar is het te
laat voor.'

Nu zat Astorre in zijn kantoor, levend aas. Dankzij Grazziella
wist hij dat Portella en Tulippa in de stad waren voor een vergadering van het syndicaat. Hij kon er niet op rekenen dat het feit dat
Nicole tegen Rubio had gelekt hen zou nopen hem een bezoek te
brengen, maar hij hoopte dat ze nog een laatste poging zouden
wagen hem over te halen de banken over te dragen voordat ze hun
toevlucht zouden nemen tot geweld. Hij ging ervan uit dat ze hem
op wapens zouden onderzoeken, dus had hij zich niet bewapend,
afgezien van een stiletto, die in een speciaal in zijn mouw genaaid
zakje zat.

Astorre hield nauwgezet zijn videoscherm in de gaten, toen hij
een vijftal mannen via de goederenhaven de achterkant van het
gebouw zag binnenkomen. Hij had zijn eigen mannen instructies
gegeven zich te verschuilen en niet aan te vallen vóór hij hun het
sein gaf.

Toen hij aandachtiger naar het scherm keek, herkende hij onder hen Portella en Tulippa. Daarna, toen hun beeld op de monitor
vervaagde, hoorde hij voetstappen die zijn kantoor naderden.
Mochten ze al besloten hebben hem te doden, dan stonden Monza
en zijn team paraat en zouden ze hem kunnen redden.

Maar Portella riep zijn naam.

Hij gaf geen antwoord.

Een paar seconden later bleven Portella en Tulippa voor zijn
deur staan.

'Kom erin,' zei Astorre met een hartelijke glimlach. Hij stond op
om hun de hand te schudden. 'Wat een verrassing. Ik krijg op dit
uur bijna nooit bezoek. Kan ik iets voor jullie doen?'

'Ja,' zei Portella schaterend. 'We geven een groot diner en onze
macaroni is op.'

Astorre zwaaide grootmoedig met zijn handen en zei: 'Mijn
macaroni, jullie macaroni.'

'En je banken?' vroeg Tulippa onheilspellend.

Daar had Astorre op gerekend. 'Het wordt tijd dat we serieus
met elkaar praten. Het wordt tijd dat we zakendoen. Maar eerst
zou ik jullie een rondleiding op het terrein willen geven. Ik ben er
apetrots op.'

Tulippa en Portella wisselden een verwarde blik. Ze waren op hun hoede. 'Oké, maar hou het kort,' zei Tulippa, waarna hij zich afvroeg hoe zo'n pias zo lang had weten te overleven.

Astorre ging hen voor naar de werkvloer. De vier mannen die met hen waren meegelopen, bleven in de buurt. Astorre groette hen hartelijk door hun stuk voor stuk de hand te schudden en hen te complimenteren met hun kleding.

Astorres eigen mannen hielden hem nauwlettend in de gaten en wachtten op zijn bevel om toe te slaan. Monza had drie schutters verdekt opgesteld op een entresol met uitzicht op de werkvloer. De anderen hadden zich elders verspreid over het pakhuis.

Lange minuten tikten voorbij waarin Astorre zijn gasten het pakhuis liet zien. Toen zei Portella eindelijk: 'Het is duidelijk dat hier eigenlijk je hart ligt. Waarom laat je ons niet de banken leiden? We zullen je nog één voorstel doen en jou een percentage toebedelen.'

Astorre wilde net zijn mannen het sein geven om te schieten. Maar plotseling hoorde hij een geratel van geweerschoten en zag drie van zijn mannen van het entresol vallen en twintig meter lager vóór hen op hun buik op het beton van de vloer terechtkomen. Hij liet zijn ogen door het pakhuis gaan, op zoek naar Monza, terwijl hij snel achter een enorme inpakmachine glipte.

Daarvandaan zag hij een zwarte vrouw met een groene ooglap in zijn richting rennen en Portella bij zijn nek grijpen. Ze gaf hem met haar geweer een klap in zijn dikke buik, waarna ze een revolver trok en het geweer op de grond smeet.

'Oké,' zei Aspinella Washington. 'Allemaal je wapens neergooien. Nu.' Toen niemand zich verroerde, aarzelde ze niet. Ze greep Portella bij zijn nek, draaide hem rond en vuurde twee kogels in zijn buik. Terwijl hij dubbelklapte, liet ze haar revolver met een klap op zijn hoofd neerkomen en trapte zijn tanden in.

Toen greep ze Tulippa beet en zei: 'Jij bent de volgende, tenzij iedereen doet wat ik zeg. Dit is oog om oog, klootzakken die jullie zijn.'

Portella wist dat hij zonder hulp hoogstens nog vijf minuten te leven had. Zijn ogen begonnen het al te begeven. Hij lag op zijn rug op de grond en hijgde zwaar, zijn bloemenshirt doorweekt van het bloed. Zijn mond was gevoelloos. 'Doe wat ze zegt,' kreunde hij zwakjes.

Portella's mannen gehoorzaamden.

Hij had altijd gehoord dat een schot in de buik de pijnlijkste ma-

nier was om te sterven. Nu wist hij waarom. Telkens als hij diep in-
ademde, kreeg hij het gevoel of hij een steek door zijn hart kreeg.
Hij verloor de beheersing over zijn blaas, waardoor zijn urine een
donkere vlek in zijn nieuwe broek vormde. Hij probeerde zijn blik
scherp te stellen op de schutter, een gespierde zwarte vrouw die hij
niet herkende. Hij probeerde de woorden 'Wie ben je?' te zeggen
maar kreeg er de adem niet voor. Zijn ultieme gedachte was ongewoon sentimenteel: hij vroeg zich af wie zijn broer Bruno zou
waarschuwen dat hij dood was.

Het duurde niet meer dan een seconde voor Astorre doorhad
wat er was gebeurd. Hij had detective Aspinella Washington nooit
eerder gezien, behalve op krantenfoto's en in actualiteitenrubrieken op de tv. Maar hij wist dat als ze hem had weten te vinden, ze
eerst bij Heskow moest zijn geweest. En Heskow was zo goed als zeker dood. Astorre rouwde niet om de gladde man met de geldbuidel. Heskows grote zwakte was dat hij alles zou zeggen of doen om
in leven te blijven. Het was maar goed dat hij nu bij zijn bloemen
in de grond lag.

Toen Aspinella de loop van de revolver diep in zijn vel pookte,
deed Tulippa de belofte aan zichzelf dat, mocht hij weten te ontsnappen om naar Zuid-Amerika terug te keren, hij haast zou zetten achter de productie van zijn kernwapenarsenaal. Dat hij dan
eigenhandig alles in het werk zou stellen om zo veel mogelijk van
dit Amerika op te blazen, vooral Washington, D.C., een arrogante
hoofdzetel van luie slavendrijvers in leunstoelen, en New York
City, dat een kweekvijver leek van gekken als deze eenogige teef.

'Oké,' zei Aspinella tegen Tulippa. 'Je hebt ons een half miljoen
geboden om af te rekenen met die kerel.' Ze wees op Astorre. 'Ik
zou die taak met genoegen op me nemen, maar sinds mijn onge-
val heb ik mijn gage moeten verdubbelen. Met maar één oog moet
ik me twee keer zo goed concentreren.'

Kurt Cilke had de hele dag het pakhuis in de gaten gehouden.
Met niet meer dan een pakje kauwgom en een nummer van *News-
week* had hij in zijn blauwe Chevrolet zitten wachten tot Astorre in
actie zou komen.

Hij was alleen gekomen, omdat hij bij wat hij beschouwde als
het mogelijke einde van zijn carrière geen andere federale agent
kon gebruiken. Toen hij Portella en Tulippa het gebouw zag binnengaan, had hij het zuur in zijn maag omhoog voelen komen. En

besefte hij wat een schrandere tegenstander Astorre was. Als, zoals Cilke vermoedde, Portella en Tulippa Astorre belaagden, zou Cilke zijn burgerplicht doen door hem te beschermen. Dan zou Astorre bevrijd zijn en zijn naam zuiveren zonder zijn zwijgen te verbreken. En zou Cilke jaren van hard werken weggooien.

Maar toen hij Aspinella Washington het gebouw zag binnenstormen met een geweer, had hij iets anders gevoeld – klinkklare angst. Hij had gehoord van Aspinella's rol in de schietpartij op het vliegveld. Dat had hem verdacht in de oren geklonken. Er klopte iets niet.

Toen hij de patronen in zijn revolver controleerde, voelde hij een vage hoop dat hij op haar zou kunnen rekenen voor hulp. Voordat hij uit zijn auto stapte, besloot Cilke dat het tijd werd de Dienst in te lichten. Op zijn mobiele telefoon belde hij Boxton.

'Ik sta voor het pakhuis van Astorre Viola,' liet Cilke hem weten. Toen hoorde hij snel op elkaar volgende schoten. 'Ik ga nu naar binnen en als er iets misgaat, wil ik dat jij tegen de directeur zegt dat ik op eigen initiatief heb gehandeld. Neem je dit telefoontje op?'

Boxton wachtte even, omdat hij niet wist of Cilke op prijs zou stellen dat hij werd opgenomen. Maar sinds Cilke doelwit was geworden, werden al zijn telefoongesprekken vastgelegd. 'Ja,' zei hij.

'Fijn,' was Cilkes reactie. 'Om misverstanden te voorkomen, noch jij, noch iemand anders binnen de FBI is verantwoordelijk voor wat ik nu ga doen. Ik ga een vijandige situatie binnen waarbij drie beruchte figuren van de georganiseerde misdaad zijn betrokken en één verrader van de NYCP, die zwaarbewapend is.'

Boxton viel Cilke in de rede. 'Kurt, wacht op assistentie.'

'Daar is geen tijd voor,' zei Cilke. 'Bovendien is dit mijn rotzooi. Ik zal het opruimen.' Hij overwoog een boodschap voor Georgette achter te laten, maar besloot dat dat te luguber en egoïstisch zou zijn. Hij moest zijn daden maar voor zichzelf laten spreken. Zonder verder nog iets te zeggen, hing hij op. Toen hij uit zijn auto stapte, merkte hij dat hij fout geparkeerd stond.

Het eerste wat Cilke zag toen hij het pakhuis binnen kwam, was dat Aspinella's revolver zich in Tulippa's hals boorde. Niemand in de ruimte gaf een kik. Niemand verroerde zich.

'Ik ben een federale agent,' deelde Cilke hun mede, terwijl hij met zijn revolver zwaaide.

Aspinella draaide zich om naar Cilke en sprak smalend: 'Ik weet verdomme wel wie je bent. Dit is mijn feestje. Ga maar een paar accountants of makelaars in de kraag grijpen of door wie je je liever laat naaien. Dit is een zaak van de NYPD.'

'Rechercheur,' zei Cilke kalm, 'Laat nu uw wapen vallen. Zo niet dan zal ik zo nodig geweld gebruiken. Ik heb reden om aan te nemen dat u deel uitmaakt van een gangstercomplot.'

Daar had Aspinella niet op gerekend. Toen ze de blik in Cilkes ogen zag en hoorde hoe zeker zijn stem klonk, wist ze dat hij niet zou wijken. Maar ze was niet van plan om op te geven, niet zolang ze een revolver in haar hand had. Cilke had waarschijnlijk in geen jaren op iemand geschoten, dacht ze. 'Jij denkt dat ik deel uitmaak van een complot?' gilde ze. 'Nou, volgens mij neem *jij* deel aan een complot. Volgens mij neem je al jarenlang steekpenningen aan van dit stuk stront.' Ze porde Tulippa opnieuw met de revolver. 'Dat klopt toch, *señor*?'

Aanvankelijk zei Tulippa niets, maar toen Aspinella hem een knietje gaf, klapte hij dubbel en knikte.

'Hoeveel?' vroeg Aspinella aan hem.

'Ruim een miljoen dollar,' hijgde Tulippa.

Cilke onderdukte zijn woede en zei: 'Elke dollar die ze hebben overgemaakt naar mijn rekening werd door de FBI genoteerd. Dit is een federaal onderzoek, detective Washington.' Hij haalde diep adem, waarbij hij aftelde voordat hij tegen haar zei: 'Dit is mijn laatste waarschuwing. Leg uw wapen neer of ik ga schieten.'

Astorre bekeek hen koelbloedig. Ook Monza stond onopgemerkt achter een ander apparaat. Astorre zag een spier in Aspinella's gezicht trekken. Daarna, alsof het in slowmotion gebeurde, zag hij hoe ze achter Tulippa gleed en op Cilke vuurde. Maar zodra ze vuurde, rukte Tulippa zich los en dook op de grond, waarbij hij haar omverduwde.

Cilke was in de borst getroffen. Maar toen vuurde hij één keer op Aspinella en zag haar achteruitwankelen, terwijl van onder haar schouder bloed spoot. Geen van tweeën had willen schieten om te doden. Ze volgden hun training tot op de letter: richten op het breedste deel van het lichaam. Maar toen Aspinella de brandende pijn van de kogel voelde en de schade zag, wist ze dat het tijd was die methode te vergeten. Ze mikte tussen Cilkes ogen. Ze vuurde vier keer. Elke kogel raakte zijn doel, tot Cilkes neus een geplette pulp van kraakbeen was en ze klodders van zijn hersenen tussen de restanten van zijn voorhoofd uiteen zag spatten.

Tulippa zag dat Aspinella gewond was en wankelde. Hij wierp zich op haar en gaf haar met zijn elleboog een stoot in haar gezicht, waardoor ze meteen buiten westen was. Maar voor hij de kans kreeg haar revolver te pakken, kwam Astorre vanachter de machine vandaan en schopte die door de ruimte. Toen boog hij zich over Tulippa en bood hem galant zijn hand aan.

Tulippa pakte die en Astorre trok hem overeind. Intussen rekenden Monza en de overlevende leden van zijn team af met de rest van Portella's mannen en bonden hen vast aan de stalen steunbogen van het pakhuis. Niemand stak een vinger uit naar Cilke en Portella.

'Zo,' zei Astorre. 'Ik geloof dat we nog wat zaken moeten afwikkelen.'

Tulippa snapte er niets van. Astorre zat vol tegenstrijdigheden – een vriendelijke tegenstander, een zingende moordenaar. Was zo'n flierefluiter ooit te vertrouwen?

Astorre liep naar het midden van het pakhuis en gaf Tulippa een seintje dat hij moest volgen. Toen hij een open ruimte bereikte, bleef hij staan en ging tegenover de Zuid-Amerikaan staan. 'Jij hebt mijn oom vermoord en je hebt geprobeerd onze banken te stelen. Ik zou mijn adem niet eens aan je moeten verknoeien.' Toen trok Astorre een stiletto, waarvan het zilveren lemmet flitste, en liet hem aan Tulippa zien. 'Ik zou je strot moeten doorsnijden, dan was ik eraf. Maar je bent slap, en er valt geen eer te behalen aan het afslachten van een weerloze oude man. Dus zal ik je een eerlijke kans geven.'

Met die woorden en een bijna onmerkbaar knikje naar Monza stak Astorre zijn beide handen omhoog, alsof hij zich overgaf, liet zijn mes vallen en deed een paar stappen achteruit. Tulippa was ouder en zwaarder dan Astorre, maar had zijn hele leven lang zeeën bloed vergoten. Hij was uiterst bekwaam met een mes. Maar toch was hij geen partij voor Astorre.

Tulippa raapte de stiletto op en kwam op Astorre af. 'Je bent een domme, gewetenloze vent,' zei hij. 'Ik was bereid je als partner te accepteren.' Hij haalde een paar keer uit naar Astorre, maar Astorre was sneller en ontweek hem. Toen Tulippa even stilstond om op adem te komen, haalde Astorre het gouden medaillon van zijn hals en gooide het op de grond, waardoor hij het paarse litteken in zijn hals blootlegde. 'Ik wil dat dit het laatste is wat je ziet voordat je sterft.'

Tulippa was gehypnotiseerd door de wond, een tint paars die hij nog nooit had gezien. En vóór hij het wist, trapte Astorre de stiletto uit zijn hand en trof Tulippa met pijlsnelle precisie met zijn knie in de rug, nam hem in de houdgreep en kraakte zijn hals. Iedereen hoorde het kraken.

Zonder verder naar zijn slachtoffer om te kijken, raapte Astorre zijn medaillon op, hing hem weer om zijn hals en verliet het gebouw.

Vijf minuten later kwam een eskader FBI-auto's bij de Viola Macaroni Company. Aspinella Washington, nog in leven, werd naar de intensive care van het ziekenhuis gebracht.

Toen de FBI-agenten de videoband zonder geluid hadden bekeken die was opgenomen met de camera's die Monza had laten lopen, kwamen ze tot de slotsom dat Astorre, die zijn handen had opgestoken en zijn mes liet vallen, had gehandeld uit zelfverdediging.

Nicole GOOIDE DE TELEFOON NEER EN SCHREEUWDE TEGEN haar secretaresse: 'Ik word er ziek van als ik weer hoor hoe zwak die verrekte eurodollar staat. Kijk of je Mr. Pryor te pakken kunt krijgen. Waarschijnlijk staat hij ergens op een golfbaan bij de negende hole.'

Twee jaren waren verstreken, en Nicole had de leiding overgenomen van de Aprile-banken. Toen het voor Mr. Pryor tijd werd om met pensioen te gaan, had hij bij hoog en bij laag volgehouden dat zij de beste persoon was voor de baan. Ze was een bekwame en vechtlustige bedrijfsjuriste die niet zou buigen onder de druk van bankvoorschriften en veeleisende cliënten.

Die dag was Nicole koortsachtig bezig haar bureau leeg te maken. Later die avond zou ze met haar broers naar Sicilië vliegen voor een familiereünie met Astorre. Maar voordat ze weg kon, moest ze nog iets regelen met Aspinella Washington, die op het bericht wachtte of Nicole haar in hoger beroep wilde vertegenwoordigen om aan de doodstraf te ontkomen. Daar moest ze niet aan denken, en niet alleen omdat ze al een fulltime baan had.

Aanvankelijk, toen Nicole had aangeboden de banken te runnen, had Astorre geaarzeld toen hij terugdacht aan de laatste wensen van de don. Maar Mr. Pryor had hem overgehaald, omdat Nicole de dochter van haar vader was. Als er een grote lening moest worden ingevorderd, kon de bank erop rekenen dat zij een krachtige combinatie achter de hand had van een vriendelijk woord en versluierde intimidatie. Ze wist hoe ze resultaat moest boeken.

Nicoles intercom zoemde, en Mr. Pryor begroette haar op zijn eigen hoffelijke manier: 'Wat kan ik voor je doen, meisje?'

'We worden afgemaakt met die wisselkoersen,' zei ze. 'Wat

denkt u, moeten we wat zwaarder overhellen naar de Duitse marken?'

'Dat lijkt me een uitstekend idee,' zei Mr. Pryor.

'Weet u,' zei Nicole, 'die hele handel in vreemde valuta is net zo logisch als de hele dag baccarat spelen in Las Vegas.'

Mr. Pryor lachte. 'Dat kan wel waar zijn, maar als je bij baccarat verliest, staat de Staat daar niet garant voor.'

Toen Nicole had opgehangen bleef ze even zitten om de ontwikkeling van de bank te overdenken. Sinds zij de leiding had overgenomen had ze nóg zes banken in welvarende landen aangetrokken en de bedrijfswinst verdubbeld. Maar ze was nog meer in haar nopjes omdat de bank grotere leningen verstrekte voor nieuwe zaken in ontwikkelingslanden.

Ze glimlachte in zichzelf toen ze terugdacht aan haar eerste dag.

Zodra haar nieuwe postpapier binnen was, had Nicole een brief opgesteld aan de minister van Financiën van Peru, waarin ze terugbetaling eiste van alle nog openstaande staatsleningen. Zoals ze verwachtte, had dat een economische crisis in dat land tot gevolg, wat resulteerde in politiek geharrewar en een nieuwe regering. De nieuwe partij had het opstappen geëist van de Peruviaanse consul-generaal in de Verenigde Staten, Marriano Rubio.

In de daaropvolgende maanden had Nicole tot haar genoegen gelezen dat Rubio zich persoonlijk failliet had laten verklaren. Hij was ook verwikkeld in een reeks gecompliceerde processen met Peruviaanse investeerders die een van zijn vele ondernemingen – een geflopt themapark – hadden helpen financieren. Rubio had bezworen dat dat het 'Latino Disneyland' zou worden, maar hij had niet méér weten aan te trekken dan een reuzenrad en een filiaal van Taco Bell.

De kwestie die in de roddelpers werd aangeduid als het Macaroni Bloedbad, was uitgegroeid tot een internationaal incident. Zodra Aspinella was hersteld van de door Cilkes pistoolschot toegebrachte verwonding – een geperforeerde long – had ze in de media een reeks uitspraken gedaan. In afwachting van haar proces had ze zichzelf afgeschilderd als een martelares van het kaliber van Jeanne d'Arc. Ze had de FBI aangeklaagd wegens poging tot moord, laster en aantasting van haar burgerrechten. Ook had ze de New York Police Department aangeklaagd wegens achterstallig loon dat men haar verschuldigd was tijdens haar schorsing.

Ondanks haar protesten had de jury er slechts drie uur overleg voor nodig gehad om haar te veroordelen. Toen het oordeel 'schuldig' werd uitgesproken, ontsloeg Aspinella haar advocaten en schreef ze een verzoekschrift naar de Lobby Tegen de Doodstraf om haar te vertegenwoordigen. Ze toonde nog meer gevoel voor publiciteit door Nicole Aprile te vragen haar zaak op zich te nemen. Vanuit haar cel in *death row* had Aspinella tegen de pers verteld: 'Haar neef heeft me dit aangedaan, dus nu mag zij me hieruit halen.'

Eerst weigerde Nicole met Aspinella te gaan praten door te zeggen dat een beetje goede advocaat zich verre zou houden van dergelijke tegenstrijdige belangen. Maar toen Aspinella Nicole van racisme betichtte, ging Nicole – omdat ze geen kwaad bloed wilde zetten bij crediteuren van minderheidsgroeperingen – ermee akkoord met haar te gaan praten.

De dag van hun ontmoeting had Nicole twintig minuten moeten wachten omdat Aspinella een kleine congregatie van buitenlandse hoogwaardigheidsbekleders ontving. Ze riepen Aspinella uit tot moedig strijdster tegen Amerika's barbaarse doodstraf. Uiteindelijk gaf Aspinella het sein dat Nicole het glazen raam mocht naderen. Inmiddels was ze een gele ooglap gaan dragen waarop het woord VRIJHEID was geborduurd.

Nicole stak van wal met al haar redenen om van de zaak af te zien en besloot met te verklaren dat ze Astorre had verdedigd in zijn getuigenis tegen haar.

Aspinella had aandachtig geluisterd, terwijl ze aan haar nieuwe *dreadlocks* zat te wriemelen. 'Ik begrijp je,' zei ze. 'Maar er is een hoop dat je niet weet. Astorre had gelijk; ik ben schuldig aan de vergrijpen waarvoor ik ben veroordeeld, en ik zal er mijn hele verdere leven voor boeten. Maar alsjeblieft, help me om lang genoeg te leven om goed te maken wat ik kan.'

Aanvankelijk had Nicole gedacht dat dat Aspinella's zoveelste truc was om sympathie te winnen, maar iets in haar stem had Nicole ontroerd. Ze geloofde nog steeds dat geen enkel menselijk wezen ooit het recht had een ander ter dood te veroordelen. Ze geloofde nog steeds in genade. Ze was ervan overtuigd dat Aspinella, net als elke terdoodveroordeelde, recht had op een verdediging. Ze wou alleen dat zíj die niet op zich hoefde te nemen.

Vóór Nicole een besluit had kunnen nemen, wist ze dat ze nog één persoon onder ogen moest komen.

Na de begrafenis, waarbij Cilke de uitvaart van een held had gekregen, had Georgette een gesprek aangevraagd met de directeur. Een FBI-escorte had haar van het vliegveld opgehaald en bracht haar naar het hoofdkwartier van de Dienst.

Toen ze het kantoor van de directeur binnen kwam, sloeg hij zijn armen om haar heen en beloofde hij dat de Dienst al het mogelijke zou doen om haar en haar dochter bij de verwerking van hun verlies te helpen.

'Dank u,' zei Georgette. 'Maar daar ben ik niet voor gekomen. Ik moet weten waarom mijn man vermoord is.'

De directeur bleef een hele tijd zwijgen voordat hij antwoordde. Hij wist dat ze geruchten had opgevangen. En die geruchten zouden best een bedreiging kunnen worden voor het imago van de Dienst. Hij moest zien haar gerust te stellen. Eindelijk zei hij: 'Ik schaam me te moeten toegeven dat wij zelfs een onderzoek moesten instellen. Uw man was een toonbeeld van hoe een FBI-man behoort te zijn. Zijn werk lag hem na aan het hart en hij heeft alle wetten tot de letter nagevolgd. Ik weet dat hij nooit iets zou doen wat de Dienst of zijn gezin in opspraak zou brengen.'

'Waarom is hij dan alleen naar dat pakhuis gegaan?' vroeg Georgette. 'En wat was zijn relatie met Portella?'

De directeur ging de gespreksonderwerpen na die hij vóór dit onderhoud met zijn staf had doorgenomen. 'Uw man was een uitstekend rechercheur. Hij had de vrijheid en het respect verdiend om zijn eigen aanwijzingen te volgen. Wij geloven niet dat hij ooit steekpenningen heeft aangenomen of over de schreef is gegaan, noch met Portella, noch met iemand anders. Zijn resultaten spreken boekdelen. Hij is de man die korte metten maakte met de maffia.'

Toen ze zijn kantoor uit liep, besefte Georgette dat ze hem niet geloofde. Ze wist dat ze, wilde ze zich er ooit bij kunnen neerleggen, zou moeten geloven in de waarheid die ze in haar hart voelde: dat haar man, ondanks zijn toewijding, niet beter was dan wie dan ook.

Na de moord op haar man bleef Georgette Cilke als vrijwilliger verbonden aan het Newyorkse hoofdkwartier van de Lobby Tegen de Doodstraf, maar Nicole had haar sinds hun fatale gesprek niet meer gezien. Vanwege haar verantwoordelijkheden op de bank had Nicole laten weten dat ze het te druk had voor de Lobby. In werkelijkheid durfde ze Georgette niet onder ogen te komen.

Maar toen Nicole binnen kwam lopen, begroette Georgette haar met een hartelijke omhelzing. 'Ik heb je gemist,' zei ze.

'Het spijt me dat ik niets heb laten horen,' was Nicoles reactie. 'Ik had je een condoleancebrief willen schrijven, maar ik kon de woorden niet vinden.'

Georgette knikte en zei: 'Ik begrijp het.'

'Nee,' zei Nicole, met een brok in haar keel. 'Je begrijpt het niet. Een deel van wat je man is overkomen is mijn schuld. Als ik die middag niet met je had gepraat...'

'Dan was het evengoed gebeurd,' onderbrak Georgette. 'Als het niet je neef was geweest, dan was er wel iemand anders. Iets dergelijks móést vroeger of later gebeuren. Kurt wist het en ik ook.' Georgette aarzelde slechts even voordat ze daaraan toevoegde: 'Het belangrijkste is dat we ons zijn goede daden herinneren. Dus laten we niet meer over het verleden praten. Ik weet zeker dat we allemaal wel ergens spijt van hebben.'

Nicole wou dat het zo eenvoudig was. Ze haalde diep adem. 'Er is meer. Aspinella Washington wil dat ik haar vertegenwoordig.'

Hoewel Georgette haar best deed het te verbergen, zag Nicole dat ze een schok kreeg toen ze Aspinella's naam noemde. Georgette was niet gelovig, maar op dat moment wist ze zeker dat God wilde zien hoe zeker ze van haar zaak was. 'Oké,' zei ze, terwijl ze op haar lip beet.

'Wat oké?' vroeg Nicole. Ze had gehoopt dat Georgette bezwaar zou maken, het zou verbieden, en dat Nicole dan uit loyaliteit tegenover haar vriendin Aspinella zou kunnen afwijzen. Nicole hoorde opeens de stem van haar vader, die tegen haar zei: 'Met zo veel loyaliteit leg je eer in.'

'Ja,' zei Georgette, en ze sloot haar ogen. 'Jij moet haar verdedigen.'

Nicole was perplex. 'Ik hoef het niet te doen. Dat zal iedereen begrijpen.'

'Dat zou hypocriet zijn,' zei Georgette. 'Een leven is heilig of niet. We kunnen wat we geloven niet naar onze hand zetten omdat we bang zijn voor pijn.'

Georgette zweeg en ze strekte ten afscheid haar hand naar Nicole uit. Dit keer volgde er geen omhelzing.

Nadat ze de hele dag dat gesprek in haar hoofd had teruggespeeld, belde Nicole uiteindelijk Aspinella op en accepteerde schoorvoetend de zaak. Over een uur zou Nicole naar Sicilië vertrekken.

De week daarop stuurde Georgette een brief naar de co-ordinator van de Lobby Tegen de Doodstraf. Ze schreef dat zij en haar dochter naar een andere stad gingen verhuizen om opnieuw te beginnen en dat ze iedereen het beste wenste. Ze liet geen nieuw adres achter.

Astorre had zijn eed aan don Aprile niet beschaamd: de banken redden en het welzijn van zijn familie zeker stellen. In zijn eigen ogen was hij nu van alle verplichtingen verlost.

De week nadat hij was vrijgesproken van alle malversaties rond de pakhuismoorden kwamen hij, don Craxxi en Octavius Bianco in zijn kantoor in het pakhuis bijeen en vertelde hij hun van zijn verlangen terug te keren naar Sicilië. Hij legde uit dat hij een sterke aantrekkingskracht tot het land voelde, die zich jarenlang in zijn dromen had geopenbaard. Dat hij vele goede herinneringen had aan zijn jeugd in Villa Grazia, het buitenverblijf van don Aprile, en dat hij altijd had gehoopt dat hij er zou terugkeren. Het was een eenvoudiger, maar in vele opzichten rijker bestaan.

Bij die gelegenheid had Bianco hem gezegd: 'Je hoeft niet terug te gaan naar Villa Grazia. Op Sicilië ligt een uitgestrekt landgoed dat jouw eigendom is. Het hele dorp Castellammare del Golfo.'

Astorre begreep er niets van. 'Hoe kan dat nou?'

Benito Craxxi vertelde hem van de dag waarop de grote maffiabaas don Zeno zijn drie vrienden aan zijn bed had laten komen toen hij op sterven lag. 'Jij bent de jongen die zijn hart en ziel vervulde,' zei hij. 'En nu ben jij zijn enige erfgenaam. Het dorp is aan jou vermaakt door je natuurlijke vader. Dat is je geboorterecht.

Toen don Aprile je meenam naar Amerika heeft don Zeno voor iedereen in het dorp voorzieningen getroffen, tot de dag dat jij die zou komen opeisen. Na de dood van je vader hebben wij ervoor gezorgd dat het dorp veilig was, volgens zijn wensen. Toen de boeren een slechte oogst hadden, hebben wij fruitbomen en graan laten planten – om een handje te helpen.'

Waarom hebben jullie me dit niet eerder verteld?' vroeg Astorre.

'We hebben don Aprile moeten zweren het geheim te houden,' zei Bianco. 'Je vader had je veiligheid op het oog en don Aprile wilde dat je een deel van zijn familie werd. Hij had je ook nodig om zijn familie te beschermen. Eigenlijk heb je twee vaders gehad. Je boft maar.'

Astorre landde op een prachtige, zonovergoten dag op Sicilië. Twee lijfwachten van Michael Grazziella wachtten hem op het vliegveld op en brachten hem naar een blauwe Mercedes.

Terwijl ze door Palermo reden, vergaapte Astorre zich aan de schoonheid van de stad: door marmeren zuilen en ornamenten van mythologische figuren waren enkele bouwwerken net Griekse tempels. Andere, met in grijze steen gehouwen heiligen en engelen, leken op Spaanse kathedralen. De afdaling naar Castellammare del Golfo duurde ruim twee uur, over een rotsachtige eenbaansweg. Wat Astorre, zoals altijd, het meeste raakte op Sicilië was de pracht van het landschap met het adembenemende zicht op de Middellandse Zee.

Het dorp, in een door bergen omsloten, diepe vallei, was een doolhof van met kasseien geplaveide straatjes, met links en rechts gepleisterde huizen van twee verdiepingen. Astorre zag dat enkele mensen door de kieren van de witgeschilderde luiken gluurden die tegen de zinderende middagzon waren dichtgetrokken.

Hij werd verwelkomd door de burgemeester van het dorp, een kleine man in boerenkleren die zich voorstelde als Leo DiMarco en vol ontzag boog. 'Il Padrone,' zei hij, 'welkom.'

Astorre, slecht op zijn gemak, glimlachte en vroeg in het Siciliaans: 'Zou u me het dorp willen laten zien?'

Ze kwamen langs een stel oude mannen op houten banken die aan het kaarten waren. Aan de overkant van het dorpsplein stond een statige katholieke kerk. En die kerk, de San Sebastiano, ging de burgemeester met Astorre bezoeken. Astorre, die sinds de moord op don Aprile nooit meer fatsoenlijk had gebeden. Hij knielde neer, met gebogen hoofd, om zich te laten zegenen door pater Del Vecchio, de dorpspriester.

Na afloop bracht burgemeester DiMarco Astorre naar het huisje waar hij zou verblijven. Onderweg zag Astorre diverse carabinieri tegen de huizen geleund staan, met hun geweren paraat. 'Als het donker wordt, is het veiliger om in het dorp te blijven,' legde de burgemeester uit. 'Maar overdag is het een vreugde om op de akkers te verkeren.'

De volgende paar dagen maakte Astorre lange wandelingen op het platteland, waar de frisse geur van sinaasappel- en citroenplantages hing. Zijn hoofddoel was kennis te maken met de dorpelingen en de antieke, in de stijl van Romeinse villa's gebouwde stenen huizen te bekijken. Hij wilde er een uitzoeken om er zijn thuis te stichten.

De derde dag wist hij dat hij hier gelukkig zou worden. De gewoonlijk achterdochtige, zwijgzame dorpelingen groetten hem op straat, en als hij in het café op het dorpsplein zat, werd hij door de oude mannen en kinderen goedmoedig geplaagd.

Hij moest alleen nog twee dingen doen.

De volgende morgen vroeg Astorre of de burgemeester hem de weg naar het dorpskerkhof wilde wijzen.

'Met welk doel?' vroeg DiMarco.

'Om mijn vader en mijn moeder eer te bewijzen,' antwoordde Astorre.

DiMarco knikte en griste een grote smeedijzeren sleutel van de muur van zijn kantoortje.

'Hoe goed hebt u mijn vader gekend?' vroeg Astorre.

DiMarco sloeg snel een kruis. 'Wie heeft don Zeno níet gekend? Aan hem hebben we ons leven te danken. Hij heeft onze kinderen gered met dure medicijnen uit Palermo. Hij heeft ons dorp beschermd tegen plunderaars en bandieten.'

'Maar wat voor man was hij?' vroeg Astorre.

DiMarco haalde zijn schouders op. 'Er zijn nog maar weinig mensen die hem zo hebben gekend, en nog minder die met jou over hem willen praten. Hij is een legende geworden. Dus wie zou de echte man willen kennen?'

Ik, dacht Astorre.

Ze liepen door het landschap en beklommen toen een steile heuvel, waarbij DiMarco van tijd tot tijd stilstond om op adem te komen. Uiteindelijk zag Astorre het kerkhof. Maar in plaats van grafzerken stonden er rijen stenen bouwwerkjes. Mausoleums, met een hoog smeedijzeren hek eromheen dat op slot zat. Op het bord boven het hek stond: BINNEN DEZE HEKKEN IS IEDEREEN ONSCHULDIG.

De burgemeester deed het hek van het slot en bracht Astorre bij het grijze marmeren mausoleum van zijn vader, met daarop het grafschrift: VINCENZO ZENO: EEN DEUGDZAAM EN GENEREUS MAN. Astorre ging het gebouwtje binnen en keek aandachtig naar de foto van zijn vader op het altaar. Het was voor het eerst dat hij een foto van hem zag, en het trof hem dat zijn gezicht hem zo bekend voorkwam.

DiMarco nam Astorre daarna mee naar een ander gebouwtje, een paar rijen verderop. Die steen was van wit marmer, en de enige kleur was het lichtblauwe gewaad van de Maagd Maria die in de boog van de ingang was uitgehouwen. Astorre liep naar binnen en keek aandachtig naar de foto. Het meisje was niet ouder dan tweeëntwintig, maar haar grote groene ogen en stralende glimlach gaven hem een warm gevoel.

Buiten zei hij tegen DiMarco: 'Toen ik klein was, droomde ik altijd van zo'n vrouw, maar ik dacht dat het een engel was.'

DiMarco knikte. 'Het was een mooie vrouw. Ik herinner me haar uit de kerk. En je hebt gelijk. Ze zong als een engel.'

Astorre reed op een ongezadeld paard door het landschap en stopte alleen even om de verse geitenkaas en het knapperige brood op te eten die een vrouw uit het dorp voor hem had ingepakt.

Na een tijd bereikte hij Corleone. Hij kon een bezoek aan Michael Grazziella niet langer uitstellen. Hij was de man op zijn minst die beleefdheid schuldig.

Hij was gebronsd door al die uren in de open lucht, en Grazziella begroette hem met open armen en een omhelzing die hem bijna vermorzelde. 'De Siciliaanse zon heeft je goedgedaan,' zei hij.

Astorre raakte de juiste snaar toen hij zei: 'Dank u voor alles. Vooral voor uw steun.'

Grazziella liep met hem naar de villa. 'En wat brengt je naar Corleone?'

'Ik denk dat u wel weet waarom ik hier ben,' antwoordde Astorre.

Grazziella glimlachte. 'Een sterke jongeman als jij? Natuurlijk! En ik zal je meteen naar haar toe brengen. Ze is een streling voor het oog, die Rose van je. En ze heeft iedereen die ze tegenkwam vreugde gebracht.'

Rosies seksuele honger kennende, vroeg Astorre zich één seconde af of Grazziella hem iets probeerde duidelijk te maken. Maar hij beheerste zich snel. Grazziella was veel te keurig voor zoiets, en te veel een Siciliaan om zoiets onfatsoenlijks onder zijn wakend oog toe te laten.

Haar villa lag slechts op een paar minuten afstand. Daar aangekomen riep Grazziella: 'Lieve Rose, je hebt bezoek.'

Ze droeg een eenvoudige blauwe zonnejurk en had haar blonde haar in haar nek bij elkaar gebonden. Zonder haar make-up zag ze er jonger en onschuldiger uit dan hij zich herinnerde.

Ze bleef staan toen ze hem zag, verrast. Maar toen riep ze uit: 'Astorre!' Ze rende op hem af, kuste hem en begon enthousiast te

266

praten. 'Ik heb al vloeiend het Siciliaanse dialect leren spreken. En ik heb ook een paar beroemde recepten geleerd. Hou je van gnocchi met spinazie?'

Hij nam haar mee naar Castellammare del Golfo en liet haar de week daarop zijn dorp en de omgeving zien. Elke dag zwommen ze, praatten ze urenlang en vrijden met elkaar met de vertrouwdheid die slechts de tijd kan brengen.

Astorre lette goed op Rosie om te zien of hij haar ging vervelen en of ze ongedurig werd van het eenvoudige leven. Maar zo te zien was ze volkomen ontspannen. Hij vroeg zich af of hij haar na alles wat ze samen hadden meegemaakt ooit echt zou kunnen vertrouwen. En vervolgens vroeg hij zich af of het wel verstandig was om zo veel van een vrouw te houden dat je haar volkomen zou vertrouwen. Hij en Rosie hadden allebei zo hun geheimen – dingen die hij zich niet wenste te herinneren of wilde delen. Maar Rosie kende hem en hield nog steeds van hem. Bij haar zouden zijn geheimen veilig zijn, en de hare bij hem.

Maar één ding zat hem nog altijd dwars. Rosie had een zwak voor geld en dure cadeaus. Astorre vroeg zich af of ze ooit tevreden zou zijn met hetgeen één man haar te bieden had. Dat moest hij weten.

Op hun laatste dag samen in Corleone reden Astorre en Rosie te paard door de heuvels. Tot de schemering snelden ze over de velden. Toen hielden ze halt bij een wijngaard, waar ze druiven plukten die ze aan elkaar voerden.

'Ik kan nauwelijks geloven dat ik zo lang ben gebleven,' zei Rosie toen ze samen in het gras lagen.

Astorres groene ogen glinsterden fel. 'Denk je dat je nog wat langer zou kunnen blijven?'

Rosie keek verbaasd. 'Wat had je in gedachten?'

Astorre ging op één knie zitten en strekte zijn hand uit. 'Vijftig, zestig jaar misschien,' zei hij met een oprechte glimlach. In de palm van zijn hand lag een eenvoudige bronzen ring.

'Wil je met me trouwen?' vroeg hij.

Astorre zocht naar een hint van aarzeling in Rosies ogen, een lichte teleurstelling om de kwaliteit van de ring, maar haar antwoord kwam meteen. Ze sloeg haar armen om zijn hals en kuste hem waar ze maar kon. Toen vielen ze op de grond en rolden samen door de heuvels.

Een maand daarna trouwden Astorre en Rosie in een van zijn ci-trusplantages. Pater Del Vecchio leidde de plechtigheid. Iedereen uit de twee dorpen was er. De heuvel was één tapijt van blauwere-gen, en de geur van citroenen en sinaasappelen hing in de lucht. Astorre was gekleed in een wit boerenkostuum en Rosie droeg een roze japon van zijde.

Er hing een varken aan het spit boven roodgloeiende kolen te roosteren en er waren warme, rijpe tomaten van het land. Er waren warme broden en verse kaas. Zelfgemaakte wijn stroomde als een rivier.

Toen de plechtigheid voorbij was en ze elkaar trouw hadden be-loofd, bracht Astorre zijn bruid een serenade van zijn favoriete bal-laden. Er werd zo veel gedronken en gedanst dat het feest tot het ochtendgloren duurde.

De volgende morgen, toen Rosie ontwaakte, zag ze dat Astorre de paarden aan het zadelen was. 'Ga je mee rijden?'

Ze zaten de hele dag in het zadel, tot Astorre vond waarnaar hij op zoek was geweest – Villa Grazia. 'Het geheime paradijs van mijn oom. Als kind heb ik hier mijn gelukkigste tijd doorgebracht.'

Hij liep achter het huis langs naar de tuin, met Rosie achter zich aan. En uiteindelijk vonden ze zijn olijfboom, die uit een pit was gegroeid die hij als jongetje had geplant. De boom was nu even groot als hij en de stam was behoorlijk dik. Hij haalde een scherp mes uit zijn zak en greep een tak beet. Toen sneed hij die van de boom.

'Die zullen we in onze tuin planten. En als we een kind krijgen, zal hij ook gelukkige herinneringen hebben.'

Een jaar later vierden Astorre en Rosie de geboorte van hun zoon, Raymonde Zeno. En toen het tijd werd dat hij werd gedoopt, nodigden ze Astorres familie uit in de kerk van de Heilige Sebasti-aan.

Toen pater Di Vecchio klaar was, hief Valerius, als oudste van de Aprile-kinderen, een glas wijn en bracht een toast uit. 'Mogen jul-lie allemaal een voorspoedig en gelukkig leven hebben. En moge jullie zoon opgroeien met het vuur van Sicilië en het gevoel voor romantiek in een hart dat klopt voor Amerika.'

Marcantonio hief zijn glas en voegde daaraan toe: 'En als hij ooit in een soap wil spelen, weten jullie wie je moet bellen.'

Nu de Aprile-banken zo winstgevend waren, had Marcantonio een doorlopend krediet van twintig miljoen dollar voor de realisatie van zijn dramaproducties. Samen met Valerius werkte hij aan een project, gebaseerd op de FBI-dossiers van hun vader. Nicole vond het een vreselijk idee, maar ze waren het er allemaal over eens dat de don genoten zou hebben van het idee dat hij enorme geldbedragen zou hebben ontvangen voor het verfilmen van de legende van zijn misdaden.

'*Vermeende* misdaden,' voegde Nicole daaraan toe.

Astorre vroeg zich af waar iedereen zich nog druk over maakte. De klassieke maffia was dood. De grote dons hadden hun doel bereikt en zich naadloos ingepast in de samenleving, zoals dat de beste criminelen altijd lukt. De paar zogenaamde maffiosi die er nog waren, waren een frustrerende mengelmoes van vage, tweederangs boefjes en onbekwame schurken. Waarom zou je je met duistere praktijken bezighouden als het veel eenvoudiger was miljoenen te stelen door je eigen bedrijf op te richten en aandelen aan het publiek te verkopen?

'Zeg, Astorre, denk jij dat jij onze speciale adviseur zou kunnen zijn bij die film?' vroeg Marcantonio. 'We willen er zeker van zijn dat het zo authentiek mogelijk wordt.'

'Natuurlijk,' zei Astorre glimlachend. 'Ik zal mijn agent vragen of hij contact met je wil opnemen.'

Later die avond, in bed, zei Rosie tegen Astorre: 'Denk je dat je ooit nog terug zou willen?'

'Waarheen?' vroeg Astorre. 'Naar New York? Naar Amerika?'

'Nou...' zei Rosie aarzelend. 'Naar je oude leven.'

'Ik hoor hier, bij jou, hier.'

'Mooi,' zei Rosie. 'Maar de baby dan? Moet hij niet de kans krijgen om te ervaren wat Amerika te bieden heeft?'

Astorre zag Raymonde voor zich, terwijl die door de heuvels rende, olijven uit vaten at en verhalen aanhoorde over de grote dons en het Sicilië van weleer. Hij verheugde zich erop zijn zoon die verhalen te vertellen. En toch wist hij dat die mythen niet voldoende zouden zijn.

Op een dag zou zijn zoon naar Amerika gaan, een land waar men geloofde in wraak, genade en fantastische mogelijkheden.